Nous remercions le ministère du Patrimoine canadien,
la SODEC et le Conseil des Arts du Canada
de l'aide accordée à notre programme de publication

Patrimoine canadien | Canadian Heritage

Conseil des Arts du Canada | Canada Council for the Arts

ainsi que le gouvernement du Québec
– Programme de crédit d'impôt
pour l'édition de livres
– Gestion SODEC.

Nous reconnaissons l'aide financière
du gouvernement du Canada
par l'entremise du Programme d'aide au développement
de l'industrie de l'édition (PADIÉ) pour ce projet.

Illustration de la couverture :
Plage de My Khe, à Da Nang (photographie de l'auteur)

Couverture :
Conception Grafikar

Édition électronique :
Infographie DN

Dépôt légal : 3e trimestre 2006
Bibliothèque nationale du Canada
Bibliothèque nationale du Québec

1234567890 IML 09876


ISBN 2-89633-002-X
11224
Imprimé au Canada

# L'Américaine de Da Nang

## DU MÊME AUTEUR

*Montréal,* photographies et poèmes, Éditions du Jour, 1961
*Génération,* poèmes, Éditions de l'Arc, 1964
*Les Noces dures,* poèmes, Déom, 1968
*Québec, une autre Amérique,* photographies et poèmes, Éditeur Officiel du Québec, 1970
*Tbilisi ou le vertige,* suivi de *Nordiques,* poèmes, Déom, 1976
*L'Humanité seconde, Un cinéaste face au Tiers-Monde,* essai, Hurtubise HMH, 1985
*L'Homme courbé,* suivi de *Mourir dans les bateyes,* nouvelles, Hurtubise HMH, 1988
*Esperanza,* roman, L'Harmattan, 1992
*Amazone,* roman, Hurtubise HMH, 1993
*L'Éclatement, Vie, doutes et mort du Dr Flora Mars,* roman, L'Harmattan, Hurtubise HMH, 1995
*Kamala,* roman, L'Harmattan, 1997
*La Nuit argentine,* roman, L'Harmattan, 1998
*Antipodes, Nouvelles de la Fragilité,* nouvelles, Écosociété, 1999
*L'Oreille gauche,* ou *Gare d'Ofuna,* roman, Éditions Pierre Tisseyre, 2000 (Prix Canada-Japon 2000)
*L'Œil et le Cœur,* une passion du cinéma documentaire, Hurtubise HMH, 2000
*Retour à Corézy,* roman, Hurtubise HMH, 2001
*Le Train pour Utopia,* roman inhabituel pour Terriens passionnés, L'Harmattan, 2001 (Prix ISTOM 2002, France)
*Le vol bas du héron,* roman, Éditions Pierre Tisseyre, 2002
*Argelès-Calcuta,* roman, L'Harmattan, 2004
*Le Fossile,* roman, Éditions Pierre Tisseyre, 2004
*L'Afrique en silence,* nouvelles, Éditions TROIS, 2005
*L'Américaine de Da Nang,* roman, Éditions Pierre Tisseyre, 2006

**Catalogage avant publication**
**de Bibliothèque et Archives Canada**

Régnier, Michel, 1934-

L'Américaine de Da Nang

ISBN 2-89633-002-X

I. Titre.

PS8535.E5A84 2006 C843'.54 C2006-941056-9
PS9535.E5A84 2006

MICHEL RÉGNIER

# L'Américaine de Da Nang

*roman*

ÉDITIONS
PIERRE TISSEYRE

5757, rue Cypihot, Saint-Laurent (Québec) H4S 1R3
Téléphone: (514) 334-2690 – Télécopieur: (514) 334-8395
Courriel: ed.tisseyre@erpi.com

*Qui fait monter la fumée dans le ciel*
*Et tomber la pluie sur la terre?*
*Qui vient séparer mari et femme,*
*L'un au Nord et l'autre au Sud,*
*Pour que les larmes baignent nos yeux?*

*Nam Cao*

(Chi Pheo,
traduction de
Lê Van Lap
et Georges Boudarel)

*...La vie, pour qui tente de vivre droit,*
*c'est chose sucrée et salée, douce et amère,*
*convulsive et sereine.*

Jean Lurçat

Chaque matin l'animation du quai, de la rue la réveillait. Elle tirait le rideau brun, ouvrait la porte-fenêtre du balcon. Déjà la chaleur montait sur le fleuve, dans un souffle lent, enveloppant, qui, avec les clameurs de la rive, charriait cent odeurs de soute, de marée, de volaille, de légumes et fruits tropicaux. Face à l'hôtel, une grue tirait, d'un caboteur au bastingage rongé par la rouille, de lourdes charges de fers à béton, des sacs de ciment ou du charbon. À trente pas, des femmes accroupies tuaient, ébouillantaient et plumaient poules et canards, livrés dans des cages de bambou par de lourds bateaux de bois, les *thuyên may** invariablement peints en bleu, avec des bandes rouges et noires. Des chaloupes apportaient une riche variété de poissons et crustacés que les marchandes étalaient sur le quai, longue parade de corbeilles et cuvettes de plastique où semblait frétiller toute la poiscaille de la mer de Chine. De la ronde incessante des vélomoteurs se détachaient les clientes, droites ou accroupies dans leurs palabres, tandis que çà et là se faufilaient les habiles porteuses de palanche aux plateaux surchargés. À moins de cent mètres au nord, les débordements du grand marché Han ralentissaient déjà le trafic.

Aux yeux de Kathleen Murphy, le Tân Minh Hotel portait bien son nom, soit l'Hôtel de la nouvelle lumière. En quelques jours le fleuve et les hommes, le lent sông* Han et les femmes avaient imposé cette lumière blanche ou aluminée, et la symphonie matinale sur la rive tel le sceau de l'Extrême-Orient. Et chaque fois, aux premiers et rauques grincements des grues et des cargos, l'Américaine inondait sa chambre de cette frénésie de jour en jour moins exotique et plus familière. Le soleil neuf et vif l'éblouissait, s'élevant au-dessus du fleuve, dardant vite en janvier ses vingt-cinq degrés Celsius. Les vendeuses de poulets, les poissonnières et leurs clientes s'en protégeaient avec leur *non la**, le chapeau conique traditionnel en feuilles de latanier tressées, tandis que la plupart des jeunes filles lui préféraient le petit chapeau-cloche de toile, souple, et moderne dans leur esprit, plié dans le sac à main ou sac à dos dès la tombée du soleil. Ainsi se différenciaient deux générations dans leur commun souci de préserver la blancheur du visage. Mais, chez les unes et les autres, les cheveux d'un noir laqué partaient en queue de cheval ou en pluie sur un cou maigre et nerveux. Ici, pas d'obèses, hommes et femmes avaient un appétit d'oiseau, et le premier spectacle qu'avait apprécié Kathleen Murphy dans les rues de Da Nang était la grâce des femmes sur leur bicyclette. Avec un point d'orgue pour la suprême élégance des lycéennes en *ao dai**, pédalant avec une légèreté d'apsaras entre les flots de motocyclettes.

Depuis trois jours elle marchait dans cette métropole de l'Annam, l'ancienne Tourane s'étirant le long du Han, un bras du Thu Bon se jetant ici dans la baie de Da Nang, protégée par la péninsule de Son Tra, aussi appelée montagne des Singes. Elle flânait autant sur le bord des rues que sur les trottoirs, car ces derniers étaient encombrés par mille petits commerces débordant de leur étroite façade entre magasins ou bureaux, cafés ou restaurants. Beaucoup n'étaient que de modestes comptoirs mobiles, sortis le matin, rentrés le soir, des kiosques proposant bonbons, friandises, biscuits et chips, cigarettes à l'unité, journaux, boissons populaires et articles de pacotille valant de cinq cents à cinq mille dôngs[1]. Certains étaient des mini-restaurants, disposant de deux ou trois tables et d'une dizaine de tabourets ou chaises de plastique, si petits, si bas

1. Début 2003, le cours était de 15 400 dôngs pour 1 dollar américain.

qu'ils semblaient appartenir à un jardin d'enfants. Les étrangers ne savaient où y placer leurs genoux, mais le service était rapide, et la cuisine excellente. À ces multiples échoppes et restaurants de trottoir s'ajoutaient par endroits les rangs serrés des rutilants scooters et vélomoteurs japonais, coréens, chinois et vietnamiens que surveillaient des vendeurs bien mis. Sans oublier les larges aires de trottoir transformées en parkings pour cette nuée de petites cylindrées.

Ces commerces envahissants contraignaient les piétons à de patients labyrinthes lorsque le trafic leur interdisait la chaussée. Kathleen Murphy s'en accommodait de bonne grâce, dégustant là un petit pain vapeur ou un quartier de succulent ananas piqué sur une tige de bambou, s'amusant plus loin à épier les réactions des joueurs de cartes, de petits chevaux ou d'échecs vietnamiens, avec la valse des billets de mille dôngs, ou s'émerveillant de l'art des auricures. Ah ! quels artistes, les auricures annamites ! À l'oreille de leur patient, allongé sur un siège au dossier renversé, avec quelle habileté ils maniaient spatules et crochets de bambou ou de métal, aiguilles et brosses douces pour extraire le cérumen, qu'une antique croyance dit être l'excrément d'un ver habitant le caverneux pavillon de chacun. Ce vieux métier indochinois survivait à celui du noircisseur de dents, aujourd'hui oublié. Elle s'étonnait du peu d'outils avec lesquels, sur deux mètres carrés de bitume, un jeune mécanicien démontait et nettoyait le moteur d'une Honda, la motocyclette ici favorite. Et tant d'autres petits métiers pratiqués au pied d'un badamier ou d'un banian, sous un parasol ou derrière une vitre. Du coiffeur à l'horloger, de la vendeuse de billets de loterie à la fleuriste, du cireur de souliers au réparateur de bicyclettes, ils étaient eux aussi l'âme d'une ville entre deux mondes : celui des boutiques bien garnies et celui des gens qui n'ont rien, presque rien.

Le choc de l'Asie était moins brutal que ne s'y attendait Kathleen Murphy. Une humanité à la fois riche et précaire éclatait entre les paroles incomprises, entre les gestes universels de l'accueil et de l'envie. Alors chaque soir elle remontait Bach Dang vers le nouveau pont, dont les haubans illuminés étaient devenus l'emblème de la ville. Le fleuve s'assoupissait dans les vibrations des lumières de Son Tra, la rive opposée. Et elle, comblée par cette beauté de la nuit, s'arrêtait devant une tardive marchande de poissons, creusait le regard de cette femme accroupie, millénaire silhouette et interrogation, soudain symbole de la fascination pour un continent aux antipodes de la tapageuse Amérique. Perché sur une bitte d'amarrage, un corbeau profilait la silhouette réduite de la femme. L'étrangère, ayant vite appris à se baisser, observait l'une et l'autre, dans ce qui lui semblait être l'éternelle cohabitation des êtres vivants. Car si l'on mange ici les pigeons, les corbeaux voisinent en toute liberté, et les rats, de nuit, de jour, traversent quais et trottoirs sans déranger personne.

Elle suivait la descente d'une chaloupe ou le retour d'un *thuyên may,* masse noire et imprécise malgré la lumière falote de la cabine, coupant les reflets sur l'eau sombre à peine agitée. Et quand s'éloignait le bourdonnement du diesel, elle songeait à la Souhegan River, à la Sugar River, paisibles, endormies dans les verts intenses du New Hampshire. Le monde, la vie là-bas s'étaient ralentis. Les vieilles manufactures avaient depuis longtemps éteint une à une leurs longues rangées de hautes fenêtres, entre lesquelles la brique avait pris la teinte des façades usées, fatiguées des petites villes. Le bistre écaillé des mains condamnées avant l'âge. Elle éprouvait une grande tristesse en réalisant le non-sens, les aberrations de l'Histoire. Elle revoyait Dick, avec elle devant les poutrelles tordues, rouillées des ponts sur les rivières au bas des filatures. Des ponts auxquels avaient dû ressembler ceux de l'Annam après les raids des bombardiers venus de Ubon. Mais le Viêt Nam s'était reconstruit, tandis qu'au New Hampshire, dans le Maine et le Vermont, les anciennes manufactures dépérissaient avec la fuite des saisons.

Plus loin sur le quai, des pêcheurs s'attardaient sans rien prendre. Leurs gaules déviaient lentement entre les bancs de ciment qu'occupaient les amoureux. Une fillette avait proposé à l'étrangère des sachets de cacahuètes et de chips de banane. Kathleen Murphy l'avait déçue, car elle n'avait faim que d'une chose : la sérénité de la nuit sur le sông Han. Mais, lorsqu'elle était redescendue vers son hôtel, l'enfant l'avait rejointe, et suppliée de lui acheter quelque chose. Une petite femme déjà, et l'étrangère avait marqué le pas, la dévisageant à nouveau. Six ans, huit ans ? Elle ne savait rien et imaginait tout, une famille serrée dans une pièce, peut-être deux, une famille au revenu dérisoire, avec trop d'enfants. Il était tard, et la ville lui échappait. L'Annam était encore si accueillant, et la tiédeur si agréable à cette heure. Enfin elle s'était arrêtée, subjuguée par la fraîche pureté du regard. Cet éclat d'enfance lui faisait mal. Elle eût aimé l'embrasser, lui donner un nom bien plus qu'un sourire, sans risquer l'étonnement des passants. Durant quelques secondes elle avait hésité, puis sorti prestement un billet de dix mille dôngs. De quoi acheter dix sachets. La fillette en avait pointé un, deux, trois, avant de vérifier si elle avait bien quelques petits billets à lui rendre. Kathleen Murphy avait accepté deux sachets mais refusé l'appoint, à la surprise embarrassée de l'enfant, qui insistait pour lui remettre quelques autres paquets. Elle les avait gentiment repoussés, en gratifiant la fillette d'un furtif baiser sur le front. Émue, la petite vendeuse avait dû marmonner : « *Cam on**... *cam on... miss* ou *madam...* » avant de s'éloigner, puis de s'éclipser sur la rue Phan Dinh Phung après s'être deux fois retournée. Mais sa frêle silhouette avait dansé dans les yeux de Kathleen Murphy jusqu'à l'entrée de l'hôtel.

○

Avec ses dix chambres, l'hôtel Tân Minh était, le soir, un havre calme face au fleuve. De son balcon au troisième étage, l'Américaine questionnait la belle ambiguïté que dissipait le clair de lune. Le sông Han n'était-il pas le masque, trop facile, sur la rivière d'enfance que deux drames avaient assombrie ? Deux hommes balayaient le quai où dans dix heures renaîtraient clameurs, odeurs et couleurs. Et elle, le cœur ouvert sur un pays si vieux, si jeune, voyait Dick et Daniel sur le rocher plat du petit parc Emerson, dans la courbe de la Souhegan. Mais les eaux de la Souhegan n'étaient-elles pas trop claires et enchanteresses, un demi-siècle après la fermeture du Mill, la filature de Sam Goldman dont les turbines bourdonnaient encore dans la mémoire des vieux résidents de Milford ? Les deux rivières, dans leurs contrastes, n'effaçaient-elles pas les morts, lentes ou brutales, qui avaient marqué deux générations ? Kathleen Murphy écoutait le rythme lent des moteurs marins, fouillait les silhouettes des derniers caboteurs et chaloupes remontant le fleuve, et se surprenait à penser qu'un billet d'avion ne réduit pas plus les doutes et les peines que les distances.

Bien qu'ayant beaucoup marché, Kathleen Murphy peinait à s'endormir. Elle branchait, fermait le climatiseur, vidait sa bouteille d'eau purifiée, écartait brièvement le rideau sur la nuit du sông Han. Le large lit enfin la transportait dans un monde confus où se brouillait l'anamnèse de son propre déchirement. Ce n'est qu'au réveil que la lumière et les bruits aveuglaient le passé, tout en cristallisant les souvenirs. Elle vivait alors une intense minute de douce et dure lucidité, avant d'ouvrir le jour sur les dissonances de Bach Dang. Une minute de trente années.

○

Elle avait tant aimé l'école, dès les premiers mois, qu'au retour des vacances elle avait déclaré à ses parents qu'elle deviendrait institutrice. Elle-même enseignante à l'école de Milford, sa mère lui avait répondu que c'était un beau métier, malgré l'indiscipline, la turbulence ou l'inattention de nombreux élèves, et la lenteur de quelques-uns. Ce qui lui avait valu la question spontanée de Kate :

— Et moi, suis-je distraite ou endormie ?

Lorraine Nadeau, née Cloutier, avait pris plaisir à retenir sa réponse, devant une fille qui, à sept ans à peine, ne manquait pas d'aplomb :

— Ah ça non ! Toi, tu es comme ton frère. Vous voulez tout savoir avant d'apprendre.

— Tout…

— C'est bien d'aimer l'école. Mais vois-tu, Kate, pour devenir institutrice, il te faudra l'aimer longtemps.

Et elle l'avait plus qu'aimée, pour succéder à sa mère dans une classe de la Jacques Memorial School, du nom d'un fils de Milford, le lieutenant Leon Jacques, mort à la guerre de Corée. Lorraine avait pris sa retraite à cinquante-cinq ans, pour mieux se consacrer à sa passion d'archiviste à la Milford Historical Society. Elle revenait d'ailleurs en classe de temps à autre, comme remplaçante et non sans plaisir, alors que des élèves la questionnaient sur le passé de la ville. Neuf ans après elle, Russell Nadeau, son époux, avait quitté son poste à la Hitchiner, où il avait toute sa vie usiné de petites pièces de fonderie. Avec six cents employés, la Hitchiner était la première industrie de Milford, et leur fils Jeffrey y travaillait toujours. Si Russell était né là sur les bords de la Souhegan River, Lorraine venait de Nashua, où les grands-parents, Phil et Jeanne Cloutier, s'étaient retirés après avoir travaillé dans les filatures de Manchester. Deux Québécois d'origine, deux Franco-Américains qui avaient transmis leur langue à leur fille.

Russell parlait bien peu français, et son fils n'en savait pas cent mots. Lorraine le déplorait parfois, mais c'était là chose naturelle au New Hampshire, et elle se consolait avec l'attachement de Kate pour la « langue du nord », disait-elle.

— La langue du frette…, la taquinait parfois son mari.

Le français, Kathleen l'avait d'abord appris avec sa mère, le soir dans la maison familiale au bord du Railroad Pond et lors de promenades dans les rues ombragées de part et d'autre de l'ancienne gare. Bien plus tard, elle avait suivi des cours d'été à l'Université Laval, à Québec, puis prolongé des stages de perfectionnement à Montréal et à Tours. Russell l'avait prise pour une snob, avant de s'incliner devant sa détermination et son talent, lorsqu'elle s'était mise à apprendre l'espagnol, sans toutefois le pratiquer en dehors de brèves vacances au Mexique.

Brune avec les yeux pers de sa grand-mère Jeanne, Kate avait grandi sans trop souffrir des incartades ou taquineries de Jeff. L'aîné s'était vite décidé à suivre son père à l'usine, et le talent comme les aspirations de sa sœur ne lui importaient pas plus que la coupe de ses jeans ou de ses robes. Une quasi-indifférence les avait éloignés l'un de l'autre, quand à douze ans la précoce demoiselle avait déclaré à son frère, un mordu de base-ball, que ce sport devait être le plus insipide des trois Amériques. Mais, autant que Lorraine, Russell aimait sa fille, sans avoir toujours les mots pour le dire. Lui non plus n'était pas un fan de base-ball – il préférait le hockey, qu'il ne pratiquait qu'à la télévision, bien sûr –, mais il avait confié à son épouse :

— J'aime mieux voir Jeff avec une batte qu'avec une bouteille ou une seringue.

Au sud-ouest de Manchester et à vingt minutes de voiture du Massachusetts, Milford avait en son centre, ici appelé « l'Oval » ou Union Square, le charme un peu suranné des petites villes de la Nouvelle-Angleterre. Sa gloire était passée, qui au début du siècle dernier en faisait la capitale du granit, alors connue sous le titre de *Granite Town of the Granite State*. Elle avait compté jusqu'à cinquante carrières en activité, dont plusieurs avaient fourni la pierre d'édifices gouvernementaux de Washington. Les anciens notables n'étaient pas peu fiers du fait que les trente colonnes du Treasury Building, à Worcester dans l'État voisin, aient été taillées à même le granit provenant de la Lovejoy Quarry, à Milford. Mais si, durant l'enfance de Kathleen, la plupart des carrières avaient cessé leurs activités, pour ne plus être que deux à produire au nouveau millénaire, elle se souvenait très bien d'une expression de son père, perplexe ou impuissant face à la volonté tenace de la cadette :

— Tête de granit...

Et il joignait le geste à la parole, lui tapotant le crâne du dos de son index replié. Une fois pourtant, elle avait osé lui répondre :

— Et toi, tu as le doigt dur, un doigt d'aluminium.

Russell en avait ri, et elle aussi, avant qu'il ne l'embrassât. Oui, Russell Nadeau était bon ouvrier et bon père, à l'instar de son épouse, tant appréciée à l'école et au foyer. Dans Milford, moitié protestante, moitié catholique, ils n'étaient pas gens d'église mais de cœur et de bon sens. Et s'ils votaient chaque fois pour un candidat démocrate, c'était, selon leur commune conviction, « parce qu'il n'y aurait jamais assez de justice pour chasser la soif des vampires ». Cela aussi, Kate l'avait retenu, bien qu'elle dût le taire, aussi bien en tant qu'institutrice qu'en tant qu'écolière. À Nashua d'ailleurs, ses bravades de collégienne lui avaient valu de violents accrochages. Le New Hampshire n'échappait pas aux raideurs partisanes, s'ajoutant à celles des églises, et l'Amérique était aussi prodigue de tabous que d'inventions.

Durant sa première année d'enseignement à la Jacques Memorial School, Kathleen Nadeau, après la classe, retrouvait de temps en temps sa mère à son bureau de la Milford Historical Society, véritable musée historique de la ville, installé dans la blanche résidence du dentiste Willard Carey, décédé quinze ans plus tôt. Entre les épais registres et les photographies, les vieux meubles et les objets les plus inattendus, elle découvrait une petite ville bien différente de celle de son enfance. Avec l'ouverture de la première carrière de granit était arrivé en 1850 le chemin de fer, et Milford serait en 1900 desservie quotidiennement par seize trains grâce aux lignes du Boston and Maine Railroad et de la Manchester Line. En 1902 avait été achetée la première automobile, une Oldsmobile, et trois ans plus tard un résident de Milford devenait gouverneur du New Hampshire. En un siècle et demi, la population était passée de trois à quatorze mille habitants, mais les hautes maisons de bois s'étaient lentement effacées derrière les commerces et leurs enseignes criardes, et les trains avaient disparu. La filature de Sam Goldman avait été transformée en vaste résidence pour couples et personnes seules, sous le nom de Mill

Apartments. Et la demoiselle, qui était née juste avant la fermeture de la Sprague and Carlton Furniture, la fabrique de meubles qui pendant cent dix ans avait été le fleuron de Milford, pensait parfois qu'avec les souvenirs disparaissait aussi l'âme de la ville.

La fillette avait-elle grandi trop vite, ou trop protégée pour mesurer les dangers guettant un monde dévoré par la course au profit ? Les sages paroles de Lorraine et Russell avaient souvent troublé l'adolescente, mais la jeunesse était si belle avec les camarades, sous les érables, les hauts chênes et les bouleaux, sous les pins blancs et les noyers tout autour de Milford. Que d'historiettes et de fausses amourettes, sous les saules bordant la Souhegan ou sur les pierres du petit parc Emerson. Que de puérils aveux, en tentant d'atteindre les fleurs blanches des cornouillers ou en cueillant les grappes mauves des lupins. Combien de printemps minaudés dans les jaunes envols des soucis et des forsythias. Kate Nadeau avait elle aussi guetté le raton laveur, et joué à cache-cache avec l'écureuil gris, et le petit suisse ici appelé *chip monk*. Elle avait couru après les canards sur le bord de l'étang entre la maison et le pont du chemin de fer, épié le rouge cardinal dans les méandres de la rivière, et la mésange huppée dans les feuillus en descendant vers Brookline. Avec son amie Jennifer, combien d'heures avaient-elles passées à singer le moqueur polyglotte, l'oiseau de tous les gris qui aime tant copier les chants des autres oiseaux ! À la lisière d'un bois sur la route de Lindeborough, elles avaient fait un concours, arbitré par la mère de Jennifer : laquelle imiterait le mieux l'infatigable imitateur ? Et madame Morrison avait surpris les fillettes avec son candide jugement :

— Match nul, mesdemoiselles, vous avez un égal talent de *mockingbird*. J'espère que plus tard vous n'en abuserez pas trop... avec les garçons.

Ah ! madame Cheryl Morrison ! Cette postière eût pu être la sœur de Lorraine Cloutier, tant elle lui ressemblait et s'entendait avec elle. Les deux femmes se retrouvaient souvent chez l'une ou l'autre pour le thé ou quelque nouvelle locale, et, bien avant d'aller à l'école, Kate l'appelait Auntie Cheryl – tata Cheryl. Ce n'est qu'après son entrée au *high school* de Nashua qu'elle s'était résolue à l'appeler Cheryl, voire madame Cheryl, en présence d'une tierce personne. Le respect n'ôtait rien à l'affection, et des étudiantes considéraient toujours Kathleen et Jennifer telles deux cousines. Car les deux amies, que les cinq mois d'aînesse de Jennifer ne différenciaient pas, s'étaient retrouvées au même *high school*. Et leurs pères avaient longtemps travaillé dans le même atelier à la Hitchiner. Aussi, lorsque à dix-sept ans Jennifer avait été emportée par une méningite cérébrospinale, les deux familles en avaient partagé la douleur. La mort de Jenny avait été le premier drame véritable dans la vie de Kate, et l'avait profondément marquée. Elle avait aussi rapproché frère et sœur, car Jeffrey n'avait jamais été insensible à la beauté toute simple de Jennifer.

La vie s'était alors embuée aux yeux de Kathleen Nadeau. Elle évitait les célébrations étudiantes et se réfugiait désormais dans les études, jusqu'à s'enfermer avec ses livres durant le long week-end du Pumpkin Festival[2]. La fête annuelle de Milford, dont les jeux et les concours, la musique et les spectacles attirent, deux semaines avant l'Halloween, les bons vivants du comté d'Hillsborough. Avec la disparition de Jenny s'était fermée la jeunesse de Kate, qui refusait la plupart des invitations amicales. Lorraine et Russell s'en inquiétaient, ainsi que les grands-parents Phil et Jeanne, et tout autant Cheryl, dont l'affection demeurait intacte. Deux étudiants sérieux de Nashua, futurs chirurgien et avocat, avaient discrètement tenté de l'approcher, avant d'être

2. Pumpkin Festival : Fête de la citrouille, qui se tient principalement sur l'Oval de Milford, à la mi-octobre, durant le week-end précédant le Columbus Day, le lundi férié dédié à Christophe Colomb.

tous deux repoussés dans une égale froideur. Kate vivait avec l'immarcescible image de Jenny, qui l'accompagnerait jusqu'au Keene State College.

○

Ce n'est que dans sa classe inaugurale à la Jacques Memorial School que Kathleen Nadeau réapprit vraiment à sourire. Elle le devait à ses élèves, âgés de huit ou neuf ans. Elle le devait aussi à sa mère, qu'avaient estimée toutes ses collègues. En cette année d'affectation, elle réapparut pour la première fois aux stands du Pumpkin Festival, où des écoliers la saluèrent. Entre la classe et le petit musée où s'attardait souvent Lorraine, elle redécouvrit, sous la banalité des apparences, la richesse d'une ville étirée tel un gros village. Un bourg écartelé entre la rivière et la dernière voie ferrée, et pas plus malmené que d'autres par les outrances de l'affairisme américain.

Heureuse d'avoir obtenu ce premier poste dans sa ville natale, elle eut l'enthousiasme et la patience, la chaleur et la générosité, mais aussi la juste fermeté que l'on attendait d'elle, et ce n'était pas gagné chaque matin, avec les garçons et filles d'une nouvelle génération. Elle partagea vite l'opinion du directeur sur le comportement des jeunes écoliers. À six ans en première année, ils arrivaient tous avec l'envie d'apprendre, mais les choses se gâtaient rapidement pour beaucoup d'entre eux, dont les parents étaient peu enclins à les seconder dans leurs leçons et devoirs. Planter l'enfant devant *l'electric baby-sitter*, devant la télévision, était une façon d'avoir la paix.

Aux premières vacances d'été, elle retourna en Touraine pour fouetter son français. Elle apprécia les charmes de la Loire, qu'avait ternis, six années auparavant, la mort récente de Jennifer. La Souhegan, au retour, lui apparut bien étroite, mais elle l'aima plus que jamais. Aux douces aquarelles et aux ciels infiniment changeants de la Loire, elle opposait ses courbes secrètes sous les arbres, ses vifs tourbillons entre les rochers, ses miroirs brisés aux petites chutes, avec mille contrastes d'ombre et de lumière. Kathleen aida les enfants à mieux connaître leur pays, le long de cette rivière aux cent détours. L'eau et la pierre, les arbres et les oiseaux, et partout des lieux, des repaires, des trous de silence et de mystère, la Souhegan n'était plus l'énergie des filatures, mais elle demeurait la plus belle leçon d'histoire naturelle. À l'instar de leurs parents, les écoliers n'en connaissaient guère que les deux courbes de part et d'autre du pont de pierre Colonel John Shepard à la pointe nord de l'Oval. Côté ouest, elle léchait les murs sous quelques encorbellements avant de disparaître derrière les grands arbres du parc Emerson. Côté est, elle chutait de deux mètres pour paresser au bas du Mill et s'éclipser au-delà de la blanche église Saint-Patrick. Deux cartes postales introuvables dans toutes les boutiques de Milford. Alors, avec leur institutrice, les enfants devenaient d'attentifs explorateurs d'une rivière aux teintes variables avec les saisons.

Un lundi d'avril après la classe, quelques élèves l'avaient suivie jusqu'au Swing Bridge, le vieux pont suspendu à l'extrémité de Bridge Street. Réservé aux piétons, ce pont métallique construit en 1889 était presque un joyau du patrimoine de Milford. Kathleen Nadeau en avait expliqué les principes et la construction, en terminant ainsi son exposé :

— Oui, mes amis, les hommes parfois sont aussi brillants que la nature.

Les enfants lui avaient posé peu de questions, et elle était restée pensive à l'entrée du pont après leur départ. Cet ouvrage centenaire d'une entreprise du Connecticut la fascinait par sa remarquable simplicité, s'accordant au rideau de chênes du parc Oscar-Burns sur la rive opposée. Pont de pierre et pont suspendu, les deux avaient au cœur de Milford le cachet des travaux bien conçus et réalisés, comme l'avait été l'installation des turbines à eau de la filature. Il lui semblait que des administrateurs, des ingénieurs avaient su apporter quelques progrès sans massacrer la nature. Alors pourquoi leurs descendants semaient-ils aujourd'hui des horreurs sur les routes de Milford ? Des entrepôts et magasins, des garages et des parkings, des pylônes et des enseignes lumineuses, un hétéroclite, un envahissant gâchis qui était à l'urbanisme ce que le moulin à café est à la musique.

Le soleil tombant dorait par endroits le métal au-dessus des eaux calmes, en un lieu où la ville aimait encore sa rivière. Un homme vint, qui salua la jeune femme et avança lentement sur le pont. Il s'arrêta vers le milieu de la travée, scruta le métal en tous sens, repartit en tâtant les câbles porteurs, atteignit les deux pylônes de la rive est. Il revint sans plus se presser, levant puis baissant la tête, tel un curieux, un rare touriste sur un pont notoirement oublié. Il caressa le fer noirci, se pencha des deux côtés du parapet, repassa devant l'institutrice, vit sur une plaque que le constructeur était d'East Berlin, et s'éloigna sur le terre-plein afin de mieux contempler l'ouvrage. Après quelques minutes, il se rapprocha de l'inconnue, l'aborda :

— Excusez-moi, mais il semble que vous aussi aimez ce pont.

— Bien sûr !

— C'est une petite merveille, croyez-moi.

— Oh ! ce n'est pas le Manhattan Bridge, s'empressa-t-elle d'ironiser.

— La Souhegan n'est pas l'East River…

— Et Milford n'est pas New York.

Il lui sourit, recula de quelques pas, refit un court panoramique, et lui lança :

— C'est un bel endroit.

— Vous aimez les vieux ponts…

— J'apprécie les choses simples et bien faites.

— Et le pont de pierre, un peu plus haut ?

— Un peu massif, mais joliment fleuri. Il tiendra encore deux siècles.

Elle le fixa quelques secondes. Cet homme aussi était bien fait. Et son âge un beau pari : un an de plus ou de moins qu'elle ? Elle en rit intérieurement, sans en être gênée. Remontant Bridge Street, elle hasarda :

— Vous n'êtes pas d'ici... ni de New York...

Il marqua bientôt le pas, la dévisagea. Énigmatique ou ingénue ? Les lèvres fines d'un demi-sourire, des yeux pers, des yeux d'eau sous d'épais sourcils, et des cheveux noirs se découpant bellement sur le mur blanc de l'Eagle Hall. Elle s'arrêta, reprit :

— De Manchester, ou de Boston...

— De Milford depuis trois mois. Et vous ?

— De Milford depuis toujours.

Le visage de Kathleen Nadeau s'enflamma aux durs rayons du soleil bas. Elle eut un bref rictus, baissa les yeux. Il l'invita à traverser le square, pour un café au River House. Elle accepta, sans même regarder sa montre.

○

Ils s'y revirent plusieurs fois, ainsi qu'au Café on the Oval, puis plus intimement sur les rochers bordant la rivière après la courbe du parc Emerson. Richard Murphy était le premier amour de Kathleen Nadeau. Elle avait alors vingt-cinq ans et lui vingt-six, et tout les rapprochait. Elle, dont la réserve, en dernière année de formation à Keene, avait encore découragé la cour tenace d'un camarade de promotion, avait très vite aimé ce nouvel ouvrier spécialisé de la câblerie Hendrix, seconde industrie de Milford.

Richard était originaire de Claremont, une petite ville en déclin à cent trente kilomètres au nord-ouest de Milford, tout près du Vermont. Là-bas autrefois, la Sugar River fournissait l'énergie nécessaire à deux filatures et à deux papeteries, auxquelles s'ajoutaient d'autres usines. Avec le temps, l'électricité avait remplacé la force des turbines, mais la plupart des industries seraient fermées dans les années quatre-vingt. Claremont était une ville sinistrée, dont les massifs fleuris à l'entrée de Pleasant Street ne pouvaient faire oublier la longue enfilade des manufactures abandonnées, sur la rive torturée de la Sugar River. Alors, après seulement deux années de collège technique et un emploi dans un atelier de mécanique, il avait quitté la famille pour un poste dans une entreprise de Portsmouth, sous-traitante de la base navale. Six belles années à quelques kilomètres de l'océan, presque un rêve pour un garçon de la Green Mountain. D'Old Orchard à Hampton Beach, des plages et des plages, peuplées par les étés, balayées par les hivers ; la mer l'avait mûri en lui révélant l'ultime fragilité des hommes. Hélas ! la petite entreprise avait dû fermer, vaincue par la concurrence. Informé de l'offre d'emploi d'une câblerie de Milford, Richard Murphy y avait aussitôt répondu, car il avait une bonne pratique des câbles électriques, et Milford n'était qu'à deux heures de la côte, où aucune femme ne le retenait.

Oui, Kathleen Nadeau avait aimé ses mots simples pour lui décrire un travail qui était perfectionnement plutôt que routine. Il éprouvait pour les matériaux, les outils, les machines le même intérêt que pour la nature ou les objets les plus usuels. Selon lui, une assiette, une chaise, un stylo-bille pouvait être beau ou laid, par un détail, une courbe, une teinte heureuse ou abusive. Il avait acquis ce goût, cette exigence, non pas tant de parents que d'un ingénieur à l'usine de Portsmouth. Un émigré danois passionné pour le bois, le métal et la mer. Cet homme avait peut-être aussi réveillé le bon sens d'un grand-père que Richard Murphy n'avait jamais connu, et dont on disait à Claremont qu'il détestait autant la bouteille et les affiches de Coca-Cola qu'il admirait les galets de la Sugar River ou les pommes de pin. Sans avoir du sang amérindien.

Dans la petite Chevrolet de Richard, ils partirent deux dimanches sur les routes sinueuses vers les lacs du comté d'Hillsborough, et il lui vola un baiser sur le pont couvert de Greenfield. Le week-end suivant ils allèrent sur la côte, où Richard retrouva sa plage favorite à Rye North Beach, au sud de Portsmouth. Plus studieuse que sportive, et longtemps attristée par la disparition de Jennifer, Kathleen était rarement venue se baigner dans l'Atlantique. Elle étonna son ami en lui avouant qu'elle nageait bien mal depuis ses lointaines brasses dans la piscine de Nashua, où Jennifer avait pourtant été sa meilleure monitrice. Un vrai poisson, une nageuse olympique, Jenny, et son ardent souvenir avait paralysé Kate à sa première entrée à la piscine du Keene State College.

Richard avait d'abord voulu réserver deux chambres à l'étage d'une villa de bois transformée en hôtel, et Kathleen lui avait répondu qu'une seule suffirait. Lui taisant un secret, il l'avait pudiquement embrassée avant de descendre de voiture. Avec sa haute silhouette sur le bord de mer, son balcon impérial au-dessus des deux colonnes ternies par les embruns, cette vieille bâtisse ne répondait pas à ses goûts architecturaux, mais il avait toujours pensé qu'un tel balcon n'avait pu être conçu que pour découvrir simultanément l'océan et l'amour. Une idée frivole qu'avaient cependant partagée l'ami danois et son épouse, bien que ni lui ni eux ne fussent jamais entrés dans cet hôtel. En cette matinée sans soleil, Kathleen venait d'enflammer le beau pari.

Il avait donc loué la chambre attenante au balcon, et, puisqu'elle venait d'être libérée, ils gravirent l'escalier aux marches grinçantes. Une odeur de vieux bois verni précéda celle du large à l'ouverture de la porte-fenêtre. Le ciel bousculait ses nuages telle une chape grise et menaçante. Une brise fraîche glissait sur les épaules nues de Kathleen. La météo s'était trompée, et la robe sans manches était une provocation. Richard retira son blouson pour la couvrir, sans qu'elle ne détournât son regard. La plage se vidait, seuls des adolescents poursuivaient leurs jeux dans l'écume des vagues. L'amorce de la pluie perla sur le visage immobile, dont les yeux ne pouvaient se détacher de l'horizon flou, d'un magma de bistres et d'argent. Kathleen y percevait l'étrange polysémie des profondeurs, l'insondable immensité marine devant laquelle elle n'était plus que poussière ou grain de sable. Elle tremblota sous la pluie naissante, hypnotisée par les mille gris écaillés de la marée montante. L'océan, l'océan sombre surtout la fascinait, et elle réentendit une réplique de Jennifer :

— Jamais je n'épouserai un marin. J'aurais trop peur de mourir cent fois en son absence.

Les mains de Richard la firent se ressaisir, en refermant le blouson sur sa poitrine. Elle l'en remercia, mais l'averse les chassa bientôt du balcon. La plage était maintenant déserte, fuyante sous les franges d'écume et les stries de la pluie. Kathleen demeura dans la baie, à contempler les inépuisables fluctuations de la marée. Richard retira le blouson et resta dans son dos, caressant les épaules, les bras tièdes, la main retenue sur la poignée de la porte. Le temps coula ainsi, d'une lenteur accordée aux infimes variations du ciel, traçant les désirs dans la respiration lancinante de la mer. La pluie faiblit, s'arrêta sans que Kathleen ne rouvrît la porte. Elle tira plutôt le diaphane rideau, à travers lequel elle continua d'observer la grève où réapparaissaient quelques enfants. Alors elle sentit des lèvres insatiables sur sa nuque, sur ses épaules que Richard dégagea en dégrafant la robe. Toujours elle regardait la grève et les métamorphoses de l'horizon, tandis que s'ouvrait le tissu sur un dos qu'il couvrit de baisers. Elle ne bougea pas plus lorsque glissa la robe au bas du rideau. Fut-ce leur éclat ou leurs courbes divines qui figèrent les doigts de Richard sur les sous-vêtements de Kathleen, le temps à nouveau s'alanguit avant qu'au loin ne s'éclaircît le ciel marin. Sans se retourner, elle écarta légèrement le rideau, entrouvrit la porte. La marée avait suspendu sa course, et des cris, des rires nourris de gamines trouèrent le sourd murmure de l'océan. Ne cessant de fixer la plage dans la transparence de la draperie, elle prit la main de l'homme et la conduisit à la chaleur des seins. Enfin il les cerna, les cajola, les traqua au liseré de dentelle, et, comme il tardait à libérer l'agrafe, mince et plus que subtile dans son design, elle eut ces premières paroles, avec humour :

— Les choses simples... et bien faites, monsieur Murphy...

Le signal était trop clair pour que se fît attendre la réponse. Deux gaillards jaillirent de leurs nids, et il s'exclama :

— Oh ! quels beaux œufs de Pâques en juin !

Elle sourit, se cambra quand déjà les happait une bouche capable d'avaler la mer. Ne pouvant plus guetter l'embellie au dehors, elle soupira à celle qui l'envahissait de toute part. Quatre, six mains venues d'où? et qui couraient cent repaires, à la trace des sillons de plaisir. Et ces lèvres toujours assoiffées, sur les siennes, aux plages, aux versants tendrement rétifs avant la soumission. Il l'avait surprise par son habileté à se dévêtir tout en poursuivant son œuvre. Encore tous ces doigts dans l'électrisant vertige des hanches, et qui plus bas creusaient des gués de luxure, quand d'autres conquérants s'attardaient aux frémissements de sa peau, ou aux pavanes des mamelons. Doigts de chair ou de granit, l'écart n'était plus évident. Richard la maintenait debout devant la porte vitrée, et elle n'esquivait pas cet effort qu'il lui imposait afin de demeurer dans la lumière montante après la pluie. Si mince le rideau, et si enivrants les corps dans les caprices de l'éclairage naturel.

Elle crut fléchir lorsqu'il l'embrassa éperdument, et qu'après une longue errance dans si peu de tissu, une main sûre descendit le slip sur les jambes molles, ou raidies, elle ne savait plus, alors qu'il la porta sur le patchwork bigarré d'un lit si haut, si loin de la baie. Vingt-cinq ans, Kathleen Nadeau, et en deux mois un tel changement. Quel printemps dans les couleurs du New Hampshire ! Était-ce cela que célébrait l'étonnant couvre-lit qu'elle hésitait à rabattre sur elle ? Tout comme elle renonçait à libérer les paroles qui l'étranglaient : «... Richard... oui, Richard... mais ne sois pas trop... Richard, il n'est pas onze heures, ou midi... nous avons...», et elle ne regardait pas sa montre. Elle voyait uniquement, sur le bord du grand lit, un homme irrésistible dans le contre-jour, et qu'elle craignait de décevoir. Elle l'arrêta quand il voulut allumer la lampe de chevet, l'une de ces antiquités américaines, dont la rotation d'un cylindre intérieur, avec la montée de l'air chaud, anime une locomotive, une cascade ou la roue d'un moulin. Il se rapprocha d'elle, l'admira sans presque la toucher, et l'idée vint à Kathleen qu'il devinait ses pensées.

Non, elle ne dirait rien, avec ou sans humour. Elle attendrait que l'heure effaçât le doute, le doute soudain ridicule d'une diplômée de Keene, d'une enseignante ignorant encore les beaux émois de quelques étudiantes de Nashua. Elle revit l'athlétique Jennifer, et réentendit le claquement de la portière de l'auto après la tardive décision. Elle revit le bel inconnu sur le Swing Bridge, l'homme, presque nu, dont une main lente effleurait son corps. Elle le fixait maintenant ainsi qu'elle avait longuement fixé l'océan, et chaque passage de sa main était une petite vague, à la fois excitante et paralysante, avant celles, bien plus fortes, qui l'emporteraient.

L'avait-il devinée, dès qu'elle avait brièvement croisé les cuisses et crispé ses mains au bas du ventre, avant de s'offrir dans un fulgurant silence ? Il avait été d'une grande douceur, et c'est elle qui, ongles éloquents et muscles tendus, lui avait intimé la violence. Elle le voulait encore et toujours, elle le retenait de ses mains fébriles, le réclamait dans les râles et les larmes. Bien trop tard, elle avait bouchonné sous le sexe la petite culotte blanche oubliée sous l'oreiller, et Richard l'avait bien amusée en lâchant spontanément :

— Un peu de rouge parmi tant de couleurs, mademoiselle est une artiste.

Après un baiser, elle avait sauté vers la douche, tandis qu'il effaçait l'erreur. Elle chantonnait et l'avait surpris en ouvrant le sac de voyage pour en tirer son bikini. Plus rouge que rouge. Sans l'attendre, elle avait dévalé l'escalier et couru vers la mer. Le soleil triomphait des derniers nuages, et la marée descendante faisait la joie des enfants traquant les crabes minuscules ou guidant leurs cerfs-volants. Quand Richard l'avait rejointe, l'eau à hauteur des genoux, Kathleen l'avait encore étonné :

— Apprends-moi à nager.

— Tu n'as pas faim ?

Elle lui avait répondu avec une gerbe d'eau, et elle était plutôt fraîche en ce début d'été.

— Tu es folle…

Oh ! qu'elle était plus que belle, riante et agitée, dans l'exigu deux-pièces qui sublimait ses charmes. Et quelle énergie, en un tel moment ! Il ne comprenait pas, peut-être que lui non plus ne connaissait pas les femmes.

— Richard, apprends-moi, avait-elle supplié avant de bondir et de s'étendre dans un splash télégénique.

Alors il l'avait entraînée, soutenue dans pas plus d'eau qu'il n'en faut pour imiter un marsouin déboussolé. Et c'est vrai qu'elle avait tout pour séduire un homme, tout sauf les dons de Jennifer sur la grande bleue. Pourtant, guidée par les mains rassurantes de Richard, elle riait encore en crachant l'eau salée, en bravant les vagues dans un bel effort de novice. Et lui l'encourageait gaiement, jusqu'à frôler le minimal maillot en lui lançant :

— Ah ! les poissons rouges dans l'Atlantique Nord, ce n'est pas leur milieu préféré.

Elle lui répondait avec le pied, ou par un demi-sourire en reprenant son souffle. Cependant, malgré toute l'affectueuse attention du maître nageur, elle s'était vite épuisée, et il l'avait ramenée dans ses bras, puis allongée sur le sable où le soleil la découpait dans un poster tropical. Enfin elle avait avoué :

— J'ai faim.

Il lui avait proposé un populaire restaurant de marée sur la route de Portsmouth, mais, sitôt refermée la porte de la chambre, plutôt que passer robe ou jeans elle avait allumé l'insolite lampe de chevet. Une pimpante General y filait sur les rails du Far West.

— Nous voilà loin du New Hampshire, lui avait-il glissé, en chassant dans son dos quelques derniers grains de sable.

— J'ai faim, avait-elle osé murmurer, après un rictus ambigu.

Elle s'était aussitôt penchée afin de mieux observer l'ingénieux dispositif animant le chromo de la lampe. Peut-être aussi avec l'espoir que l'homme en profiterait pour détacher le haut du bikini rouge, comme l'y invitait l'ostensible impatience avec laquelle elle s'attardait à détailler l'objet magique. Oui, Kathleen Nadeau, depuis le moment où Richard Murphy l'avait transportée dans ses bras jusqu'au sable à peine sec, était envahie par l'idée qu'elle avait perdu trop d'années à oublier son corps. La sage étudiante du Keene State College, qui avait acheté son bikini sur un coup de tête, sans jamais le porter, l'enthousiaste institutrice de Milford désirait que ce week-end ne finît pas. Elle ignorait les savants détours de la séduction, et cependant, à la porte du balcon, elle avait mordu, sous un brûlant silence, dans mille désirs qui ébranlaient son cœur. Oui, trois fois oui : quel chemin en deux mois, et quelle fête en deux heures ! Qui devait continuer. Aussi s'était-elle brusquement retournée, en jetant et le rouge et les mots :

— Très faim !

Cette fois, elle avait dédaigné le grand lit bariolé, et incité son compagnon à la satisfaire, là debout près de la lampe, alors que dans leurs élans valsaient les couleurs de la légendaire General. Ce n'est qu'après la douche, encore chaude, qu'ils s'étaient affalés sur le patchwork savamment assemblé. Kathleen songeait, la tête relevée face à l'enfantine féerie de la lampe, tandis que Richard lui contait des souvenirs de Claremont, tout en caressant son dos, la croupe bellement saillante dans la pénombre, les cuisses sensuellement entrouvertes.

Ils étaient restés longtemps ainsi, pivotant à demi l'un vers l'autre, se lovant au creux des fatigues, se nourrissant d'aveux et de tendresse. Avec des clins d'œil à cette lumineuse et silencieuse locomotive qui emportait au bout du monde leurs secrètes fiançailles. Ce n'est qu'à la tombée de la nuit qu'ils étaient allés dîner. Des fruits de mer et un vin blanc dont ils n'avaient pas vidé la bouteille – un verre avait suffi à les griser. Puis une glace pralinée, dont Kathleen rêvait toujours sans jamais en trouver à Milford. Le soleil de l'après-midi avait redonné à juin sa tiédeur, et la robe était d'une exquise élégance sur une femme épanouie, au retour sur le balcon de l'hôtel. Là seulement, dans le demi-silence de la nuit, Richard avait révélé la raison du choix de cet hôtel, et tout d'abord de ce balcon. Kathleen l'avait enlacé, avant de lui demander à mi-voix :

— Des vacancières esseulées, monsieur Murphy, combien en avez-vous invitées sur ce balcon… impérial ?

Il avait feint l'embarras, les yeux baissés, en se grattant le bas de la joue. Elle s'était difficilement retenue de rire, pour reprendre, d'un ton quêtant la confidence :

— Des Canadiennes, peut-être ? Ou quelques ouvrières de Portsmouth ?

Enfin, il l'avait fixée, faussement angoissé, avant d'écarter les cheveux noirs et de lui avouer à l'oreille :

— Too many to remember, madam – Bien trop pour m'en souvenir, madame.

Là, elle s'était esclaffée, et il l'avait serrée très fort contre lui, l'avait soulevée et assise sur la solide balustrade, la retenant par les reins, sa tête à lui collée à la poitrine de Kathleen, et qu'elle avait vite ébouriffée de ses mains amoureuses. Il eût aimé rester ainsi dans les chaudes pulsations du coton, mais la brève sirène d'un bateau l'avait surpris, et il avait redressé la tête pour lui dire :

— Kate, pour moi aussi, c'...

Elle avait posé, appuyé une main sur sa bouche, avant de la promener sur la barbe courte et dure du soir.

— Dick, l'océan te donne un poil de marin.

Il l'avait remise sur ses tennis, et ils avaient passé une heure, sinon deux, à écouter plutôt qu'à regarder la mer. La marée accentuait sa remontée dans une douce et lointaine cantilène, et le marnage demeurait un mystère pour Richard Murphy. Le ciel était pur, et on distinguait clairement le signal du phare de White Island, tandis que naissaient les étoiles. La lune s'était élevée dans leur dos, et une brise légère accompagnait la main calme de Richard sur la nuque et l'épaule de Kathleen.

Le dimanche ne pourrait qu'être beau.

Le dimanche avait duré huit ans. Quatre cents dimanches de toutes les saisons, sans brume d'un couple honnête, épris d'une vie saine, de la nature, et du travail bien fait à l'école et à l'usine.

Ils s'étaient mariés en janvier, par une petite neige sous laquelle Kathleen Nadeau irradiait de joie et de simplicité. À la sortie de l'église Saint-Patrick, une vingtaine d'écoliers avaient applaudi leur institutrice, qui s'appelait désormais madame Murphy. Deux mois auparavant, Kate et Dick étaient montés à Claremont pour le week-end, au cours duquel Laura avait dit à son fils :

— Le sais-tu ? Tu vas marier une bonne fille, un bouquet de printemps qui ne fanera jamais si tu sais le mériter.

Laura Murphy, née Duquette, parlait très peu français. « La parlure des ancêtres, disait-elle, avait disparu avec les attelages à chevaux. » Ouvrière d'une manufacture de chaussures jouxtant la filature de coton, l'alerte Laura avait le bon sens des meilleures institutrices, et sa belle-fille lui avait « chauffé le cœur » à la première rencontre. Kevin, son époux, ne parlait qu'anglais et, pour être juste, mieux vaut dire qu'il parlait plus avec les yeux, les mains, les gestes qu'avec les mots. Étaient-ce vingt années sur les machines à papier qui l'avaient rendu si peu causant ? Non, et Laura le savait mieux que tous : ce qui avait coupé la parole à ce gars de Claremont, c'étaient ses trois années dans l'Air Force au Viêt Nam. Et Richard en avait avisé Kathleen sur la grosse pierre du parc Emerson. Il n'avait qu'un an lorsque son père avait été appelé pour servir. Six mois d'entraînement au Texas, et plus de deux ans au Viêt Nam.

Laura avait quitté l'usine pour l'élever, et elle lui avait donné une sœur, Nancy, dix mois après le retour de son père ; puis Susan l'année suivante, et le cadet, James, trois ans plus tard cette fois. À l'usine à papier, ses camarades taquinaient Kevin Murphy en prétendant qu'ils avaient pris tout leur temps pour le dernier, et il est vrai que Jim passait pour un beau gosse. Un tombeur qui approcherait la trentaine en restant célibataire. Oui, alors que Dick était studieux au collège technique, Jim à huit ans attirait déjà ses petites voisines.

Et c'était là, maintenant à Da Nang, entre deux bancs d'amoureux sur la rive du sông Han, que Kathleen réentendait les paroles de Richard sur le rocher de Milford, et celles de Laura, et celles de Kevin dans le frimas de novembre à Claremont. Kevin ne parlait guère qu'à l'insistance de Laura, à propos de tel ou tel souvenir trop fort pour être évoqué par un autre que lui. Aussi s'était-il excusé auprès de sa future bru, pour son incapacité à bien lui décrire ce qui l'avait déchiré, traumatisé au Viêt Nam.

Comme chaque soir, les lumières vibrées de Son Tra berçaient les rêves des jeunes couples silencieux sur leur canapé de ciment. Sans doute pas plus dur que la pierre dans la courbe de la Souhegan, songeait Kathleen Murphy. Mais si ces jeunes gens devaient murmurer leur avenir dans l'oubli des sacrifices consentis par deux générations, elle, l'étrangère récemment débarquée à Da Nang, ne pouvait oublier les paroles dures de Kevin. À huit semaines de son mariage, elle avait, pour la première fois, réalisé toute l'ampleur du désastre qu'avait été la guerre du Viêt Nam. Elle avait aussi mesuré la douleur définitivement imprimée chez un Américain, son futur beau-père, une tête bien faite que l'on avait trompée.

Durant trente mois, « les trois années noires de sa vie », disait-il, il avait décollé, à bord de son Phantom que les Vietnamiens appelaient le Con Ma, de la base de Sân Bay, l'actuel aéroport de Da Nang, pour rejoindre en quinze minutes les bombardiers géants venus de Ubon, en Thaïlande, et les suivre dans leurs raids dévastateurs au nord du dix-septième parallèle. Sous les vagues de B-52, des villages, des villes seraient détruits, et eux, les pilotes de protection et d'attaque dans leur Phantom, leur F-105, F-111 ou Thunder, n'en verraient que les explosions et les flammes. Les images de l'horreur au sol seraient pour les lecteurs des journaux, ou les familles devant la télévision, là-bas au New Hampshire. Il lui avait parlé calmement, l'ancien copilote Kevin Murphy, sous le regard tour à tour grave et attendri de Laura, mais les mots étaient si lourds dans la quiétude de Claremont. Oui, en 1966, 1967, 1968, l'aviateur de vingt-six, vingt-huit ans avait douté de la mission de l'Amérique telle que la proclamaient l'état-major et le gouvernement. Les tapis de bombes sur Quang Tri, Dông Ha, et Vinh plus au nord, les raids intensifs sur Haiphong, et les milliers de cratères meurtriers sur les digues des fleuves et des rizières, les rafales du napalm sur la piste Hô Chi Minh et des centaines de hameaux, tout cela n'avait, finalement, aucun sens. Mais il avait fallu, dans le cockpit du Phantom, combien de peurs bleues aux tirs de la DCA des Vietcong ou des redoutables SAM russes, avant que ne s'effacent le panache et les bravades des noms évocateurs ou des animaux mythiques peints sur les carlingues. Avant que, parmi les camarades des autres bases de Da Nang, les pilotes de chasseur et d'hélicoptère de Xuân Thieu, de Nuoc Man et des porte-avions, ne s'imposent les images d'une guerre pourrie, les états d'âme interdits aux soldats.

Kevin avait vite arrêté les souvenirs :

— Plus de vingt ans, et la noce dans deux mois, ne parlons plus du Viêt Nam, ma chère Kathleen.

Laura avait servi de bonnes pointes de tarte aux pommes, et ils avaient fait ensemble une petite marche le long de la rivière, avant de repartir pour Milford. Kevin avait brièvement évoqué l'attachement de son père, le menuisier Adam Murphy, pour la nature. C'est de lui qu'il avait appris l'origine du nom de cette rivière, dont les caprices avaient été la première richesse de la ville, son énergie dans les turbines des manufactures. Non, à l'origine, la Sugar River n'était pas la rivière au Sucre. Elle s'appelait la Shugah River, du nom d'un Algonquin pour lequel ce mot désignait le héron. Avec le temps, la prononciation avait glissé de *shugah* à *sugar*, et rares étaient les gens qui se souvenaient encore du nom amérindien. Au dernier moment, à la portière de la Chevrolet, Laura avait soufflé à Kate :

— Mieux vaut une langue sucrée qu'un bec de héron.

Sur la route, Dick avait voulu connaître ce premier secret entre les deux femmes, et Kate avait exigé que pour cela il s'arrêtât. Dans le jour tombant, près du lac Sunapee, elle lui avait révélé la boutade, et il lui en avait aussitôt donné la justification. Mais, lorsque des doigts avaient rampé sous la laine du gros pull, elle l'avait aussitôt confondu :

— Profiteur ! Ta mère a parlé d'un héron, pas d'un ours...

Des phares de camion avaient stoppé la conquête, et Richard avait témérairement joué avec les limites de vitesse pour hâter la fête dans son petit logement de Milford.

Le matin du mariage, juste avant d'entrer chez les Nadeau, Laura avait rappelé à Kevin sa promesse :

— Aujourd'hui, pas un mot à propos du Viêt Nam.

Oui, sous une neige légère, la brune Kathleen avait eu des yeux de printemps, plus bleus que pers, et ses épais sourcils avaient été de joyeuses hirondelles. Pour les Nadeau et les Murphy, les Cloutier et les Duquette, Milford était ce jour-là le décor d'un conte de Noël au cœur de la Nouvelle-Angleterre. Un printemps en janvier, c'était bien le signe d'un amour aussi fort que le granit, aussi éternel que la musique de la Souhegan, Lorraine en avait assuré Laura, avec une larme vite effacée.

○

Au retour d'un bref voyage de noces au Yucatan, le couple avait emménagé dans une modeste maison de bois dans Oak Street, à trois minutes du cottage natal de Kathleen. Oh ! la blanche résidence des Nadeau, dans Lincoln Street à l'entrée du pont enjambant le Railroad Pond, était assez grande pour les accueillir à l'étage, sans gêner la vie calme des parents. Mais les jeunes tenaient à leur intimité, et Dick avait, en quelques mois, si bien rénové leur nid sous un chêne que Lorraine avait déclaré à sa fille :

— Ton homme protège mieux le patrimoine que bien des natifs de Milford.

Il est vrai qu'après avoir consulté les archives de la ville, Richard avait accompli un travail exemplaire, aussi bien à la scie et au rabot qu'à la règle et au pinceau. L'ouvrier spécialisé de la câblerie Hendrix s'était vite acquis l'estime du voisinage, et il était fréquemment demandé pour tel ou tel conseil pratique en divers travaux. Pour sa part, en plus de n'être pas maladroite à l'égoïne et au marteau, Kathleen, avec l'aide de Lorraine, s'était chargée des tablettes et des rideaux, ainsi que de quelques détails étrangers aux hommes. D'une maison à l'autre, Russell, Lorraine, Dick et Kate vivaient dans un héritage qui était, au sud de l'Oval, la fierté de Milford et une belle image du New Hampshire.

À la Jacques Memorial School, Kathleen Murphy s'affirmait dans la fraternité des enseignants d'une vingtaine de classes. Loin de faiblir, son enthousiasme lui valait la collaboration de parents d'élèves, et des invitations à plusieurs activités communautaires.

La nature, cependant, demeurait la passion des week-ends, conduisant le couple, selon les saisons, vers l'océan ou vers Claremont, et plus au nord dans les chatoyantes vallées de la Merrimack, de la Blackwater, de la Pemigewasset où le New Hampshire est l'Eldorado des naturalistes. En hiver, ils montaient vers les stations de ski de la White Mountain National Forest, jusqu'aux abords du mont Washington. Et là, au retour des pentes, les deux écologistes laissaient la fenêtre entrouverte, afin de mieux s'étreindre sous d'épaisses courtepointes. Mais sur la côte, ils revenaient souvent à la plage de Rye North, après avoir réservé leur chambre au balcon des rêves. L'escalier ne s'améliorait pas, et c'était bien ainsi : ses plaintes apportaient une touche de mystère à un lieu dont le charme vieillot contrastait avec la tenue des clients. Rien ne changeait, sinon la patine des colonnes et de la balustrade, un peu plus ternes chaque année. De cela aussi, Richard tirait plaisir, jusqu'à expliquer à Kathleen :

— Ce balcon, ce bois n'aiment pas la peinture, et les embruns les font vieillir de trois années en une. Peut-être est-ce pour cela que je me sens toujours rajeunir, ici. C'est comme si, chaque fois, je revenais sur une planète tournant plus vite que la nôtre.

Kate s'en amusait, le taquinait :

— J'aurais bien du mal à expliquer cela à mes élèves.

— Et pourtant, tout est si fugitif autour d'eux. Les gens, les choses, tout change si vite aux yeux des enfants.

— Sauf l'attente des vacances...

— Et nous, qu'attendons-nous sur ce balcon ?

À cette question, elle était rentrée dans la chambre pour réapparaître en bikini :

— Et vous, maître nageur, qu'attendez-vous, quand la mer est si belle ?...

Sans l'égaler, elle avait fait des progrès, et suivre Dick n'était plus un défi mais un bonheur. Pourtant, il ne s'éloignait pas de la zone où elle avait encore pied, redoutant qu'une brusque fatigue ou quelque mauvais mouvement ne la surprît. Il l'aimait plus encore qu'au premier jour, il ne voyait le monde que dans ses yeux, sous les noirs sourcils soulignant l'avidité du regard. Ils étaient fous l'un de l'autre, et, un dimanche sur la plage, alors qu'elle osait l'embrasser malgré l'affluence des baigneurs, il lui avait répété l'exclamation qu'avait eue Lorraine, trois jours plus tôt, devant leur brûlant baiser sur la véranda de la rue Lincoln :

— Ça rempironne au lieu de mieuter !

Lui n'avait rien compris, et c'est à l'écart près de l'étang que Kate lui avait clarifié la vieille tournure québécoise. Et il l'avait tant appréciée qu'il l'avait longuement marmonnée, sans la moindre idée d'une traduction anglaise. Cette fois, sur le sable chaud, elle en avait ri, et il avait repris la boutade, avec son accent qui écrasait les *r* pour étirer les *n*. Kathleen s'était retournée, saisissant un petit coquillage qu'elle avait agité devant lui, en riant de sa trouvaille, et la rapprochant un peu plus du visage de Dick :

— « Un coquillage turriculé », comment vas-tu prononcer cela, avec ton bel accent de Claremont...

Alors, il avait pris l'insolite coquille vide, un petit mitridé qu'il avait examiné avec le sérieux d'un diamantaire.

— Mieux torsadé qu'un câble de la Hendrix ; la nature a du génie, avait-elle noté, avant de lui reprendre prestement l'objet pour le loger dans son étroit maillot.

À vingt-sept ans, elle savait encore être gamine, et cette saine gaieté ensorcelait parfois les week-ends de l'ouvrier perfectionniste. Il aimait cet éclat, ce bouquet de simplicité que Laura pensait éternel. Aussi l'avait-il, presque aussitôt, gratifiée d'une tape sur la fesse et d'un sonore compliment :

— Crazy girl from Milford !

Sans lui répondre, elle s'était relevée, la verte trentaine en cavale sur les rêves de cent hommes. Dans la chambre à la fenêtre ouverte, elle avait à nouveau allumé la folklorique lampe de chevet, mais on avait dû lui visser une ampoule plus forte, car la vieille General filait à l'allure d'un rapide. Kathleen s'était étendue sur le patchwork, toujours le même lui aussi. Elle avait écouté les mille voix et cris étouffés par la marée. Puis retiré la fine coquille opaline de son bikini pour la tendre à Richard.

— Ce que je veux aujourd'hui, ce n'est pas ce beau coquillage. Ce que je veux, c'est une chose terriblement simple et bien faite... Dick, fais-moi un enfant.

○

Daniel était né avec le printemps, sous les meilleurs augures, et chacun, dans les deux familles, lui découvrait quelque trait héréditaire : le front de Russell et le menton de Richard, les yeux de Kathleen et le sourire de Lorraine avec la bouche de Laura, quand ce n'était pas l'inverse. Le couple s'amusait de ces subtiles révélations, tour à tour confirmées ou démenties dans les albums de famille.

Il poussait sans problèmes, le vif Danny. Ni fièvres ni rougeole, précoce et curieux bien avant l'école, élevé par Kate et Lorraine au gré des horaires, car sa mère n'avait pris qu'un congé de maternité de six mois. À quatre ans, Dick l'avait initié au maniement de quelques outils, et il semblait évident qu'il aurait le talent de son père.

Jeffrey, qui, un an avant le mariage de sa sœur, avait épousé Brenda, une secrétaire de Nashua, avait deux filles, les jumelles Doreen et Janice, du même âge que Daniel. Les trois cousins se retrouvaient fréquemment dans l'une ou l'autre maison, à la table de Brenda ou de Kathleen, quand ce n'était pas au bord de l'étang, sous la surveillance de Lorraine. Les sœurs de Richard s'étaient mariées elles aussi. Nancy avec le comptable Gary Palmer et ils vivaient à Concord, la petite capitale du New Hampshire ; tandis que Susan avait épousé Roger Leblanc, un garagiste de Newport, l'éternelle rivale de Claremont. Un enfant chez les premiers, et déjà deux chez les seconds, la famille prospérait pour le bonheur de Laura, dont se multipliaient les tartes et tourtières. Quant à James, il conduisait un poids lourd pour une entreprise de Burlington, et le mariage était le dernier de ses soucis. Lors des réunions familiales, il impressionnait fort ses neveux et nièces en les hissant dans la cabine de son Kenworth, un vrai mastodonte de bande dessinée. La Chevrolet de Richard avait fait son temps, et le couple avait acquis une Toyota rouge qui faisait la joie de Danny. L'été parfois, beaux-frères et belles-sœurs se rejoignaient, avec leurs enfants, au chalet dont avait hérité Gary, sur la rive du grand lac Winnipesaukee. On s'y tassait la nuit dans les trois chambres et le salon, entre les cloisons de pin et les interminables questions des mômes, qu'à trois, quatre ou cinq ans on tentait d'endormir avec des histoires d'Indiens ou de fantômes. Dès l'âge de trois ans, Danny aimait barboter dans le lac avec son père, au pied du chalet, et à quatre ans il défiait les petites vagues de Rye North Beach. Kathleen n'oublierait jamais la question qu'il avait posée à Dick lors de sa dernière baignade en mer :

— Daddy, pourquoi la mer se sauve ou court après nous ?...

Dick lui avait répondu que c'était là un grand mystère, un phénomène attribué à la lune, et que seuls les savants pouvaient expliquer.

Dubitatif, l'enfant avait levé la tête et cherché dans le ciel, avant de reprendre :

— La lune n'est pas là, c'est le soleil.

Alors, à court d'arguments, Dick l'avait chatouillé dans le dos et, regardant Kate, il avait conclu :

— Oui, la marée est un grand mystère, comme la beauté de ta mère.

Satisfait ou troublé par ces paroles, Danny s'était roulé dans l'écume, quand Dick avait happé un baiser de Kate. À cinq ans, Daniel était un petit Richard, heureux dans l'eau et aimant la nature. Un enfant qui, comme Kate à cet âge, voulait aussi tout savoir et promettait d'embarrassantes questions, à la maison et à l'école.

La veille du Columbus Day, en 1999, alors que le dixième Pumpkin Festival de Milford battait son plein sur l'Oval, Lorraine Nadeau y accompagnait ses chers petits-enfants Danny, Doreen et Janice. Leurs parents n'étaient pas loin dans le square, mais la grand-mère était si généreuse ce jour-là, et les appétits si sucrés à cinq ans. Deux garçons avaient abordé Kathleen pour lui montrer leurs dessins de la fête. Intrigué, Danny les avait rejoints, vite rattrapé par les jumelles et la grand-mère. Kate avait présenté ses deux élèves Mark et Terry, et son fils leur avait aussitôt déclaré :

— Moi aussi, l'an prochain, j'irai à la grande école.

Ce seraient, pour sa mère, les dernières paroles de la courte vie de Daniel Murphy. La devançant avec Lorraine lors du retour à la maison, Danny avait été mortellement frappé sur le trottoir de South Street. Par un chauffard éméché de Manchester, dont on apprit qu'il venait de récupérer son permis après une suspension de six mois, à la suite de son entière responsabilité dans un premier accident. Traumatisée, Lorraine avait vieilli de cinq années en quelques jours, et Russell cachait mal sa colère, alors que Janice et Doreen ressassaient leur tragique incompréhension.

Richard avait obtenu un congé d'une semaine afin de veiller, puis de réconforter Kathleen dont les nerfs et la raison s'étaient perdus dans les pièces désespérément vides d'Oak Street. Mais Kate avait repris son travail le même jour que son mari, et en ce lundi 18 octobre ses élèves l'avaient tous embrassée. Ses élèves et ses collègues. Les écoliers étaient la meilleure thérapie, un grand OUI qui réclamait la vie, et auquel elle ne pouvait répondre qu'en donnant la sienne. Elle craignait parfois d'échapper sa main sur la tignasse de Terry ou Mark à la sortie de la classe, tant leur regard lui rappelait celui de Danny devant les potirons lumineux de la fête.

Cette année-là à l'Halloween, Kathleen Murphy avait découvert, sur le mur d'entrée de la Jacques Memorial School, une sorcière volante dont le balai transportait une citrouille ornée d'une belle photo de Daniel. Une sorcière qui cette fois avait le visage d'une fée. Ah ! l'émouvante complicité de Lorraine et des professeurs. Aux yeux de Kathleen cependant, cette sorcière emportait huit années qui, peut-être, avaient été trop belles pour durer.

○

Kate avait trop aimé son fils pour supporter la vue du lit, de la commode, de la petite table et du coffre à jouets de la chambre azur que Dick et elle avaient gaiement décorée. Dès novembre également, elle avait signifié son refus d'espérer un autre enfant. Bien que cette décision le déçût, Richard l'avait acceptée, tout en redoublant d'affection pour Kate. Depuis leurs premiers rendez-vous sous les pins du parc Emerson, leur amour n'avait jamais connu le doute, et l'honnête homme souhaitait que le malheur les rapprochât encore, plutôt que de ternir le moindrement le regard de l'épouse. On avait donc téléphoné à Susan, qui attendait son troisième enfant, et Roger était descendu de Newport avec sa fourgonnette pour vider la chambre de Danny. Il tenait à payer ces meubles de merisier clair, mais frère et belle-sœur refusaient tout aussi fermement. Alors Roger Leblanc avait signé un chèque à l'ordre de la Jacques Memorial School, en disant à Kate que ce serait pour le prochain Noël des écoliers, ou toute autre dépense qu'elle et ses collègues jugeraient appropriée. On était ainsi chez les Leblanc comme chez les Murphy et les Nadeau, et Kevin l'avait déjà rappelé à Richard, encore adolescent :

— On ne chaparde pas les pommes dans le verger d'un mourant.

Personne ne savait, à Claremont, si ce dicton venait des Amérindiens ou des pionniers, et la morale, hélas ! avait tendance à « rouiller comme les passerelles des anciennes filatures », au dire de Laura.

Vraiment, Kate voulait ignorer cette chambre d'enfant, pour ne conserver, dans la sienne, qu'une grande photographie couleur de Danny et ses dessins au pastel. Celui de Lorraine devant la Toyota rouge était son favori, avec le soleil dans un coin et la lune dans l'autre. Richard les avait tous encadrés. Il en avait aussi placé quelques-uns au-dessus de ses outils, dans la chambre transformée en atelier. Lentement, dans la grisaille de l'hiver, mais avec la tendresse de Richard, l'affection de Lorraine et Russell, les visites de Jeff et Brenda, ou de Janice et Doreen ayant vite réappris les rires et les jeux, Kathleen repoussait le silence, l'absence de Daniel en remontant chez elle. Car si Richard rentrait plus tard qu'elle, cette maison n'était pas vraiment vide à son retour de l'école. Elle était l'œuvre de son mari, tout y criait la passion de Dick pour le bel ouvrage, ses mille attentions pour elle, jusqu'aux beaux cadres et à la disposition des dessins de Danny au mur de leur chambre.

De temps à autre après la classe, elle revoyait Cheryl Morrison, qui venait de prendre sa retraite. La postière la recevait dans le petit jardin qui était probablement le plus fleuri de Milford, avant de lui servir le thé sur la table de noyer dominée par le portrait de Jennifer. Son mari, un bon camarade de Russell, était décédé deux ans après avoir quitté l'usine, et sa photographie faisait face à celle de Jenny dans le salon. Curieusement, Kathleen regardait chaque fois Jenny telle une grande sœur de Danny. Tous deux étaient partis si tôt, sans être vraiment partis. On ne pouvait avoir pour eux le culte des morts, leurs voix, leurs rires, leur énergie étaient toujours là, entre les meubles et les fleurs. Parfois, Kathleen et Cheryl allaient toutes deux surprendre Lorraine à son bureau de la Milford Historical Society, où l'heure pouvait couler dans un bavardage anodin. Là les objets, les disparus, les drames étaient d'un autre siècle, leurs noms étaient la broderie du passé.

Un après-midi, Cheryl avait retenu Kathleen au fond de son jardin, sous les glycines de la pergola. Ce qu'elle avait à lui dire, elle le repoussait, l'enfouissait dans ses nuits, ses rêves, ses tourments depuis quelques semaines. Elle connaissait la grave décision de Kate et pressentait la tristesse que devaient en éprouver Dick, Lorraine et Russell. Mais comment crever ce dur silence sans aviver la blessure? Jour après jour s'ancrait, dans l'esprit de Cheryl, la conviction que seul un nouvel enfant saurait épanouir l'amie de toujours. Sans cette pousse de vie sur Oak Street, et malgré toutes les attentions de Dick, la passion de l'enseignante ne serait qu'une belle ziggourat ne pouvant atteindre les véritables trésors de l'enfance. Oui, un bébé, un enfançon, un petit démon ou une fleur de caprice, il fallait ces rires et ces larmes pour que la vie ne devînt pas un regret. Alors elle avait monté son bras dans le dos de Kate, et ses doigts nerveux de postière avaient pianoté sur l'épaule. Dans l'odeur des glycines, elle s'était enfin libérée :

— Kate, il vous faut un enfant.

Le silence avait perdu son parfum, et les deux femmes avaient quitté la pergola. Kathleen s'était arrêtée sous la fragrance des rosiers, avant d'accepter le thé sur la galerie. En partant, elle avait embrassé Cheryl sur la joue, avec ces mots, très bas :

— Je ne peux pas. N'en parlons plus.

Cheryl l'avait regardée s'éloigner au bas de Vernon Street, se souvenant des deux fillettes habiles à imiter les chants d'oiseau. Que fût devenue Jenny, qui elle aussi avait pensé devenir institutrice ? Jennifer et Kathleen, les drames n'avaient pas altéré une amitié d'enfance toujours présente dans le regard, la voix de Cheryl et Lorraine. Et pour Kate, tata Cheryl ne vieillissait pas.

Dans sa classe, il arrivait à Kathleen Murphy de douter du bien-fondé de sa décision. Elle aimait tant ses écoliers – qui le lui rendaient bien – qu'à plusieurs reprises, quittant l'école, elle s'était jugée présomptueuse de vouloir contrarier la loi naturelle de la vie. Elle était alors perdue dans ses intimes convictions, et Milford lui apparaissait soudain tel un nid d'intrigues, un gros village qu'elle devait fuir. Un vendredi, plutôt que d'aller chez elle, chez Lorraine ou Cheryl, elle s'était attardée à l'entrée de l'Oval, sur le socle de pierre portant les deux bronzes de l'artiste Silvia Nicolas, baptisés *The Reading Children*. Un garçonnet et une fillette lisant assis sur le granit, une œuvre d'une touchante simplicité et commémorant le deux centième anniversaire de la ville. Deux jeunes lecteurs, dans un pays où tant de mômes s'affalent devant la télévision, c'était un beau pari autant qu'une belle sculpture. Mais les bruits du trafic l'avaient rebutée, et elle était descendue dans le petit parc Emerson, en contrebas du pont de pierre. Elle avait retrouvé le court sentier d'enfance, puis s'était assise sur le large rocher incliné émergeant de la Souhegan. Que de confidences ici échangées avec Jennifer, puis avec Richard avant de s'envoler vers les montagnes ou la côte. Ce grand rocher sous les arbres, dans le soleil déclinant et le miroir de la rivière, c'était un peu le livre ouvert de Milford, dans lequel Kathleen avait lu ses premiers rêves de gamine. Cette fois pourtant, il lui était apparu bien différemment : telle la table biblique sur laquelle Dieu gravait ses commandements aux Hommes. Aux contemporains qui L'avaient oublié. Cette fugitive vision avait étonné l'institutrice, nullement pratiquante, et l'avait portée à penser qu'elle devait être fatiguée.

Dick l'avait rejointe dans la rase lumière, après être passé à la maison. L'intuition l'avait guidé là plutôt qu'à l'entrée du Swing Bridge, et il avait ri lorsque Kate lui avait relaté l'image du rocher transformé en Tables de la loi.

— Te prends-tu pour Moïse… Marie-Madeleine ?…

Il l'avait si bien surprise et déridée qu'elle avait spontanément accepté son idée de partir sur-le-champ pour un week-end à la mer. Juste un bond à Oak Street afin de prendre quelques vêtements, et ils avaient filé vers l'est. Ce soir-là, elle reprochait à la Toyota ses sièges baquets, si malcommodes pour se caler contre Dick. Avant Hampton, Kate lui avait demandé d'oublier Rye North et son balcon, de monter plus au nord, vers les plages du Maine, et il avait stoppé à Kennebunk Beach dans la nuit naissante. Le motel manquait de charme, mais l'eau n'était pas trop fraîche, et la plage tranquille. Ils avaient gardé leurs jeans, marché à la limite de l'eau, avant d'engloutir de maigres sandwichs bavant une fade mayonnaise, plus blanche que neige.

Cependant, le firmament était pur et le sable tiède. Étendus sous les étoiles, ils avaient quasiment compté les moutons... Kate désirait passer ainsi la nuit, se laisser emporter, endormir par la lune. La lune qui était un soleil moins brillant que l'autre, dans l'esprit et sur les dessins de Danny. Mais il n'y avait pas de lune cette nuit-là, seulement au sud le phare de York. La plage est presque déserte depuis que la fraîcheur est tombée sur la grève. Kate a serré le poignet de Dick, lui a dit sans quitter les étoiles :

— Plus tard, dans un an, dans deux ans peut-être, si le docteur ne me le déconseille pas...

Dick a conduit, immobilisé leurs mains sur le ventre de Kate, sans lui répondre. À trente-quatre, trente-cinq ans, elle serait toujours jeune, et le temps aurait fait la paix en son cœur. Dick savait que Jennifer et Daniel étaient là entre les étoiles, et que Kathleen leur parlait, leur contait les derniers bons mots, ou les perles de ses élèves. Mais peut-être Danny lui apprenait-il qu'au-delà des étoiles, un grand vide lui faisait pleurer les canards du Railroad Pond ou les oiseaux dans la forêt de Hollis. Un antithétique frémissement brouillait les yeux de Richard, et le sable lui parut froid dans la nuit avancée. Il soutint Kathleen dans le silence marin, puis dans la lumière blafarde du motel. Leurs corps se couvrirent de ciel et de laine. Leurs paroles furent lointaines et leur tendresse infinie.

Le lendemain la plage était bruyante. Ils évitèrent Sanford et Rochester, prirent la route 11 jusqu'au lac Winnipesaukee. Jusqu'au chalet de Gary et Nancy. À sept ans, leur fils Steven était lui aussi un brin écolo. Il fit découvrir à Richard et Kathleen maintes merveilles secrètes, sur la rive et dans les sentiers qui étaient devenus son domaine. Nancy prépara deux tartes aux pommes, et le soir, sur la galerie face au lac, Richard lui avoua qu'elles valaient bien celles de Laura. Les deux belles-sœurs firent une promenade à la tombée du jour, s'échangeant quelques secrets dans la brise estivale. Quand au bout du chemin apparut la silhouette de Steven, Nancy baissa la voix :

— Il parle souvent de Danny, ces jours-ci. Mais l'an prochain, peut-être…

Kate l'avait furtivement embrassée, avant qu'elles ne retrouvent les hommes. Gary avait coupé la seconde tarte et servi de petits verres de Bourbon. Dans la brunante, le lac s'ocrait tandis que sur la rive s'amplifiaient les stridulations des insectes. Mais dans l'envahissant bruissement, Kathleen n'entendait plus que quelques mots, toujours les mêmes : « dans un an, dans deux ans… peut-être… peut-être… ». Ce n'étaient plus des mots, mais des signes, des appels, auxquels elle devrait un jour, une nuit répondre dans les bras de Richard. Il serait patient, tendrement patient, elle le savait, et cela aussi allégerait les doutes et les cauchemars.

Le dimanche soir sur l'autoroute, il l'avait entendue fredonner.

Au week-end du Columbus Day en l'an 2000, Kathleen et Richard quittèrent Milford en fête pour visiter Montréal. L'anniversaire de la mort de Daniel ternissait le Pumpkin Festival, et ils ne voulaient pas plus, ces jours-là, revoir la famille à Claremont, Newport ou Concord. La route était splendide en octobre, fiesta d'ors et de rouges entre lacs et vallées. Et pour donner encore plus de couleur au voyage, Kate avait accordé au conducteur une longue leçon de français. Peu doué mais avec une évidente bonne volonté, Dick répétait les mots, repris par un amour de professeure, de laquelle il recevait de temps à autre, sur un tronçon droit d'autoroute, un furtif baiser d'encouragement. La féerie dans les arbres, les bizarreries de la langue de Molière et de Félix[3], les sourires et bécots de la passagère mêlaient à l'envi règles et plaisirs de conduite. Belle ambiguïté, alors que les doigts passaient mieux sous la jupe que les syllabes dans la glotte. Ils restaient jeunes, et la vie reprenait ses pulsions.

Arrivés à Montréal, il avait bien appris trente mots de français, et elle trois mots de sagesse. La ville polyglotte les séduisait, et Kate y retrouvait, sur le Plateau-Mont-Royal, son milieu d'élection durant un lointain stage linguistique. Quelques rues bourgeoises, aux façades de pierre grise sous des clochetons ouvragés, avec la valse des escaliers extérieurs, et là aussi d'orgueilleux balcons. D'étroites rues populaires, longs rubans de brique rouge ondulant au gré des affaissements de terrain, avec des portes contiguës de couleur vive, des fenêtres fleuries aux

3. Félix Leclerc.

rideaux de dentelle, d'où s'échappaient des voix, des musiques familières ou exotiques. Elle reconnaissait les modestes épiceries et les « bineries », les jardinets à peine plus larges qu'un mouchoir, les courettes joyeuses au fond des passages. Mais la rue Saint-Denis s'était éclatée, et la plupart des boutiques avaient changé de nom, dans l'afflux d'une faune colorée, bien nippée ou relâchée. Aux terrasses et sous-sols des restaurants, cafés ou librairies se croisaient le joual et le snobisme, les minijupes et les robes grand-mère, les bières écumeuses et les croissants aux amandes. Kate tirait Dick d'un souvenir ou d'une surprise à l'autre, au cœur de cette ville embourbée dans ses anglicismes, et tour à tour inspirée ou paumée dans son architecture et ses enseignes. La ville riche des gratte-ciel et des luxueuses résidences ne les attirait pas, les petits Manhattan poussent partout en Amérique. Et le Vieux-Montréal n'était plus qu'un décor de cinéma, un piège à touristes.

À peine trois jours dans cette cité qui sacrait à tout coin de rue, et Richard Murphy avait pourtant ressenti le souffle d'une culture, d'une vie étrangère à la sienne. Si proche et différente, au-delà du Coca-Cola et des affreux McDonald's, des automobiles frappées d'obésité, qu'une voisine de leur petit hôtel appelait « des chars gonflés comme des femmes enceintes ». Bien plus qu'au Mexique, il avait réalisé que le monde ne tournait pas autour de Washington, ainsi que le laissait entendre la presse américaine. Dans quelques années il demanderait un long congé à la Hendrix, et Kathleen lui ferait découvrir Paris, le Val de Loire, et peut-être l'Auvergne ou la Bretagne. Ils en avaient ruminé le projet dans un restaurant vietnamien de la rue Duluth, entre une volubile tablée d'adolescentes et un couple d'amoureux. À la fin du repas, avant de reprendre la route, Kate lui avait dit :

— Le Québec, c'est la queue de l'Europe dans les griffes de l'Amérique.

— Et moi, qui suis-je ?

— Toi, Dick, le gars de Claremont qui aime les choses simples et bien faites, tu dois être un gars de partout. Oui, un citoyen du monde.

— ...qui ne parle qu'une langue...

— Mais qui parle si bien avec ses mains et ses outils, lui avait-elle murmuré en se levant.

Ils étaient revenus à Montréal l'été suivant, pour le Festival de jazz, s'attardant, au retour, dans quelques villages de l'Estrie. Ils retournaient moins souvent sur la côte, préférant découvrir de petits bourgs du Vermont, joliment préservés à l'écart des grandes routes. Les deux années du nouveau millénaire redonnaient à Kathleen Murphy le bel entrain que tous lui avaient connu avant la mort de son fils. Dick, Jeff et Brenda s'en réjouissaient, ainsi que Lorraine, Russell et Cheryl, que l'âge marquait lentement.

En 2001, la Jacques Memorial School était fermée pour rénovation, alors qu'ouvrait, à cinq kilomètres du centre de Milford, la magnifique école du Heron Pond. Les classes étaient claires, spacieuses dans une architecture fonctionnelle, en pleine forêt. Fin août, Kathleen prenait en charge une classe de deuxième année, dans laquelle se retrouvaient plusieurs de ses élèves du printemps. Elle entrait chaque matin dans la ronde des autobus scolaires, où la gaieté des écoliers précédait celle des locaux. À trente-cinq ans, elle faisait rougir d'envie sa mère, l'institutrice retraitée Lorraine Nadeau.

○

Le matin du 11 septembre 2001, dix-huit minutes après qu'un premier avion eut percuté la tour nord du World Trade Center, à New York, un second Boeing 767, détourné par des terroristes du réseau islamiste Al-Qaïda, embrasait la tour sud. Parmi les passagers de ce vol Boston/Los Angeles figurait Richard Murphy, devant rejoindre, dans un laboratoire d'essais de Torrance, un ingénieur de la câblerie Hendrix chargé de la conception d'un câble léger à haute performance. L'ouvrier de Claremont et de Portsmouth était devenu, à Milford, un technicien fort apprécié pour sa maîtrise des procédés de fabrication, et ce voyage marquait une étape dans sa carrière.

Quelques minutes avant neuf heures, Kathleen avait quitté sa classe pour se figer, avec des collègues, devant un téléviseur. La collision de huit heures quarante-cinq stupéfiait l'Amérique, qui hésitait à accréditer l'hypothèse de l'attentat. Mais, lorsqu'à neuf heures trois le deuxième avion avait approché puis frappé la tour sud à la hauteur du quatre-vingtième étage, l'horreur avait pulvérisé le doute. Avant même que fût précisé son numéro de vol, dans le flot continu des informations les plus atterrantes, Kathleen avait réalisé que ce Boeing, avec lequel on avait perdu la communication après son décollage de Logan, était bien celui dans lequel voyageait Richard. Celui-là qui venait d'être lancé contre la seconde tour du World Trade Center. Dick était mort, transformé en bombe incendiaire, sous ses yeux, en direct à la télévision. Elle n'avait pas crié. Seulement enlacé, serré si fortement une consœur que cette dernière avait cru vaciller avec elle.

Cindy Webber lui avait aussitôt proposé de la conduire chez elle, mais Kathleen avait tenu à rester là, dans le bureau où le personnel suivait le drame sur le petit écran, dans un silence inhabituel. La mort si impensable de Dick lui ôtait la parole. Le choc était trop violent et les faits trop monstrueux pour qu'elle exprimât sa douleur, son désespoir. Elle s'était soudée au corps de Cindy, le regard livide parmi ceux, incrédules, angoissés, nerveusement tendus des collègues. Le monde s'abîmait devant elle, autour d'elle, en elle, et Cindy avait insisté pour qu'elle s'assît, ce qu'elle avait accepté tout en la retenant près d'elle. Alors toutes deux avaient suivi, supporté cette mort multiple de Dick dans un atroce silence qui brisait les doigts et oppressait la respiration. De minute en minute, l'écran et la voix du commentateur devenaient insensés, irréels, et bientôt les hallucinants points noirs des malheureux se jetant dans le vide. Le monde basculait dans l'innommable. Quand à neuf heures cinquante-neuf s'était effondrée la tour sud, Cindy avait prié Kathleen de quitter la salle et de venir chez elle. Déjà on annonçait deux autres détournements d'avions civils, l'un parti de Washington et l'autre de New York. Dans l'auto et contre l'épaule de Cindy, Kathleen avait enfin marmonné quelques mots, sans que l'amie ne pût les comprendre.

Kathleen avait passé le reste de la journée, puis la nuit sur le lit de Cindy, qui l'avait veillée telle une sœur. Sitôt avisée, Lorraine était accourue, puis Cheryl, et les trois femmes avaient témoigné d'un rare talent de psychologue en évitant les mots et gestes inutiles. Le lendemain, Kathleen avait embrassé Cindy et retrouvé sa blanche maison natale de la rue Lincoln, sa fenêtre ouverte sur le Railroad Pond, où les canards avaient disparu. La directrice de l'école était venue la voir vers midi, s'associant à la douloureuse pensée des enseignants et des élèves, et lui annonçant qu'elle pourrait prendre le congé qu'elle voudrait avant de revenir. Mais, sans que cela ne surprît Lorraine, Kathleen l'avait assurée qu'elle reprendrait sa classe dès le lundi suivant.

C'est aussi ce même lundi qu'elle était retournée vivre dans sa maison d'Oak Street. Seule dans ces pièces où presque tout était l'œuvre de Dick, elle avait pleuré avant de s'endormir. Pourtant, le mardi matin, très tôt levée, elle avait fixé une photo récente de Dick près de celle de Danny. « Non, s'était-elle dit, pas plus qu'un chauffard, les fanatiques islamistes ne peuvent massacrer la vie. »

Les attentions, les mots naïfs ou tristes des écoliers l'avaient touchée, tout comme la photographie encadrée de Richard à l'entrée de la salle de classe. Une collègue se l'était procurée à la Hendrix, et chaque matin une fleur fraîche était scotchée sur le cadre. Non, mille fois non, l'Amérique méconnue des petites villes de la Nouvelle-Angleterre, les millions de Lorraine, de Brenda, Cheryl ou Laura, les Russell, les Jeffrey, Kevin, les démocrates et républicains de la Connecticut, de l'Androscoggin ou de la Merrimack, les amoureux de la Sugar River ou de la Souhegan, les élèves des petites et grandes écoles ne se laisseraient pas visser dans la tête les sanguinaires *fatwas* d'Al-Qaïda. L'Amérique était outrancière dans sa démesure, ses fortunes et ses misères insultaient souvent la nature, mais la liberté y fleurissait toujours au lendemain des mensonges et des larmes. Kathleen Murphy réalisait que son peuple n'était jamais si fragile et fort, si humble et grand qu'après un désastre. Cela faisait mal, bien au-delà de la fatuité des mots. Cela ne s'expliquait pas facilement devant vingt paires d'yeux étonnés dans une classe de deuxième.

Lorraine et Russell s'étaient réjouis de la rapidité avec laquelle leur fille avait surmonté cette nouvelle épreuve. Kate, aux yeux de tous, était de nouveau l'institutrice débordante d'énergie, réceptive et enthousiaste aux idées et aux propositions des élèves. Cependant, Cindy Webber savait que Kathleen Murphy menait, depuis le 11 septembre, une vie duale. Souvent les deux femmes s'attardaient, dans la classe de l'une ou l'autre, avant de quitter la Heron Pond School. Cindy devenait une autre Jennifer, une sœur, une confidente bien plus que Brenda, Lorraine ou Cheryl. Parfois elles allaient sous les hauts arbres encerclant l'école, ou garaient leur voiture dans l'épaisse forêt de Whitten Road avant de rentrer chez elles. Là dans l'avare lumière des pins et des chênes, sous le guet d'un suisse ou d'un cardinal, elles questionnaient le beau mensonge qu'était leur apparente sérénité en classe. À sept ou huit ans, les écoliers avaient droit à leur enfance, et les images de la télévision apportaient chez eux un spectacle insoutenable pour la prospère Amérique. Les pompiers, les sauveteurs de Manhattan avaient payé un lourd tribut sans pouvoir retirer un seul survivant des décombres fumants du World Trade Center. De l'enfer appelé Ground Zero.

Sans avoir pu identifier la moindre partie de son corps, les autorités avaient vite officialisé le décès de Richard Murphy, et la petite ville de Claremont lui avait réservé une émouvante cérémonie d'adieux. Claremont plutôt que Milford, car les deux familles pensaient que cet homme n'avait jamais vraiment quitté la beauté sauvage de la Green Mountain. Puis Lorraine l'avait dit à Kevin comme à Kathleen :

— La Sugar River, la Souhegan, c'est la même eau qui coule dans nos cœurs.

À soixante et un ans, Kevin n'était toujours pas un grand parleur. Cependant, les confidences de Laura n'avaient pas été nécessaires pour que sa belle-fille mesurât la détresse de cet homme. L'ouvrier du Paper Mill portait sur son visage le désarroi d'une Amérique qui connaissait encore la valeur des choses essentielles. Oui, avec ceux venus de Milford, de Newport, de Concord, avec les voisins, les amis, les camarades de travail en cette déclinante Claremont, il n'avait eu que de brèves paroles d'accueil ou d'adieu. Les événements lui criaient trop leur déraison, leur horreur pour qu'il y ajoutât ses doutes ou sa révolte. Mais, avant qu'elle ne reprît la route avec Lorraine et Russell, Kevin s'était libéré d'un caillot avec Kathleen, d'un caillou qui cognait dans sa tête : les images les plus insoutenables que lui avaient présentées les médias n'étaient pas celles des ruines sous leur volcan de fumée et de poussière, mais celles des Palestiniens sautant et criant de joie dans les rues de Gaza. Elles lui avaient rappelé le délire d'autres fanatiques musulmans : les Azéris louangeant Allah pour la mort de quatre-vingt mille chrétiens, treize ans plus tôt lors d'un tremblement de terre en Arménie. Kathleen n'avait pas su lui répondre, elle l'avait simplement embrassé, et lui s'était excusé :

— Ça pique déjà… satanée barbe…

— Non, Kevin, pas plus que celle de Dick.

Il l'avait enlacée, retenue un instant avec une respiration, un silence plus éloquents que les pleurs. Et en relâchant son étreinte, il avait hésité :

— Kate, pouvons-nous en douter ?...

— Dites.

— ...Le nouveau siècle retourne à la barbarie. Ce ne sera pas facile de l'expliquer à vos élèves...

— À sept ou huit ans, comment pourraient-ils comprendre ce qui stupéfie leurs parents ?

— Vous trouverez les mots, je le sais.

Elle avait passé sa main sur la nuque de Kevin, fixé les yeux francs sous les rides, ce regard qui était celui de Dick dans ses moments d'inquiétude. Doucement, elle avait arraché les dernières paroles à leur commune brûlure :

— Ah ! les Murphy ! Vous n'êtes pas de granit, mais de bonne sève. Du bois qui pousse droit, hiver comme été.

Oui, plus de printemps que d'années sous l'écorce, avait-elle pensé en effleurant la joue rêche de son beau-père.

○

L'année 2002 avait encore resserré l'amitié entre les deux institutrices. Divorcée, Cindy Webber attirait les hommes malgré sa froide détermination à s'en éloigner. Son époux de quatre années avait été tout le contraire de Richard. Un homme dont elle s'était intensément éprise, et qui l'avait trompée l'été même de leur mariage. À trente-quatre ans, elle riait sans gêne de ses erreurs de jeunesse, avec ce brin d'amertume qui sied à toute femme consciente de sa séduction et de l'envol des années. Aussi, une muette colère l'avait saisie le 11 septembre 2001. Trois mille victimes d'un fanatisme diabolique bien sûr, mais tout d'abord Richard Murphy, cet homme exemplaire qui avait su aimer une femme de la plus simple et entière façon. Entre elles, Dick devenait l'éponyme de l'homme droit dont rêve toute femme. L'attentat, le quadruple attentat du 11 septembre avait rapproché leurs chemins dissemblables, et l'école, la vie, l'amour avaient creusé la résonance des mots. De mois en mois les deux amies réapprenaient la vacuité ou la force des sentiments ébranlés par l'orgie des médias. Oh ! qu'il était souvent difficile d'avoir l'expression juste avec les élèves, dont les questions révélaient l'ignorance ou le jugement simpliste des parents.

Les deux nièces de Kathleen étant dans sa classe, Cindy devait redoubler de doigté avec elles afin de ne pas ajouter à leur tristesse. Après la mort de Daniel, celle si horrible de leur oncle avait tant malmené leur candeur que Doreen et Janice inquiétaient leur mère avec des questions bien trop graves pour leur âge. Cindy et Kathleen tenaient à rassurer Brenda sur l'équilibre psychique des jumelles, et les trois femmes se retrouvaient de temps en temps chez l'une ou l'autre, dans une saine sororité et avec maintes raisons d'espérer. Leur génération comprenait-elle mieux le terrorisme, ses racines et ses monstrueux débordements que ne pouvaient les concevoir Lorraine et Cheryl ? Rien n'était plus incertain. Depuis longtemps selon Cindy, l'Amérique avait « perdu ses valeurs et trempé ses pattes plus souvent dans le sang que dans le miel ». Les nobles édits et vertus de la Constitution logeaient de guingois, bousculés par les multiples forces de l'argent, et il était aussi impensable qu'impossible d'enseigner cela aux enfants.

Alors Kathleen inventait cent manières de chasser la morosité. Des jeux, des concours, des promenades au cours desquelles les oiseaux chantaient toujours, et où les insectes, les arbres et les fleurs dévoilaient quelques secrets. Et chaque matin une nouvelle marguerite, une petite grappe de lupin, une églantine ou un œillet ornait la photo de Dick à l'entrée de la classe. Oui, Kathleen Murphy, la tragique veuve de la Heron Pond School, surprenait collègues et parents d'élèves avec son enthousiasme et son énergie. Hélas ! dans ses confidences à Cindy, en voiture, sous les chênes ou dans un café de l'Oval, chez l'amie ou dans la dure intimité d'Oak Street, Kate plongeait chaque fois un peu plus loin dans cet abîme qu'elle appelait «la nuit de l'Amérique». Depuis quelques décennies, son pays déclinait malgré les apparences, il usait de sa richesse et de sa force pour nier ou vaincre les contradictions qu'engendrait son insolente prospérité. La vie duale de Kathleen Murphy, que partageait beaucoup Cindy Webber, était antithétique à celle de millions de concitoyens pour lesquels le simplisme évitait les maux de tête. La nuit de l'Amérique était, entre les deux océans, un univers fragile décalqué sur la première puissance mondiale. L'absence de dialogue entre cette gaspilleuse Amérique et les damnés de la Terre angoissait l'humble institutrice de Milford. Et, plutôt que d'en favoriser l'émergence, les attentats terroristes du 11 septembre avaient repoussé toute véritable concertation.

Chaque jour le fossé se creusait, et la nuit de l'Amérique brouillait désormais ses plus beaux jours. Kate l'avait avoué à Cindy :

— J'ai peur de craquer.

L'amie lui avait conseillé de demander un congé, de partir pour deux semaines aux Antilles ou au Mexique :

— Quinze soleils, quinze jours de mer et de guitare, c'est aussi ce que Dick te recommanderait.

— Je n'en suis pas certaine.

— Allons, Kate, deux ou trois semaines entre les plages et les temples mayas... puis changer de langue, c'est un peu changer d'obsession.

— Ça, j'en doute encore plus.

Cindy n'avait pas plus insisté. Mais le lendemain à la sortie des classes, Kate l'avait déconcertée :

— Pour le week-end, allons à New York.

— Non, Kate, ne sois pas maso. Tu en as déjà trop vu à la télé...

— Accompagne-moi, je t'en prie. Je dois voir ce lieu qui dévore toutes mes nuits. Non, la tombe de Dick n'est pas à Claremont, mais à Manhattan. Cinq mois déjà, n'ai-je pas trop attendu ?

— Veux-tu faire une dépression ?

— Cindy, je dois connaître cet abîme où Dick nous a quittés. Non ce n'est pas du masochisme ni même un devoir. Simplement un trou noir que je dois refermer, remplir, éclairer, comme tu voudras.

— Kate, crois-tu que…

— Je ne veux plus questionner, comprendre l'impensable. Cette mort, personne ne la voulait, sauf une poignée d'illuminés, de cinglés. Pourtant, aujourd'hui, je pense que la voir en face m'aidera à l'accepter. Quelle présomption ! Je sais.

Cindy s'était tue, impuissante, avec cependant plus d'amitié que de pitié. Enfin elle avait préparé un café et annoncé :

— Samedi, je te prends à sept heures.

Kate n'avait à peu près rien dit pendant le trajet, et Cindy savait que ce mutisme lui était aussi douloureux que la parole. À l'approche de Yonkers seulement, la passagère s'était redressée, animée.

— Merci, merci, Cindy.

L'amie avait esquissé un sourire. Un printemps hâtif dans la descente sur Manhattan, bien qu'un ciel gris plombât les rives de l'Hudson. Le trafic était comme toujours ici un torrent de masses sombres dans un sifflement lugubre. Cindy aussi roulait vite, et New York les avait aspirées tels deux insectes, jusqu'à la béance de Ground Zero.

Près de cent cinquante mille personnes visitaient chaque jour cet enfer. Ce cratère maintenant éteint, d'où ne montaient plus que des formes dantesques, hallucinatoires. Cent cinquante mille regards, dont celui de Kathleen Murphy n'était ni le plus ébranlé ni le plus dur. Cindy demeurait à ses côtés, refusant de sortir de son sac à bandoulière le petit Olympus qu'elle avait rechargé au départ de Milford. Elle avait trop vu ces images effroyables pour y ajouter les siennes. Peut-être avait-elle apporté son appareil photo pour le seul cas où Kate le lui demanderait : elle ne savait plus ce que pouvait désirer ou détester sa camarade. Et Kate n'avait rien exprimé, rien demandé sur le funeste parcours face aux ruines. Mais avant de quitter le site, marquant le pas dans le vertige des sens, elle avait longuement creusé cette muraille de la haine qu'un islam dévoyé avait planté dans Manhattan, puis elle avait rompu le silence :

— Je pensais ne jamais pouvoir accepter les lignes d'Oriana Fallaci, lues voilà dix jours, et aujourd'hui j'aimerais dire à cette Italienne qu'elle aussi est ma sœur. As-tu lu les extraits du *New York Times*?

— Non. Est-ce une journaliste ?

— Journaliste, écrivain, l'une des premières plumes d'Italie. Une femme qui nomme les choses par leur nom.

— Et qu'a-t-elle dit qui t'a frappée ?

— Bien des vérités qui offusquent les intellectuels lâches et opportunistes. Mais surtout ces mots terribles : « le café moulu[4] ». Regarde, c'est ainsi qu'elle appelle ces tonnes de poussière. Cette grenaille de béton, ce magma de cendres, de matériaux pulvérisés parmi lesquels on n'a retrouvé qu'un dixième des victimes.

Cindy avait en tête les derniers chiffres publics : trois mille morts, qui auraient pu être trente mille sans le sacrifice de trois cent cinquante pompiers. La guerre. Elle ne savait que répondre à Kate, qui reprit :

— Voilà tout, Cindy. Dick avec tant d'autres ne sont plus que du café moulu, voulu par les illuminés d'Allah.

Kate avait dit cela calmement, comme si les mots étaient déjà gravés dans la pierre ou la brique, tels ceux des anciens combattants sur les allées de l'Oval. Puis elles étaient allées déjeuner dans le Chinatown. Était-ce pour fuir une oppressante Amérique que l'idée leur en était venue, spontanément, à toutes deux en retrouvant le parking ? Le puéril exotisme

4. Oriana Fallaci, *La rage et l'orgueil*.

des lieux s'accordait avec la cuisine, plus accrocheuse que raffinée. L'illusion d'une autre Amérique, multiraciale et tolérante, entrait dans les assaisonnements chinois comme l'anglais sur les menus. Là seulement, Kate avait évoqué Dick, en des termes émouvants pour Cindy. L'ouvrier si adroit et l'amoureux de la nature. L'homme qui aimait « les choses simples et bien faites », et qui, mieux que Jennifer, lui avait appris à nager. L'homme auquel elle avait donné un fils... Cindy l'écoutait, insensible aux mouvements, aux éclats de voix des clients et des serveuses. Jamais, durant ce sale hiver, Kate ne s'était aussi intimement confiée à elle. Peut-être même ne l'avait-elle pas fait avec Lorraine. Était-ce le choc de Ground Zero qui avait cautérisé une plaie trop vive, ou vaincu quelque douloureuse aporie ? Les deux amies avaient étiré le repas dans une profusion de thé et de souvenirs.

Au retour, passé Hartford, Kate avait eu une imprévisible question :

— Cindy, je me demande, quelle est l'épreuve la plus dure : perdre un homme dans une mort brutale, ou dans un divorce ?

Plus qu'interloquée, l'amie avait ralenti, avant de reprendre sa vitesse dans le flux du trafic. Sans répondre. Et Kate avait répété sa question, en passant sa main dans les cheveux de Cindy. Alors la conductrice l'avait brièvement dévisagée, incrédule et indulgente malgré sa tension sur le volant. Les voitures qui la doublaient semblaient happer, emporter les mots qu'elle ne pouvait prononcer. La main de Kate s'était doucement éloignée, mais pas les paroles.

— Réponds-moi, Cindy.

— Que puis-je dire ? Nous avons connu, ou plutôt, nous vivons chacune notre histoire. Je n'ai jamais souhaité la mort de Larry, et pas plus imaginé ton divorce avec Richard. Je ne suis sûre que d'une chose : Dick vit toujours en toi, tandis que, vivant à Nashua, Larry est mort pour moi.

— Est-ce aussi simple ?

— Oh non ! rien n'est simple. Mais tu vis encore avec Dick, alors que je ne rêve jamais de Larry. Je pense plutôt à toi, à vous trois je veux dire. Il était beau ton Danny. Aujourd'hui, je l'aurais dans ma classe...

Kathleen avait enfoncé ses doigts dans le bras de Cindy, qui s'était tue jusqu'à Milford.

○

L'été avait filé plus vite que l'hiver. Le premier été sans Dick avait perdu ses odeurs sylvestres et marines, pour ne traîner qu'un relent de cendres et de poussières. Cindy n'y pouvait pas grand-chose, seul le temps saurait éloigner les cauchemars, espérait-elle, sans conviction. Puis septembre et octobre, deux anniversaires qui salissaient les couleurs de l'automne. Les jours, les semaines de Kathleen martelaient les souvenirs comme autant d'insultes à la raison. Les élèves à la rentrée n'avaient pu combler un vide, dans lequel les joies extérieures avaient parfois l'indécente provocation des lupercales. L'enthousiasme de l'institutrice devenait une façade de plus en plus fragile. Malgré l'amitié des collègues, la gaieté des locaux et quinze petites faces de sève, de sucre et de malice, rien ne parvenait à effacer le relent âcre et sec du « café moulu ».

En octobre, fuyant de nouveau l'excitation du Pumpkin Festival, elle était montée à Claremont pour s'entretenir avec Kevin. Oh ! Laura était avec elle aussi douce que Lorraine, mais c'est avec son beau-père qu'elle désirait sortir de la « nuit de l'Amérique ». Et Kevin l'avait comprise aux premières hésitations, aux premiers mots. Oui, elle n'avait que deux ans quand Kevin Murphy avait participé aux intensifs bombardements de l'Annam et du Tonkin, et elle avait grandi sans apprendre véritablement ce qu'avait été la guerre du Viêt Nam. Mais depuis quelques mois les ruines du World Trade Center lui rappelaient confusément les silences de Kevin, et elle voulait en comprendre la signification. Enfant, elle avait entendu ses grands-parents évoquer le *grout*, ces brisures de granit avec lesquelles on avait renforcé les routes du comté d'Hillsborough après les inondations de 1927 ; et maintenant elle ne passait pas une journée sans que la hantent les milliers de tonnes de « café moulu » de Ground Zero. Pourtant, elle n'avait encore qu'une idée grossière du Viêt Nam sous les bombes américaines, et ce flou déformait les images atroces de Manhattan.

Alors, à Claremont, où l'automne donnait aux arbres les couleurs des anciennes manufactures, Kevin avait répondu à l'attente de sa belle-fille. Oui, son pays avait versé sur le Viêt Nam plus de bombes que sur toute l'Allemagne nazie un quart de siècle auparavant. Souvent, dans le roulement des lourds cylindres du Paper Mill, et dans les remous de la Sugar River, il réentendait les sourdes explosions des chapelets de bombes derrière les B-52. Si bas sous le ventre des monstres froids, si bas dans ce qui ne pouvait être qu'une fourmilière humaine. Il avait appris, longtemps après son retour, cette horreur dans les villages, les villes sous les bombes et le napalm. Tant de victimes civiles, de vies éclatées, sans vraiment ralentir l'offensive des Vietcongs.

— Oui, une guerre pourrie, mais elles le sont toutes, avait-il répété. Une guerre que nous n'aurions jamais dû faire.

Et il ne comprenait plus pourquoi il était, à vingt-quatre ans, entré dans l'Air Force, pour atterrir sept mois plus tard à Da Nang. Da Nang, Xuân Thieu, Nuoc Man, China Beach, ces mots étaient toujours en lui. Des cailloux qui se déplaçaient dans ses artères, son cerveau. Il l'avait plusieurs fois confié à Dick :

— Nous avons fait là-bas une belle saloperie. Une guerre inutile, pour défendre le régime sans doute le plus corrompu de la planète.

Une seule fois, deux mois avant son mariage, Kathleen l'avait entendu évoquer « ses années noires ». Il répugnait tant à les rappeler, même à ses enfants. Mais cette fois, un an après les attentats de New York et de Washington, il s'était longuement étendu sur maints détails de ses missions au Viêt Nam. Le temps et les circonstances avaient abattu quelques refuges intérieurs, et il avait le plus grand respect pour sa bru. Au bout de quelques heures, il lui avait déclaré :

— Une institutrice doit aussi enseigner aux enfants les erreurs de la guerre. Et les racines de la paix.

Elle avait hésité à lui répondre, non par crainte de lui déplaire, mais connaissant trop l'ambiguïté officielle dans son milieu. Aussi avait-il insisté sur ce rôle essentiel des professeurs, bien que lui, également, ne fût pas dupe d'une bien-pensante hypocrisie.

— Oui, Kathleen, vous devez enseigner la vérité à vos élèves. Par petits bouts, bien sûr, mais des bouts de vérité.

— Une institutrice est vite accusée de subversion, si elle aborde certains sujets…

— Ah ! la subversion ! N'est-ce pas plutôt la lâcheté, le mensonge des états-majors et du Pentagone ? Le patriotisme a bon dos.

C'était sorti comme un caillot de sa gorge. Il ne voulait surtout pas vexer Kathleen, et cependant il n'avait pu ravaler ses pensées. Non, il l'estimait bien trop pour lui masquer ses opinions, et il ne pouvait la blesser par sa franchise. Ils avaient quitté la maison pour une promenade le long de la rivière, face aux murs sinistrés des filatures, jusqu'aux minces vestiges et à la cheminée de la Claremont Foundry. Et Kevin Murphy s'était vidé le cœur, là où la ville pleurait dans la brique, là où la Sugar River gémissait sous le fer rouillé des passerelles.

Il n'avait jamais voulu retourner au Viêt Nam, comme l'avaient fait d'anciens GI épris d'une Vietnamienne, laissée là-bas dans mille difficultés, avec souvent un petit bâtard, un *my lai* qui était la risée du village ou du quartier. Parfois aussi, simplement pour tenter de comprendre, d'apprécier et de respecter un peuple qu'on les avait amenés à détester. De pathétiques histoires, des récits émouvants de retrouvailles apparaissaient de temps à autre dans les journaux américains désormais plus critiques, moins enclins à avaler les couleuvres, les pythons du Pentagone. Non, Kevin n'avait pas laissé en Annam une *nguoi dep,* une jeune beauté aux yeux et au courage d'acier. Laura lui suffisait. Laura à qui il ne saurait jamais expliquer pourquoi il avait dû la quitter au printemps de leur vie, pour aller bombarder des inconnus aux antipodes du New Hampshire. Alors dans l'ocre lumière d'octobre il avait dit à Kathleen :

— That trip, you will do it for me – Ce voyage, vous le ferez pour moi.

— I can't.

— Si, si, vous le ferez à ma place, Kate. Avec mes yeux et les vôtres. Vous verrez Da Nang comme je ne l'ai jamais vue... Avec des gens qui comme nous sont nés pour vivre tranquilles...

Laura les avait attendus en préparant un poulet rôti et une tarte au sucre. Mais on n'avait plus parlé du Viêt Nam dans la soirée, uniquement de la famille à Newport et à Concord, des petits-enfants surtout, que Laura gâtait à chaque visite.

Le dimanche matin, Kate n'avait pas repris la route habituelle par Manchester, elle était descendue par la vallée de la Connecticut, et par Keene. Elle avait retrouvé, avec un brin de nostalgie, le calme dominical du Keene State College. À tout hasard, elle avait sonné à la porte d'un vieux professeur habitant à deux rues du campus. Miracle ! Mitchell Callahan était chez lui et il avait retenu son ancienne élève à déjeuner. Veuf depuis peu, il assumait encore quelques cours et ne quittait guère la ville que pour voir son fils unique à Boston. Dave Callahan y suivait les traces de son père, enseignant la littérature dans un collège après avoir travaillé quatre années dans une agence onusienne. À entendre son ancien prof, Kathleen comprenait que père et fils partageaient les mêmes ressentiments envers les politiciens, et il était clair que Dave avait quitté son poste après avoir observé trop de scandales à l'O.N.U. aussi bien qu'à Washington.

Mitchell Callahan n'avait pas mâché ses mots avec la visiteuse. La tragédie qui avait emporté Richard, parmi trois mille victimes, ne faisait qu'aggraver la colère froide perçant dans ses propos. Oui, il n'avait pas oublié que quatre millions de civils avaient été tués au Viêt Nam, la plupart sous les quatorze millions de tonnes de bombes. Et qu'avaient appris les politiciens ? Pas grand-chose. Trente ans plus tard, les égoïsmes aveugles gouvernaient toujours le monde. Dans son pays, il en était convaincu, le président avait volé son élection avec l'aide de son frère et de puissants intérêts. En Europe un autre président, ne devant qu'à sa fonction de n'être pas traduit en justice pour corruption, avait eu le culot de faire l'éloge d'Émile Zola lors du centième anniversaire de sa mort, et un premier ministre se faisait moraliste après avoir libéré l'un des pires bourreaux de son époque : Augusto Pinochet. À la tête de l'O.N.U. paradait un monsieur auquel on avait attribué le prix Nobel de la paix, bien qu'avec quelques autres il se croisât les bras face au massacre de huit cent mille Tutsis, puis de sept mille Bosniaques. Oui, Mitchell Callahan l'avait martelé dans son salon encombré de livres et de journaux : les gouvernements et les médias entretenaient les pires déviations et subversions, qu'elles fussent motivées par des accords commerciaux, des intérêts stratégiques ou des enjeux diplomatiques plus ou moins illusoires. Du Brésil au Tibet, du Timor au Liberia, de l'Algérie au Bangladesh, on pouvait assassiner, égorger, violer ou mutiler des milliers de paysans, leurs femmes et enfants sans que cela ne troublât le ronron feutré des instances onusiennes. Ils avaient étiré le déjeuner avec des cafés noirs, et à la dernière tasse le professeur, à la veille de la retraite, avait révélé la raison pour laquelle son fils avait démissionné de son poste à New York : la nomination d'une Libyenne à la tête de la Commission des droits de l'homme, après une série d'autres scandales.

Kathleen Murphy l'avait écouté sans presque l'interrompre, retrouvant le professeur passionné auquel quatorze années n'avaient rien retiré de son exigence et de sa probité. Avait-elle voulu le provoquer, en rappelant où conduit la haine, face à une photographie du vieux pont détruit de Mostar, épinglée sur une bibliothèque ? L'hôte avait aussitôt sorti une page de magazine montrant le plus grand bouddha de Bamiyan, ou plutôt ce qu'il en restait.

— Oui, madame ! le pont turc de Mostar. Et les bouddhas de Bamiyan, que les talibans ont canonnés méthodiquement, tranquillement, sans que l'UNESCO et les chancelleries n'émettent autre chose que de pâles trémolos.

— Pouvait-on vraiment s'y opposer ?

— On ne l'a pas fait. Rien. Rien que des paroles timides. Mais imaginez une seconde ce qui arriverait si nous détruisions une seule mosquée dans l'un ou l'autre de ces pays où la rue est aux ordres des fous d'Allah.

En raccompagnant l'ancienne normalienne à sa voiture, Mitchell Callahan lui avait conseillé :

— Votre beau-père a raison, allez au Viêt Nam pour quelques semaines. On vous accordera ce congé. Vous verrez ce que nos bombes, nos obus ont détruit à Hué. Là aussi, c'étaient des merveilles.

— Professeur des beaux-arts autant que de lettres...

— Les deux sont-ils réellement séparables ?...

Elle avait tardé à lui répondre, dans les couleurs automnales d'une rue ombragée :

— Pas plus que la vie de l'espoir. Et pourtant, tant de politiques, tant de faits accomplis nous portent à croire le contraire.

— Demeurez optimiste. Pour vos élèves, pour ce métier si gratifiant... Et adressez-moi une carte postale de Hué.

○

La décision prise sur la route de Milford, tout s'était précipité les jours suivants. Un congé de six semaines accordé pour le début de l'année 2003, et les démarches réglées dès novembre. Hélas ! la grande librairie Barnes and Noble à Nashua n'offrait qu'un guide touristique sur le Viêt Nam, et c'est à Boston que Kathleen Murphy s'était procuré des livres intéressants sur les peuples indochinois, qu'elle avait lus puis laissés à Cindy à son départ. Lors de son arrêt de deux jours à Paris, elle en avait acheté quelques autres, en français, qu'elle avait parcourus en diagonale avant de s'endormir dans l'avion de Bangkok. La tête lourde durant les deux heures d'escale, et des yeux de papier pendant le vol de Da Nang. Elle avait eu les jambes molles sous le souffle chaud qui l'accueillait en Annam.

L'aéroport était si près de la ville qu'elle n'avait guère discerné, dans sa fatigue, qu'un flot de cyclistes dans des rues bigarrées. Et quelle gentillesse à la réception de l'hôtel, avant l'ultime épreuve d'un escalier de ciment sur deux étages. Malgré l'irrésistible attrait du balcon ouvert sur le fleuve, elle s'était affalée sur le large lit. Regardant sa montre, elle avait été surprise d'avoir somnolé plus d'une heure, alors qu'au plafond un petit lézard gris la saluait en guise de bienvenue, lui rappelant son lointain séjour au Mexique.

Quatre jours, et déjà le quartier tout autour de l'hôtel lui était familier. Quelques personnages d'abord, à trente, à cent pas du Tân Minh, ces gens vivant de peu mais qui sont les premiers sourires d'une ville, pour qui sait les voir en s'abaissant à leur hauteur. Dans la première rue, la courte Pham Phu Thu, une fillette de huit ans, Huê, aux cheveux fous, qui dès huit heures aidait sa mère à plumer les poules, à garder les canards, à les nourrir et à les abreuver en attendant de les vendre. Huê, c'est la fleur en vietnamien, et cette fleur sauvage était le trésor de la rue. Ni sa mère ni la coiffeuse sur le trottoir opposé n'avaient des yeux aussi brillants dans la tiédeur matinale. Son frère, Ty, avait un an de plus qu'elle et aidait lui aussi au petit commerce en transportant la volaille par grosses cordées, ou dans des cages de bambou qu'il ramenait du quai. Ty est le nom donné à un garçon né sous le signe du rat, et il faut dire qu'ici les rats ne sont pas abhorrés. Dans la rue suivante, celle du marché Han, Kathleen retrouvait Lai. Portant le nom d'une fleur blanche, la marchande de fruits lui proposait des oranges, une papaye sanguine ou un succulent ananas adroitement épluché, avec une entaille en spirale qui en retirait tous les yeux. Lai avait une grande qualité : elle était l'une des rares vendeuses à ne pas doubler ses prix pour les étrangers. Plus haut dans la rue Trân Phù tôt encombrée, Kate revoyait Trung sur son fauteuil roulant. Un quinquagénaire amputé des deux jambes qui vendait des billets de loterie. Elle qui n'en avait jamais acheté, pas plus à Milford qu'au Mexique ou à Montréal, lui en prenait un qu'elle remettait le jour même à Huê, à Ty ou à un autre enfant du quartier. Trung est un prénom attribué par les parents avec l'espoir que le fils sera bon patriote, et celui-là survivait en améliorant ainsi sa pension de mutilé de guerre. Et toujours des gamins tenaient à cirer les chaussures des passants, même de ceux portant des sandales, ou des souliers féminins au cuir ou au plastique pas plus large qu'une lame de canif. Et çà et là un réparateur de bicyclettes, dont l'outillage tiendrait dans une trousse d'écolier.

Le soir, dans la rue Bach Dang, elle avait de nouveau rencontré la petite vendeuse de cacahuètes, de chips de banane et de biscuits. Deux sachets avaient suffi à faire naître le sourire et la confiance. Elle avait sept ans et s'appelait Thuy. Thuy, en langue vietnamienne, c'était l'eau, et cette belle eau, Kathleen savait qu'elle la reverrait souvent, tel un mythique ruisseau du Sông Han.

Plus tard, lorsque le trafic de Trân Phù et Bach Dang se calmait, une jeune femme en *ao dai* repassait plusieurs fois sur son reluisant Honda. Elle ralentissait, s'arrêtait près des hôtels fréquentés par les étrangers. Tunique et pantalon blancs moulaient un corps d'amazone bien plus que d'apsara. Kathleen l'observait sans curiosité malsaine, surprise de voir que le plus vieux métier du monde conservait ici un tel raffinement. Les portiers des hôtels la connaissaient sous le nom de Hông, celui de la rose, et l'un d'eux disait qu'elle savait très bien sortir ses épines si elle devait se défendre.

Dans sa découverte de la ville, Kathleen Murphy avait renoncé à l'utilisation du petit dictionnaire bilingue acheté à Boston. Les six tons de la langue vietnamienne étaient un cauchemar, et le recours au lexique suscitait d'infinis embarras chez les interlocuteurs. À sa grande déception, on ne parlait pas plus français à Da Nang que vietnamien au New Hampshire. La langue était partie avec les anciens colonisateurs, seuls de rares vieillards la pratiquaient encore avec une lenteur, une douceur orientale, un peu comme on sort et époussette l'argenterie pour quelque invité de marque.

Les jeunes n'apprenaient qu'une langue étrangère : l'anglais. Ou plutôt un américain approximatif, mâché tel un curieux chewing-gum, ou plus sèchement comme des cacahuètes. Triste, triste ! pensait l'institutrice, tous ces adolescents qui passaient leurs journées à tapoter un clavier d'ordinateur. Les cours d'informatique envahissaient la ville en mille cabines tassées dans des locaux exigus. Une véritable obsession qui enfanterait des cancres. Toute une génération qui apprenait les titres des succès hollywoodiens, les hits du rock, les grandes marques commerciales du rouleau compresseur de la mondialisation. Des jeunes qui ne savaient pas même l'histoire de leur pays, à peu près rien sur leur ville, leur province natales.

Kathleen était passée à l'Université de Da Nang, à la bibliothèque riche en ouvrages traitant d'économie, en manuels d'informatique, mais si pauvre quant au passé de la ville et à la culture annamite. Puis elle avait découvert sur le campus le Centre de français. Là, mademoiselle Thu, d'une extrême courtoisie, s'excusait de l'indigence du rayon de littérature vietnamienne traduite en français, alors que s'alignaient maints volumes des grands auteurs de l'Hexagone. Ce lieu était vite devenu, pour Kathleen Murphy, l'une des clés de Da Nang. Elle y rencontrait des professeurs de français et leurs étudiants, grâce auxquels l'Annam livrait peu à peu ses riches subtilités, avec l'efficace concours de mademoiselle Thu. Dans une ville où l'anglais se glissait partout sous les enseignes vietnamiennes, le modeste Centre de français de l'avenue Lê Duan suppléait à la misère du Cercle francophone, logé à l'arrière d'un vieux bâtiment face au fleuve, là où mademoiselle Chau se dévouait entre des étagères aux livres malmenés par le climat. Enfin, malgré les apparences, le français avait encore sa petite flamme à Da Nang. Et Kathleen Murphy se prenait à rêver d'un jour où, entre les œuvres de Hugo et de Lamartine, apparaîtrait un livre d'Anne Hébert ou de Marie José Thériault. Mais une telle idée n'était-elle pas insensée pour une Américaine, dans cette capitale de l'Annam où aucune librairie n'offrait des livres français, pas même ceux de Marguerite Duras? Ils étaient bien trop chers, disaient les libraires. Aussi, après avoir quitté ses nouvelles amies de l'avenue Lê Duan, l'étrangère poursuivait ses découvertes en décodant l'anglais hésitant des lettrés.

Au musée d'art cham, le somptueux langage des formes, dans la pierre et la lumière, avait évincé celui si compliqué ou ambigu des mots. Si elle avait, à l'instar de tous les touristes, admiré la perfection maîtrisée de la *Danseuse* de Trà Kiêu, Kathleen Murphy s'était plus longuement attardée devant le fragment d'une frise datant du XII^e^ siècle, et présentant trois danseuses assises, jambes repliées. L'une avait une joue et la bouche ébréchées, une autre l'avant-bras sectionné. Toutes trois retenaient leur bras gauche dans une position différente. Elles n'avaient ni la grâce ni les bijoux sacralisant le corps souple de l'apsara de Trà Kiêu, mais une candeur rustique au-dessus des seins nus. La lumière latérale creusait dans le grès leurs lèvres fines et leurs yeux à demi clos. Contre un pilier opposé était assise la déesse Balarama, serrant un linga dans chaque main. Le linga, ou sexe masculin, était ici plus explicite encore que dans la statuaire religieuse indienne, qui le vénère. L'étonnement de la visiteuse avait grandi en apprenant que, dans les temples chams de l'Annam, on remarquait l'entente entre Shiva et Linga sous la forme de lingas à face humaine, appelés les Mukhalingas. À quelle distance n'était-elle pas de la prude Amérique!... Les seins ronds en frise dans la pierre ne la surprendraient déjà plus, quelques minutes plus tard dans une autre salle.

Des divinités d'hier à celles d'aujourd'hui, le chemin était court: pas moins de huit pagodes étaient situées dans un rayon de sept cents mètres à l'ouest du Musée cham. Kathleen n'en visiterait que deux ce jour-là: Tuong Quang et Tam Bao Tu, à l'entrée desquelles s'élevaient les grandes statues de Quan Am* et du Bouddha. Ah! Quan Am! Cette déesse de la compassion, tout en blanc, était un beau mystère dans le défilé si coloré des dieux et des bodhisattvas. Devant les lotus d'un petit bassin, l'institutrice s'était remémoré quelques lignes des auteurs Dô Thi Hao et Mai Thi Ngoc Truc, qui, vingt ans auparavant, avaient dénombré soixante-quatorze déesses et génies féminins. Le Viêt Nam dépendait de la nature pour son agriculture, et tout d'abord la riziculture en terrain inondé. Cela s'était profondément ancré dans la culture vietnamienne, et le caractère yin du paysannat, valorisant la femme, avait conduit à cette abondance de divinités féminines.

Ainsi dans les temps très anciens, on vénérait Bà Tròi, la Dame du Ciel, devenue Mâu Cuu Trùng, la sainte Mère des neuf étages célestes ; Bà Dât, la dame de la Terre, aujourd'hui présente sous le nom de Dia Mâu, la Mère de la Terre ; et Bà Thuy, la dame des Eaux. Avec l'arrivée du bouddhisme, ces génies féminins avaient été transformés en groupe des Quatre pouvoirs magiques : Phap Vân, génie des nuages ; Phap Vu, génie de la pluie ; Phap Lôi, génie du tonnerre ; et Phap Diên, génie de l'éclair. Tous phénomènes naturels d'une grande importance chez un peuple de riziculteurs. Mais aujourd'hui beaucoup de jeunes ignorent ces divinités féminines aussi bien que les dieux. Certains ont même oublié les origines du Bouddha, ici souvent personnifié par A Di Dà, le Bouddha de la Lumière infinie, assis en position de méditation sur un lotus.

Si quatre-vingt pour cent des Vietnamiens sont bouddhistes, l'autre cinquième comprend les taoïstes, confucéens, caodaïstes et chrétiens, rendant la réalité quotidienne plus complexe et ambiguë, et Kathleen Murphy l'avait remarqué. Les pagodes à Da Nang étaient bien moins nombreuses que les églises dans les villes de la Nouvelle-Angleterre. De jour en jour cependant, elle observait chez les Annamites un profond sentiment religieux, plus proche de la nature que des institutions, et se rapprochant du shintoïsme japonais. Partout la vénération de la famille, des ancêtres, était la première pratique spirituelle, sans écriture, doctrine ni clergé. De très anciennes croyances animistes, avec les hommages aux forces et génies naturels, aux fleuves, arbres et montagnes, avaient forgé un culte de la nature, précurseur du mouvement écologique contemporain, pourquoi pas ?

À l'entrée de nombreuses maisons et de certains commerces s'élevait l'*am tho*, fixé sur un poteau ou une console à hauteur d'homme, parfois sur le sol dans le coin d'un magasin. Sanctuaire miniature plus ou moins finement ouvragé, il abritait fleurs et bâtons d'encens dans de petits vases de céramique, et Kathleen les détaillait chaque fois tel le rappel des meilleures traditions locales. À l'intérieur d'une boutique ou dans le vestibule d'une habitation, des bouddhas pouvaient surplomber l'*am tho*. Dans un coin du salon, de la cuisine ou d'une chambre, dans la pièce unique chez les plus pauvres était placé l'*bàn tho*. Au sol, sur un meuble ou à bonne hauteur, le petit habitacle rouge recevait fleurs et présents offerts aux ancêtres, parfois entre quelques divinités et sous la lueur d'une minuscule ampoule. L'*am tho* est généralement consacré au culte des morts extérieurs à la parenté, tandis que le *bàn tho* honore les ancêtres de la famille. La différence n'est pas toujours évidente pour les étrangers, et Kathleen doutait de temps à autre de son intuition. Elle avait tant de choses à apprendre, dans cette ville aux antipodes de Milford.

○

Passé le grand marché Han, la rue Trân Phù était apparue à l'Américaine tel le quartier des tailleurs. Ils étaient une demi-douzaine sur cinquante mètres à attirer hommes et femmes dans leurs boutiques de tissus et leurs petits ateliers adjacents. Du côté ouest, la vitrine de Tuy Huong exhibait la mode féminine dernier cri, précédant l'atelier du tailleur Minh Lôc, dont les piles de tissus empiétaient sur l'espace d'une pharmacie. Sur le trottoir opposé, le luxueux magasin de monsieur Thong offrait ses costumes pour hommes, suivi de l'atelier de Trung Quyên, puis des étalages de tissus de Dang Thuc Huy et Lâm Thi Bich Nhan, que jouxtait un local exigu dans lequel œuvraient quatre jeunes artisans. Mais Kathleen Murphy constaterait bientôt que cette abondance d'ateliers de couture n'était pas l'apanage de la rue Trân Phù, et qu'une pléthore de tailleurs tenaient boutique dans toute la ville. Le prix abordable des tissus et les salaires très bas le justifiaient aisément. Ainsi la confection d'une robe, requérant environ quatre heures, ne coûtait que vingt-cinq mille dôngs, et celle d'un tailleur, veste et jupe exigeant deux jours d'ouvrage, se facturait seulement cent cinquante mille dôngs, soit dix dollars.

Bien qu'un complet masculin coûtât le double, les tailleurs vietnamiens attiraient facilement les étrangers. Leur réputation était légendaire, et Kathleen se souvenait d'un fait divers rapporté par une amie française de Boston, dont les parents avaient vécu à Saigon. Dans cette ville, voilà plus de soixante ans, une demoiselle Fontaine avait taché sa robe avec de l'encre, la veille d'un bal auquel elle tenait beaucoup. L'unique solution s'était vite imposée : courir chez un tailleur de Cho Lon. Et le lendemain soir, deux heures avant le bal, la nouvelle robe était prête, réplique exacte du modèle, avec... la tache aussi, reproduite dans ses moindres contours et dans sa densité. La colère de la cliente avait vite fait le tour de Saigon, et les meilleurs artisans avaient défendu leur honneur en précisant que la dame était allée chez un couturier chinois.

Mais en s'attardant devant l'un ou l'autre des modestes ateliers de la rue Trân Phù, Kathleen se remémorait un souvenir personnel : celui du tailleur italien de Milford. Enfant, elle l'observait derrière sa vitre, maniant de gros ciseaux ou penché sur sa machine à coudre électrique. Peter Carducci portait de grosses lunettes, et Lorraine prétendait qu'il devait les changer tous les trois ans, à scruter de trop près ses coutures. Ses coutures, et la peau des femmes qu'il savait si bien habiller. À sa mort, personne ne l'avait remplacé, et les belles dames de Milford allaient désormais à Nashua ou à Manchester pour s'offrir des toilettes sur mesure.

Là-bas les tailleurs italiens perpétuaient la profession, et les grands-parents ne disaient-ils pas qu'à Boston, New York, Philadelphie, les Italiens habillaient le gratin de la Fédération ? Phil Cloutier, retraité des filatures, avait même été plus précis avec sa petite-fille : les tailleurs juifs pour les pauvres, les italiens pour les riches. À Da Nang ils étaient tous vietnamiens, et Kathleen riait intérieurement à la pensée qu'ils étaient plus juifs qu'italiens. Sauf ceux qui çà et là illuminaient de fières vitrines sous leurs enseignes aux lettres de néon coloré.

À cent mètres des tailleurs de la rue Trân Phù, en remontant la rue Phan Dinh Phung, au numéro 15 A, à l'angle d'un magasin de vêtements, une impasse s'enfonçait entre les murs jaunes, à l'entrée de laquelle un panneau rouge à lettres dorées annonçait :

TOAN DÂN DOAN KÊT
xây dung dòi sông van hoa o khu dân cu[5]

Des enseignes analogues coiffaient l'entrée de maintes ruelles, auxquelles les résidents ne portaient plus attention. Parfois s'y ajoutait une affiche révolutionnaire, voire un portrait de l'Oncle Hô[6] plus ou moins délavé par le temps. En s'aventurant dans cette impasse, Kathleen Murphy avait découvert ce qui deviendrait pour elle le cœur de Da Nang. Tout d'abord, sur le côté gauche, le salon-atelier de la famille Truong Hoang, où les parents, leurs deux fils et une bru étaient d'accueillants tailleurs. Catholiques, ils

5. Tout le peuple est solidaire
pour renforcer la vie et la culture dans le quartier

6. Oncle Hô : nom familier, affectueux, donné à Hô Chi Minh.

avaient placé, au-dessus du long canapé de bois sculpté, une sorte de *bàn tho* chrétien avec le Christ, la Vierge Marie et saint Joseph, deux bougies électriques et des fleurs. Hélas ! le petit-fils, Truong Hoang Phu, âgé de six ans, affirmait déjà vouloir devenir chanteur, plutôt que de continuer la lignée familiale. Il faut savoir qu'au Viêt Nam, chanteur est un métier rêvé, avec la popularité duquel la télévision nationale remplit la moitié de sa programmation. Alors Kathleen lui avait demandé une chanson, dont elle n'avait saisi que le sérieux du récitant, mais qui devait être aussi pure que le regard de sa grand-mère, Pham Thi Kim Thanh.

Au numéro K 15/12 au fond de l'impasse, l'atelier du maître tailleur Pham Van Ly occupait tout le rez-de-chaussée de sa maison. À l'étage, l'escalier débouchait sur un espace réduit : deux fauteuils, une commode et une petite table basse qui faisaient à peine un salon. Avec d'un côté la porte de la cuisine et de l'autre celle de la chambre à coucher. Ouvrant sur la cuisine, la salle d'eau avait été agrandie et surplombait la courette.

Veuf depuis quatre ans, l'artisan ne manquait jamais de travail, car son talent pouvait satisfaire les clients les plus exigeants. De riches magasins de la rue Hung Vuong lui adressaient parfois des bourgeoises indécises, afin qu'il les conseillât pour la coupe et la couleur de leur toilette. Pham Van Ly eût pu s'enrichir et tenir boutique dans un quartier chic, avec plusieurs employés expérimentés. Mais cet artisan, qui avait beaucoup souffert durant sa jeunesse, conservait la belle simplicité d'un honnête homme, et son goût de la perfection lui faisait fuir l'arrivisme des nouveaux riches. Aussi travaillait-il seul, en refusant la clientèle au goût trop vulgaire ou accrocheur.

Quittant l'heureuse famille Truong Hoang, Kathleen Murphy avait cru être au seuil du purgatoire en saluant le tailleur du K 15/12, penché sur sa longue table de travail. Miracle ! Quelques minutes plus tard, découvrant qu'il parlait français, elle s'était confondue en excuses, craignant d'importuner le premier artisan qui la comprenait sans difficulté. Loin de se formaliser, Pham Van Ly lui avait servi le thé, surpris qu'une étrangère s'intéressât à l'atelier d'un tailleur solitaire au bout d'une impasse. Elle avait évoqué le souvenir de Peter Carducci, son homologue italien aux lunettes à grosse monture noire, qui avait été un personnage spécial de son enfance.

Le seul homme qui, toute la journée, coupait et cousait de la cotonnade, de la toile, de la doublure ou du tweed, dans une ville célèbre pour ses carrières de granit. Le fil et l'aiguille, quand d'autres travaillaient au pic et à la dynamite.

— Et vous, quelle est votre profession ?

— Institutrice. Mes élèves ont sept ou huit ans.

— Alors vous tissez le plus bel habit, celui des premières connaissances. Un métier admirable.

Le compliment l'avait gênée et séduite. Ces paroles d'or, dans les oreilles d'une enseignante, ne venaient pas d'un professeur retraité ou d'une collègue, mais d'un artisan dans un cul-de-sac de Da Nang. Était-elle parvenue à cacher son émotion avec une seconde tasse de thé, avant de quitter la tailleur Pham Van Ly ? Elle avait revu au passage le bambin futur chanteur dans l'entrée des Truong Hoang, avec derrière lui les silhouettes de la famille. Elle lui avait souri avec un signe de la main, puis s'était retournée pour apercevoir dans sa porte l'artisan solitaire. Qui était aussi poète et philosophe, elle n'en doutait pas.

Une ruelle s'ouvrait également sur le bord opposé de la rue Phan Dinh Phung, avec le même slogan politique au-dessus de l'entrée. Mais Kathleen était restée sur le trottoir, retenue par le travail d'un réparateur de bicyclettes installé dans un ancien salon de coiffure. L'habile Van Moi s'activait bien plus sur le bitume que dans son local, alors que des gamins jouaient à deux pas sans le distraire. Tout à côté, madame Lam Thi Thu, approchant la soixantaine sous des cheveux toujours bien noirs, tenait un modeste café. En l'absence des clients, elle fabriquait des imperméables de plastique, très populaires dans une ville où il pleut souvent en automne et de temps à autre le reste de l'année. Le premier avec ses clés et ses pinces, la seconde avec ses ciseaux et son fer à souder, tous deux témoignaient de ce génie populaire qui, avec le talent des artisans, fait la richesse du Viêt Nam.

Non, l'Américaine n'était pas redescendue à son hôtel ni repassée à la bibliothèque de mademoiselle Thu – ah ! qu'il y en avait des Thu, des Thuy, des Lan parmi les femmes de tout âge. Elle avait remonté le long du fleuve, au-delà du port où l'on déchargeait les lourdes poutrelles d'acier venant du Japon, et destinées à la reconstruction des ponts de l'Annam. Contre un pilier somnolait un homme recroquevillé sous un blouson élimé. Sans doute un docker ne pouvant rentrer chez lui avant son quart de travail, car les matelots restaient à bord, quand ils ne jouaient pas leur maigre salaire aux terrasses des cafés les plus pauvres, ou sous les arbres. Elle était allée jusqu'à la rue Ly Thuong Kiêt, qu'elle avait empruntée pour rejoindre la trépidante Dông Da. Elle avait marché, marché dans une ville qui ne lui semblait plus étrangère, où cent découvertes entre les commerces palliaient la difficulté du langage. Et là encore un couple de tailleurs avait piqué sa curiosité. Nguyên Van Chiên près de sa machine à coudre à pédale, une vieille Mitsubishi à laquelle il avait ajouté un moteur électrique, et Hà, son épouse, qui recevait les clients et les aidait à choisir leur habit sur les pages d'un catalogue. Oui, les tailleurs étaient partout dans la ville, et le roulement syncopé de leurs machines à coudre était presque musical et reposant, entre les clameurs du trafic ou de la télévision.

Le soleil accélérait sa descente, jaspant les façades de Dông Da et creusant la soif. Portant ses provisions dans un panier de rotang, une jeune femme s'était éclipsée dans une ruelle, suivie de quelques enfants excités. Bien qu'elle fût en pantalon, comme toutes les Vietnamiennes à de rares exceptions près, elle était apparue plus tanagra que ménagère, et Kathleen l'avait suivie de loin dans le tortueux passage. Une nouvelle fois, sa curiosité avait été payée d'une belle découverte. La passante et les mômes s'étaient assis autour de l'une des deux petites tables de plastique d'un café pas comme les autres, où une jeune fille leur servait de l'eau gazeuse. Prenant place à la seconde table, et ne sachant trop où loger ses jambes, l'étrangère avait instantanément suscité les regards des enfants. Vite suivis de questions auxquelles elle ne pouvait répondre. Alors la jeune femme s'était levée pour lui dire, dans un très bon anglais, de ne pas prêter attention aux suppliques des marmots, et pour lui apprendre qu'elle n'avait découvert que huit jours plus tôt ce café unique à Da Nang. Un lieu d'une extrême simplicité qui avait touché son cœur en arrivant de Saigon. Kieu Thi Ngoc était coiffeuse. En congé ce jour-là, elle faisait le marché avec ses petits cousins.

Dans la ruelle du K 90 Dông Da, le café de madame Nguyên Thi Kim Ky était un coin de paradis. Dans la cour, au-dessus des deux tables, un plastique bleu était tendu entre les bambous et le mangoustan, afin d'atténuer le soleil des hautes heures, et « pour que le ciel soit bleu chaque matin », avait ajouté la propriétaire. Des bonsaïs étaient alignés au bas d'un mur, et quinze cages à oiseaux pendaient dans l'ombre. Ainsi le continuel concert des rossignols, merles, canaris et tourterelles égayait les lieux, où la famille était plus nombreuse que les clients. Avec madame Ky et son mari, la maison abritait leurs deux garçons, les beaux-parents, un beau-frère, son épouse et leurs deux filles. Tout semblait ici s'accorder avec la nature, avec la vie, comme si jamais la guerre n'avait rompu le rythme des saisons et l'éternité des choses. Dans un angle, à bonne hauteur, l'*am tho* était consacré au *bai vi**, la plaquette de bois sur laquelle on inscrit les noms des ancêtres, entre deux bougies électriques. À l'angle opposé, Bà Dât, déesse de la Terre, veillait sur la maisonnée, entre des bâtons d'encens allumés le soir et à l'aurore. Au fond du café, madame Ky tenait un petit commerce de céramiques, des statuettes blanches que les clients, des enfants surtout, décoraient eux-mêmes en les achetant. Elle leur fournissait pinceaux et couleurs, et ils peignaient à leur goût les figurines sur une table. Motifs décoratifs, animaux, fleurs, enfants, sorte de santons vietnamiens qu'ils rapportaient chez eux violemment colorés.

Kathleen buvait du thé tout en inventoriant le riche décor, jusqu'à l'intrigant *cây su**, le palétuvier torturé ayant grandi dans un pot de céramique. Après l'avoir observée à distance, une fillette de la famille s'était plantée devant elle, parmi les autres enfants. Et lorsque le rossignol avait repris ses trilles, elle avait déclaré à l'étrangère :

— L'*hoa mi** est le meilleur chanteur, et plus il vieillit, plus sa voix est belle. C'est mon oiseau préféré. Et toi, quel est ton favori ?

Kathleen, évidemment, n'avait rien compris aux paroles de l'enfant, et Kiêu Thi Ngoc les lui avait traduites en anglais. Un bref embarras avait figé l'étrangère avant qu'elle ne donnât sa réponse, cette fois transposée en vietnamien à l'adresse de la fillette :

— Mon oiseau préféré a une très belle voix, mais il n'a pas d'ailes. Il est devant moi, et j'aimerais bien connaître son nom.

Les enfants avaient tous ri en cascade, puis la jeune demoiselle avait levé, agité les bras tel l'envol d'un canard, et répondu :

— Quy Trân.

Kathleen le lui avait fait répéter, et les gamins s'étaient encore rapprochés, avant que Ngoc ne les priât d'aller jouer dans la ruelle. Les deux femmes avaient alors clarifié leurs situations respectives, et promis de se revoir au même endroit. Ngoc avait neuf ans de moins que Kathleen. Elle n'avait vu son père que sur une photo, un officier américain qui avait dû quitter Saigon en catastrophe, quatre mois avant sa naissance. Elle avait les traits vietnamiens plutôt que ceux d'une *my lai,* mais sa mère avait tenu à ce qu'elle apprît bien l'anglais, avec le tenace espoir de partir toutes deux en Amérique. Un rêve définitivement mort.

Tout était simple et compliqué. Comme la guerre. Comme les trahisons, les déchirements qui avaient brisé tant de vies. Ngoc venait de fuir Saigon, lasse d'être harcelée par un homme qu'elle ne pouvait aimer. Un homme qui voulait d'elle un enfant, ce qu'elle n'aurait jamais, et rien ni personne ne la ferait changer d'idée à ce sujet. Oui, tout était trop simple et compliqué. À l'image de la vie née de la guerre. Ngoc et Kathleen s'étaient comprises au-delà des mots qui font mal, et qu'il est préférable d'oublier. Toutes deux avaient reçu leur part de la profonde injustice des Hommes qui salit la Terre. Qui contredit la nature, et la mythique clémence des dieux.

Au retour, par la rue Lê Loi puis la rive du sông Han, Kathleen n'avait pas rencontré Thuy. Alors elle était remontée par Trân Phù prendre un *pho** bien tassé, une exquise soupe au bœuf et vermicelle, rehaussée de pousses de dolic, de coriandre et de ciboulette, cette soupe à propos de laquelle l'écrivain Nguyen Tuân avait écrit : « Je trouve que, parmi les innombrables et fécondes réalités du peuple vietnamien, il en est une essentielle, c'est le pho. Une seule bouchée, et voilà qu'on savoure l'immensité, la richesse, la beauté du pays. » Le grand bol à peine vide, elle avait aperçu la silhouette de Thuy sur le trottoir opposé. Surprenant la cuisinière, elle avait bondi, pour la ramener à sa table et lui commander un *pho*. La fillette avait bredouillé quelques mots avant de l'accepter, mais l'appétit avait été son meilleur langage. La cuisinière les observait, soudain muette comme un corbicula[7]. Et Kathleen revoyait Quy Trân, heureuse dans sa famille sous les chants d'oiseaux,

7. Corbicula : petit mollusque d'eau douce, ajouté dans certains potages. Il est à l'origine d'un dicton annamite : *Câm nhu hên* – Muet comme un corbicula.

l'écolière épanouie qui n'avait pas à battre le trottoir pour vendre des arachides et des biscuits. Et, au-dessus de son bol, Thuy devenait encore plus ravissante que Quy Trân. Kathleen songeait également à Ngoc, qui avait vingt-huit ans. L'âge auquel elle avait eu Danny. Malgré l'innocente beauté de Thuy, l'affreuse pensée la taraudait qu'il valait mieux ne pas avoir d'enfant plutôt que le voir mourir à cinq ans. Oh ! l'histoire et les sentiments de Ngoc n'étaient pas aussi simples, et Kathleen avait cru comprendre que jamais ce père américain n'avait cherché à la connaître. Puis la sérénité du café au ciel toujours bleu de madame Ky masquait peut-être d'autres drames. Une douleur avec laquelle on avait réappris à vivre. À sourire. Et qu'allait lui révéler le tailleur Pham Van Ly, si elle repassait à son atelier ?

Thuy l'avait accompagnée jusqu'à l'hôtel, et l'Américaine lui avait acheté trois sachets de cacahuètes rôties à saveur de café. Un soir, éventuellement, par l'intermédiaire de la réceptionniste, elle demanderait à suivre Thuy jusque chez elle, afin de connaître sa famille. Mais peut-être serait-il plus sage d'abandonner cette idée, et de garder quelque halo de mystère autour des yeux vifs de la petite vendeuse de Bach Dang.

Le ciel était particulièrement pur et étoilé cette nuit-là. Dans la tiédeur du quai, deux caboteurs émettaient un léger bourdonnement, tandis que les matelots, sur l'un, faisaient leur lessive à la poupe. À sa manière, le fleuve participait au beau mensonge qui dessinait une nuit de rêve dans une ville apaisée. Durant quelques minutes, à son balcon, une enveloppante esthésie avait oppressé Kathleen Murphy. Invisibles, des rats hantaient le bitume après avoir été chassés du marché Han. Les éclats de la voûte céleste n'étaient plus des étoiles, mais les yeux plaintifs des otages de la croissance forcée d'un pays. Le nouveau pont illuminé n'était qu'une parodie de fête dans une ville injuste, aux richesses criardes et aux misères muettes. L'eau calme était une fange où dormaient des monstres. Soudain, il lui avait semblé que, repassant sur le quai, Thuy lui avait claironné :

— Kateline, Kateline…

Elle s'était ressaisie, en l'absence de toute silhouette enfantine, et une douche prolongée avait effacé les dernières hallucinations.

○

Le lendemain, le surlendemain, après la découverte de nouveaux quartiers, elle était retournée chez le tailleur au bout de l'impasse. Ils parlaient français, avec de temps à autre quelques mots anglais ou vietnamiens. Avec de longs silences lorsque le marquage ou la coupe du tissu le requérait. Au passage d'un client, il la priait de rester, et elle feuilletait un catalogue dans un coin, assise sur un tabouret, tandis que se prolongeait le choix d'un habit ou son essayage. Encore svelte à trente-sept ans, sa jupe courte offrait des jambes nues joliment croisées, ce qu'un Vietnamien voyait rarement, au pays de toutes les femmes en pantalon. Avec un complexe pincé, une cliente grassouillette l'avait à peine saluée. Le calme revenu, Pham Van Ly lui offrait un thé et des biscuits. Acceptant le thé pour la troisième fois, elle n'avait pu se retenir :

— Un tailleur qui offre des biscuits, n'est-ce pas comme un dentiste servant des bonbons ?…

Il avait retiré le *thuoc dây,* le traditionnel ruban à mesurer qui pendait à son cou, pour prendre le thé avec elle. Non sans humour.

— Oh ! trois biscuits de riz ne changeront rien à votre taille… Mais une Américaine en minijupe sous le regard du Bouddha, est-ce la Floride dans les rues de Da Nang ?…

Kathleen Murphy avait souri, s'était retournée pour apercevoir le petit bouddha de bronze sur la plus haute étagère à tissu. Non, pas un *bàn tho,* seulement une humble statuette à demi cachée par les étoffes. Elle s'en était approchée. Un bouddha serein, bienveillant, la bonté même, et tout avait été très vite dans son esprit. Elle avait saisi une chute de tissu, deux mètres de coton beige dont elle s'était ceint le bas du corps à la manière d'un sarong. L'avait-elle surpris par son audace ou sa simplicité? Ly avait abandonné son travail, une robe noire et longue, très longue, pour une dame de Hai Chau. Et ils avaient parlé, parlé de tout ce qui paraissait les rapprocher. Chaque minute était l'épi d'une rizière qu'ils avaient jadis repiquée, et qui avait doré après avoir été irriguée de larmes bien plus que de rêves.

Il avait été *bô dôi**, soldat, durant quatre ans dans la jungle, et heureux d'en sortir indemne, quand tant de camarades étaient revenus amputés, mutilés. Quand six cent mille étaient morts sous les obus, les bombes ou le napalm. Dans la mort vrillée des fièvres, celle qui sans bruit vous brûle, vous assomme, vous asphyxie à l'intérieur. La mort qui avait une odeur de vase ou de phosphore, de linge humide et de sang. De pourriture. De dix-huit à vingt-deux ans, il avait connu l'enfer. À vingt et un ans, après une permission d'un mois, il avait quitté Haiphong dix jours avant les bombardements intensifs de décembre 1972, sous lesquels étaient morts ses parents et sa jeune sœur. Au retour du front, huit mois plus tard, il n'avait retrouvé dans son quartier que des ruines. Du magasin de tissus de son père, et du logement situé au-dessus, il ne possédait plus que le modeste bouddha de bronze que lui avait remis une voisine miraculeusement indemne. Apprenant ce détail, Kathleen était retournée près de la statuette afin de l'examiner plus attentivement. Elle était ébréchée sur le côté, et Ly lui avait dit que, bien plus que toutes les photographies de la ville en ruines, elle demeurerait pour lui le symbole du siècle: celui où les hommes avaient atrocement meurtri la sagesse du Bouddha. Cette statuette lui rappelait une évidence: jamais le Viêt Nam ne redeviendrait le Dai Ngu, la Grande

Paix heureuse qui avait été son nom six siècles auparavant, sous la dynastie des Hô.

Kathleen l'avait coupé à plusieurs reprises, surtout lorsqu'il doutait d'avoir été, certaines années, lucide et raisonnable face aux événements, et « ses parents n'étaient plus là pour le dire », avait-il rappelé. Et, en bon professeur, elle avait argué de l'éternel recommencement de l'Histoire, ajoutant que seule la puissance des armes décuplait d'un siècle à l'autre, et non l'intelligence des humains. Belle lapalissade qui n'avait pas de frontières. Il lui avait donné raison, avant d'évoquer sa fuite de Haiphong ravagée pour aller vivre à soixante-dix kilomètres au sud, chez une tante à Thai Binh, toujours dans le delta du fleuve Rouge. Là où il apprendrait le métier de tailleur chez un lointain cousin. Puis il était descendu à Da Nang où un bon artisan, veuf depuis peu, lui avait proposé de le seconder. Et l'homme était décédé neuf ans plus tard, en lui laissant l'atelier. Kathleen lui avait alors demandé :

— Et votre femme ?...

Las, il s'était levé, était monté préparer du thé. Mais en redescendant, il avait éludé la question, la retournant vers la visiteuse :

— Et vous, l'institutrice, pourquoi êtes-vous ici, à Da Nang ?

Kathleen Murphy avait adroitement télescopé ses dernières années, en gommant au mieux les émotions, consciente du fait que sa guerre n'était pas comparable à celle qu'avaient subie deux générations de Vietnamiens. Lui cependant, lui disait que la guerre est plus en nous qu'autour de nous, que les déchirements, les pensées qu'elle nous impose sont souvent plus insupportables que le fracas des bombes. Et elle lui répondait qu'il était bien humble pour dire cela après autant de souffrances. Elle évoquait les récits de son beau-père, l'aviateur Kevin Murphy, qui, trente-cinq ans après son retour du Viêt Nam, était toujours hanté par les chapelets de bombes des B-52 au-dessus de l'Annam. Elle lui disait que depuis tout ce temps, jamais le bruit des machines à papier n'avait complètement éteint en lui le mugissement de son Phantom.

— Ah! les *Con ma*, les *Thân sam*[8], les F-105 et F-111, c'étaient les anges de la mort, avant la mort.

— Avant les B-52?

— Oui. Un camarade, un instituteur de Vinh justement, un gars qui était un peu poète, disait que plutôt que les mouches autour du buffle, ils étaient les poissons pilotes du dragon. Il est mort à Dông Ha, lors du bombardement du pont. J'étais à cent mètres de lui, et perdre ce copain, puis-je le dire ainsi aujourd'hui, c'était pour moi perdre la guerre…

Un court silence avait suivi, puis Pham Van Ly avait montré à l'étrangère une photo collée au mur. Une photo vieille de trente ans, découpée dans un journal, et qui avait fait le tour du monde: la petite milicienne viêtcong, Nguyên Thi Lai, escortant le pilote américain, très grand, W.A. Robinson, dont l'avion avait été abattu. Même avec son casque, la *nu can bô** tenant fermement son fusil semblait être un enfant. Kathleen ne l'avait pas dit à son hôte, mais deux jours plus tôt, dans un ouvrage à la bibliothèque de mademoiselle Thu, elle avait lu les lignes inspirées au poète Tô Hou par ce célèbre cliché:

« La petite partisane, le fusil levé haut.
Tête basse, trop grand, marche l'Américain lourdaud.
Ainsi, gros courage vaut mieux que ventre gros.
Et le sexe fort ne fait pas toujours des héros. »

À son avis, la photographie était bien plus éloquente que le poème. Mais, vu l'enfer qu'avait été le Viêt Nam, n'était-ce pas là une remarque superflue? Et si Pham Van Ly l'avait fixée au mur de son atelier, cette image devait être pour lui un symbole clair, à l'instar du bouddha ébréché.

8. Con ma et Thân sam: ainsi les Vietnamiens appelaient-ils les chasseurs Phantom et Thunder.

Elle avait repris du thé – il n'était pas fort et elle y prenait goût – avant d'évoquer des paroles de Kevin :

— Au Tonkin, nous bombardions les digues autant que les usines. Oui, monsieur Ly, aujourd'hui encore mon beau-père ne comprend pas.

— *Dê diêu là mach mau cua dât nuoc:* Les digues sont les artères du pays.

— Depuis toujours…

— Dans le nord, elles ont mille ans, ou plus. Les dynasties ont passé, mais les digues sont restées. Mon pays, le delta du sông Hong, ce sont des digues et des diguettes, des écopes et de la sueur. *Môt ruông lua mênh mông, Viêt Nam :* Une immense rizière, le Viêt Nam. La terre du paysan et du buffle. La terre des femmes aux reins cassés à quarante ans.

— Par le repiquage.

— Bien sûr. Mais aussi par cent charges alourdies par les combats. Paix ou guerre, le Viêt Nam a toujours compté sur deux bras divins : le cœur et le courage des femmes.

— Comme ceux des hommes.

— Les hommes se vantent trop. Même bavardes, les femmes ont plus de cœur que de langue. Je l'ai appris très tôt.

— La modestie de l'artisan… Ly, votre prénom, est-ce celui de l'humilité ?

— Non, on donne ce nom à un garçon dans l'espoir qu'il sera lucide et raisonnable. Ce que je n'ai pas toujours été, vous le savez.

Elle avait plaisir à l'écouter, à le deviner dans les mots qu'il retenait autant que dans le français pondéré qui s'accordait si bien à son visage d'honnête artisan. Un client était venu chercher sa veste neuve, et cela lui avait permis de repartir sans regarder sa montre.

Elle était descendue vers le fleuve, où un attroupement avait attiré son attention, au sud du pont. Les gens s'agglutinaient au bord du quai, scrutant l'eau sombre et sale. Des policiers allaient et venaient, en uniformes impeccables, avec de hautes casquettes idoines, contrastant avec les habits communs de la foule. Kathleen s'était enquise de la raison d'un tel rassemblement, mais personne ne parlait anglais, et des badauds s'éloignaient après un léger mouvement de gêne. Enfin une jeune fille s'était approchée, lui adressant quelques mots d'anglais, et la conversation s'était engagée sur un pénible fait divers.

Deux garçonnets étaient tombés dans le fleuve vers seize heures et ils ne savaient pas nager. Hélas ! leurs parents étaient pauvres, et nulle barque, nul plongeur, nul service de sauvetage n'était venu hâter leur recherche le long du quai, où l'eau trouble repoussait les déchets. La jeune fille avait conduit l'étrangère à l'écart, sur le trottoir tout au bord de la rue, là où la mère avait inscrit, en lettres rouges sur un carton blanc, que ses deux fils s'étaient noyés, et que la famille n'avait pas d'argent pour payer des sauveteurs. Au bas de la triste annonce, une urne improvisée dans une boîte de carton invitait les passants à glisser leur obole. Mais tous s'éloignaient sans rien déposer, et allaient se masser sur la rive afin de guetter la remontée des corps. Non, trois heures après le drame, pas un secours, rien d'autre qu'une dizaine de policiers sapés comme des princes, et qui ne faisaient que prendre des notes inutiles. Des supérieurs étaient arrivés dans une belle voiture. En habits de généraux galonnés, ils avaient gesticulé, discuté quelques minutes avant de repartir sans même s'adresser à la mère. Et sans envoyer aucun secours.

À trente mètres au bas du quai, sur un tertre vaseux s'avançant dans le fleuve, le père priait en brûlant des bâtons d'encens. Entre ses suppliques, il lançait un bâtonnet dans le sông Han. Et la foule l'observait, palabrait depuis deux, trois heures, sans que personne ou presque ne glissât quelques billets de cinq cents ou de mille dôngs sous la plainte silencieuse de la mère. Tout près d'elle, blottie dans la noirceur d'un cyclo-pousse, la grand-mère cachait sa douleur, la veste remontée jusqu'aux yeux. Ah! si l'enfant d'un notable ou d'un riche commerçant s'était noyé, les secours seraient vite arrivés. À quelques mètres pourtant, des emblèmes lumineux de la faucille et du marteau s'affichaient à la hauteur des lampadaires de Bach Dang, et un peu plus loin s'élevait le siège local du Parti communiste, un bâtiment de l'ancienne Tourane luxueusement rénové. Kathleen Murphy avait eu un haut-le-cœur devant cette corruption que le socialisme n'avait pas chassée. Depuis toujours en Asie, dans tous les rouages des administrations, un gouffre séparait les classes riche et pauvre. Elle avait déposé quelques billets dans l'urne, embrassé la mère sur le front et remercié la jeune interprète avant de presser le pas vers l'hôtel. Une douche tiède, puis un *pho* sur Trân Phù, où la ville avait soudain la lueur blafarde du mépris. Elle n'avait pas voulu, cette nuit-là, revoir le fleuve, de son balcon. Là-bas où la foule devait se disperser, elle ne pourrait admirer les fuseaux lumineux tendus sur les haubans du nouveau pont. Non, le grand cône d'or s'animant dans la nuit du fleuve ne pouvait plus être le non de Bà Thuy, la dame des Eaux, mais plutôt l'insolent symbole d'un monde perdant le sens des valeurs. Oh! avait-elle songé en s'endormant, que lui répondrait Pham Van Ly si elle égratignait ainsi devant lui la fierté de la ville?...

○

Elle était revenue en jeans, et, aux amères constatations qu'elle rapportait de la double noyade, il avait d'abord répondu :

— Pour vivre ici, il est bon d'avoir la peau, le cœur du buffle... Mais peut-être, en Amérique, vous faut-il avoir la peau de l'ours... On dit tant de choses à propos des inégalités là-bas.

Comment aurait-elle pu le contredire, lui qui se révélait aussi bon pédagogue que tailleur ? Alors elle l'avait amené à parler de son épouse, bien qu'il n'y tînt pas. Elle était stérile, et il pensait que cela provenait d'un choc, d'un traumatisme lors des bombardements de Haiphong. Elle s'appelait Nguyêt, et ce prénom lui convenait bien. Nguyêt, la lumière argentée de la lune, et aujourd'hui encore, quatre ans après sa mort, à chaque pleine lune son absence était pénible à Pham Van Ly. Non, il ne disait pas tout, à peine avouait-il qu'elle était plus souvent triste que souriante. Sans enfant, une Vietnamienne pouvait-elle être heureuse ? Il l'avait demandé à demi-mot à l'Américaine :

— Vous savez, rien ne remplace un enfant… Chez vous aussi, sans doute…

Elle avait attendu pour lui confier qu'à elle aussi manquait un garçon, mort à cinq ans. Puis un mari tué voilà deux ans, et elle lui avait relaté comment.

— La barbarie, avait-il murmuré. La barbarie islamique, avait-il appuyé, le nouveau vent fou qui souffle sur l'Asie… et plus loin déjà.

— Je crains que vous n'ayez raison…

— Hélas ! vous verrez. Bien des pays paieront très cher leur laxisme. Khmers rouges ou fous d'Allah, la différence n'est pas bien grande. Les fanatiques ont deux armes efficaces : le mensonge érigé en doctrine et la légalité qu'on leur accorde.

Au fond de l'impasse 15 A de Phan Dinh Phung, le tailleur rejoignait le vieux professeur de Keene. Kathleen le lui avait dit simplement, en ajoutant que le monde manquait cruellement de ces esprits libres et clairs, de ces personnes qui étaient la sève de la Terre, et non le sang des banques. L'amitié naissait entre eux, tout naturellement, tel le fruit d'un beau hasard et d'un dur apprentissage des valeurs essentielles. Avait-elle désiré, tout à coup, alléger l'atmosphère, en lançant une idée mijotée l'avant-veille durant une courte sieste ?

— Et si je vous commandais une robe de soie ?

Plus que surpris, Pham Van Ly avait posé sur la table de travail ses lourds ciseaux, les *kéo* dont les anneaux étaient polis par des années de frottement du pouce et de l'index, et il avait dévisagé Kathleen. Si bien qu'elle s'était demandée, non sans bravade :

— Une robe de soie, sur une Américaine, serait-elle plus malvenue qu'un jeans ?

Sans un mot, le tailleur avait sorti un catalogue chinois, et l'avait brièvement feuilleté avant de s'arrêter sur une page dont il avait pointé le modèle sous le regard de l'effrontée cliente.

— Celle-ci vous siéra à merveille.

Ébahie par une telle rapidité de jugement, Kathleen avait malgré tout fouillé l'épais catalogue aux cent mannequins orientaux, pour finalement revenir au choix de Ly. Et lui fermait déjà sa boutique, en invitant l'étrangère à le suivre. Dans un chic magasin de la rue Hung Vuong, il n'avait pas été plus hésitant pour le choix de la soie, azur aux motifs fins et discrets, de minuscules tiges de bambou lignées dans une aérienne verticalité. Là également, après avoir zigzagué entre les étoffes, elle avait entériné la préférence du maître. De retour à l'atelier, il avait relevé les mesures en quelques minutes, et promis un premier essayage pour le lendemain soir. Un rêve.

Elle était retournée au café de madame Ky, le cœur léger dans l'accueil des oiseaux et des enfants, puis avait revu Ngoc, cette fois au salon de coiffure de la rue Dông Da. Elle avait attendu qu'elle terminât sa journée pour aller dîner avec elle dans le quartier. L'une eût aimé n'entendre parler que du New Hampshire, et l'autre que de Saigon. Entre les nems et le riz, le poisson et le galanga[9], avec force gorgées de thé, elles étaient passées du coq à l'âne, ou

9. Galanga : variété de gingembre.

plutôt du *hac** au *trâu**, c'est-à-dire de l'aigrette au buffle. Si l'aigrette blanche, très répandue au Viêt Nam, passe pour un symbole du bonheur rural, Ngoc avait prévenu Kathleen :

— *Trâu lâm vây càn* : Le buffle crotté éclabousse tout le monde.

Le dicton populaire désigne ainsi celui qui souille une autre personne. Mais ni l'une ni l'autre ne médiraient sur quiconque, surtout pas sur madame Ky ou monsieur Ly. Ngoc avait évoqué son enfance à Saigon, et plus encore celle de sa mère près de My Tho, dans la province de Tiên Giang, irriguée par les mille arroyos du bras nord du Mékong. La jeunesse de sa mère était devenue pour elle une légende, un film enchanteur dont elle n'avait pourtant vu que quelques décors lors d'une brève visite à des cousins de Cho Gao. Dans l'exacte calligraphie vietnamienne, ce bourg natal de sa mère était « le marché du riz », tandis que la ville proche avait la réputation d'être « la jeune beauté parfumée ». Pour le nouvel instituteur Kiêu Mai, Cho Gao était « le lieu des paysannes au regard clair », à l'écart des charmes exotiques de My Tho. Et aucun voisin n'osait ironiser sur le fait que l'unique source de cette pensée était l'amour fou de Kiêu Mai pour son épouse. Hélas ! l'instituteur était mort au combat trois ans après son mariage, sans que Hoa ne lui eût donné un enfant. Sans ressources, Dinh Ba Thi Hoa était partie vivre à Saigon, partageant le logement d'une camarade d'école montée trois ans plus tôt dans cette capitale du Sud. Elle avait travaillé çà et là dans des commerces, repoussant parfois les pressantes avances d'un patron. Serveuse dans un grand café de la rue Dông Khoi, que beaucoup appelaient encore la rue Catinat, elle avait été séduite par un officier américain, qui lui aussi aimait ses yeux clairs. Vivant avec l'image de Mai, mort dans l'armée du Sud, Hoa voulait fuir cet homme courtois dont l'uniforme blessait sa fierté. Mais les attentions de l'officier avaient eu raison de l'honneur de la jeune veuve. La dignité paysanne de Tiên Giang avait-elle succombé devant le prestige yankee ? Ngoc ne blâmait nullement sa mère, qui, durant les années folles de Saigon, n'avait été qu'une autre victime de tous les dérèglements sociaux. Elle méprisait seulement cet homme qui les avait toutes deux rejetées, une fois rentré dans son pays, où probablement une épouse l'attendait.

Si Hoa n'était jamais retournée à Cho Gao ou à My Tho, Ngoc avait aimé la province natale de sa mère, brièvement visitée en compagnie de cousins campagnards. My Tho était pour elle un petit Saigon ayant conservé son charme exotique, trois siècles après avoir été fondé par des Formosans. Et Cho Gao avait donné couleurs et odeurs aux récits de Hoa, dans la luxuriance des rizières et des bosquets. Ah ! pourquoi son père n'avait-il pas été l'instituteur Kiêu Mai ?

— Et vous, votre famille, est-ce plus heureux ? avait-elle brusquement demandé à Kathleen.

— Oui et non.

— Comme toute l'Amérique, sans doute...

— Non, ma famille, nos deux familles ont toujours été bonnes pour moi. Mais en deux années l'adversité, certains disent le destin, bref la vie a détruit ce qu'elle m'avait donné de mieux : un homme et un enfant.

— La vie, la guerre souvent se ressemblent.

— Oui, Ngoc, la paix, c'est un mot trop beau pour un monde illusoire. Cependant, je dois enseigner le contraire à mes élèves.

Plus brièvement qu'avec Ly, Kathleen avait évoqué la mort de Dick après celle de Danny. Deux dates qui, longtemps après la disparition de sa meilleure camarade de collège, avaient sali les lieux d'enfance. Ngoc avait mâché coriandre et galanga en l'écoutant, puis longuement hésité avant de lui avouer sa désespérance face aux organisations internationales aussi bien qu'aux grandes puissances. Elle n'avait pas suivi d'études politiques, mais avait la tête assez bien faite pour déclarer à Kathleen :

— Cette mort de votre mari nous concerne tous. Et je ne sais pas grand-chose, sinon que la presse est loin d'être objective.

— Bien sûr ! Chez nous aussi, les médias ne facilitent pas notre travail à l'école.

— Voyez-vous, Kathleen, après les nazis et les staliniens, les Khmers rouges ont été les pires bourreaux du siècle. Pourtant, quand le Viêt Nam les a chassés du pouvoir, le monde entier l'a critiqué ; tandis qu'aujourd'hui la Chine, qui détruit le Tibet, est courtisée par toutes les supposées démocraties.

— Le commerce avec la Chine passe bien avant l'ethnocide tibétain. Il n'y a plus de morale, uniquement des intérêts, vous le savez bien.

Le regard de Ngoc s'était assombri, presque fermé. Elle avait repoussé les plats vides d'un geste las, tel celui qui précède un adieu. Puis, se redressant devant Kathleen, elle l'avait défiée :

— Dites-moi que je divague, que je m'égare, si je pense que les millions de femmes asservies, abusées, maltraitées, mutilées en Asie ne troublent aucunement les riches Occidentales.

— Je sais, l'horreur au Pakistan, le silence qu'on leur impose de l'Iran à l'Indonésie, mais le Viêt Nam ne subit pas ce fléau...

— Heureusement. Et pourtant, nous aussi sommes encore loin de l'égalité entre hommes et femmes.

— Oh là là ! est-ce le poisson ou le galanga qui vous donne cette audace ?

— Les programmes soporifiques de notre télévision, peut-être...

— Si nous allions prendre une glace, pour tempérer les esprits...

Ngoc avait souri, s'était levée, et Kathleen l'avait rattrapée à la caisse afin de régler l'addition. Plus bas, dans la rue Lê Loi, dans un café récemment ouvert, la coupe glacée avait été délicieuse, mais plus chère que l'excellent repas de la rue Dông Da. Alors, en la quittant devant les tables où se pressait une jeunesse bien nippée, Ngoc avait glissé à sa nouvelle amie :

— L'égalité, ça veut dire quoi ?

Kathleen l'avait embrassée, pour toute réponse. Quelques minutes plus tard dans Bach Dang, elle avait surpris Thuy en lui achetant cinq sachets de cacahuètes au café, qu'elle avait offerts à la réceptionniste du Tân Minh. D'un nouveau caboteur, une grue déchargeait des fers à béton, que des hommes aux mains nues guidaient dans leur descente sur une plateforme. Un travail dangereux. Le ciel était opaque, sans lune ni étoiles, et les lumières de Son Tra se noyaient dans la masse obscure du sông Han. Kathleen avait vite abandonné son balcon, car le fleuve lui apparaissait aussi triste que les dernières paroles de Ngoc. Avant la douche, elle avait relu un passage des *Enfants de Thai Binh*, le roman de Duyên Anh, qu'elle avait déniché parmi les rares livres en français d'une petite librairie de la rue Lê Loi :

« Moi, je pense que notre malheureux pays ressemble à une prostituée. Le Japon l'a affamé et a tué des centaines de milliers de gens. Les Chinois ont rappliqué par le nord, se sont engraissés après avoir empoché un million de taels en or. La France s'est amenée pour jouer sa partie en piétinant nos cadavres, et maintenant elle aussi va filer. Quant à l'Amérique et à son poker truqué, quelle va être sa prochaine combine ? Elle est riche, elle se croit tout permis[10] ».

Quelle amertume ! Ces lignes étaient restées dans la tête de Kathleen Murphy après le dernier téléjournal, dans lequel les États-Unis, détenteurs de la toute-puissance,

10. Traduction de Pierre Tran Van Nghiêm et Ghislain Ripault.

défiaient le monde au sujet de l'Irak. Oh ! que Duyên Anh avait abusivement simplifié les choses et les rôles. Mais l'Amérique n'allait-elle pas les simplifier plus brutalement encore ? Un vent inhabituel avait soufflé durant la nuit, perçant dans le bâillement de la porte-fenêtre, et annonçant faussement l'orage. Une vague et âcre odeur de carbure et de soute s'y mêlait par instants à des envols de poussières. Les heures avaient fui dans un sommeil cassé. Une dérive nostalgique entre Milford et Claremont, que hantaient les silhouettes et les bruits de Da Nang.

○

Chez le tailleur Pham Van Ly, une petite pièce du rez-de-chaussée tenait lieu de cabine d'essayage, que seul un rideau noir séparait de l'atelier. Dans cet espace carré était remisé un vélomoteur Honda aussi brillant que dans une vitrine de la rue Hung Vuong. Kathleen Murphy y déposa jeans et chemisier, et l'idée lui vint, dans le miroir, que jamais Levi's n'imaginerait une meilleure affiche publicitaire : une femme à demi nue, près d'une moto sur laquelle tombait un jeans. Mais peut-être une firme de Shanghai y avait-elle déjà pensé, tout allait si vite là-bas dans la copie de l'Occident. Elle passa doucement la robe, la tendit, la moula sur son corps avant de fermer le rabat sur le côté droit, puis le zip latéral et invisible un peu plus bas. Du travail de maître, se dit-elle en ouvrant le rideau. Pham Van Ly en fit le tour et nota quelques retouches à apporter.

— Demain après-midi elle sera parfaite.

— Les imperfections m'échappent, je vous l'avoue.

— Comme m'échapperaient des fautes dans un texte anglais. Chacun son métier, n'est-ce pas…

Elle ne lui répondit pas que le sien était un art, car elle devinait la réplique qu'il lui servirait, après les belles paroles qu'il avait eues lors de sa première visite. Elle oscilla lentement devant la haute glace, goûtant un double plaisir. Celui d'apparaître dans une robe sublime, épousant son corps dans une sensuelle harmonie, qui était aussi une charnelle discrétion. Avec le col étroit, au *V* arrondi, les manches très courtes, tout juste la longueur d'un doigt, la délicatesse du rabat aux deux attaches de tissu nouées en boutons de roses, de l'azur léger du vêtement, le bas fendu de chaque côté bien au-dessus du genou, et tombant à trente-cinq centimètres du sol, avec des talons hauts. Le fourreau chinois classique, légèrement raccourci, et que les Vietnamiens appellent le *xung xam**. C'était la première fois qu'elle portait un vêtement commandé sur mesure, et elle songeait à cette robe enivrante sur le corps de Maggie Cheung, dans le film éblouissant de Wong Kar-wai : *In the Mood for Love*. Elle était allée voir ce film à Boston en compagnie de Cindy, et elles avaient été si fascinées qu'elles étaient retournées dans la salle pour une seconde projection. Oh ! bien qu'elle eût les hanches étroites et la poitrine discrète pour une Américaine, Kathleen Murphy savait très bien que n'émanaient d'elle ni le lactescent halo du visage ni la lancinante sensualité du mouvement ou de l'immobilité chez l'actrice. Mais l'envoûtante musique de Michael Galasso l'avait, pour quelques secondes, revisitée dans le miroir.

Sans se soucier du regard de l'artisan, elle étira le plaisir à faire glisser le tissu sur les hanches, les cuisses, tant la douceur lui semblait irréelle. Puis d'une main elle couvrit l'azur d'une longue caresse, semant les frissons entre les bambous. Était-ce donc cela la volupté de la soie, dont elle avait souri et douté en écoutant une voisine de sa grand-mère à Nashua, une vieille Chinoise dont l'époux avait été cheminot ? Enfin elle s'adressa à Ly :

— Je ne connaissais la soie que dans les rayons des magasins. Sur la peau, c'est une toute autre chose.

— Voyez-vous, Kathleen, au Viêt Nam nous avons les *ca dao**, des refrains populaires reflétant le quotidien des paysans. Et l'un d'eux chante que la jeune fille est :

« Pareille à la soie frémissant au marché
Ne sachant hélas ! en quelles mains tomber.[11] »

— C'est très beau. D'après ce que j'ai appris, poèmes et chansons ont toujours baigné la vie au Viêt Nam, même en temps de guerre.

— Oui, c'est dans notre nature. Mais saviez-vous que le mûrier et les vers à soie sont connus sur les bords du fleuve Rouge depuis plus de deux mille ans ?

— Non. Je sais si peu de choses, en dehors des récits de guerre de mon beau-père.

— Je vais vous surprendre : voilà des siècles, le village le plus réputé pour ses vers à soie s'appelait Trinh Tiêt, qui était aussi le mot local pour chasteté. Comme vous voyez, notre langue a aussi ses ambiguïtés.

— Celle-ci ne me déplaît pas.

Pham Van Ly glissa une main sur l'épaule de l'étrangère, en ajoutant :

— Il est vrai que les tisserands font du fil du ver à soie un voile de caresses.

La main, légère, descendit sur les reins, la hanche, où elle l'arrêta. Sans conviction, car cette main lui plaisait. Elle était chaude et déjà familière, à peine logée dans la sienne. Elle s'excusa, referma le rideau noir, quitta la robe pour le jeans. Il avait servi le thé sur la grande table de travail, et de la tristesse enrobait son regard. Alors, plus naïve qu'impudique, elle posa le pied sur un tabouret, élevant ainsi la jambe devant lui, avec ces mots :

— Si la soie est un voile de caresses, qu'est pour vous le denim ?

Le tailleur posa sa tasse encore pleine, effleura le jeans sur le tibia, sourit à demi.

— *Tâm tham cao boi* : Un tapis de cow-boy.

— Tailleur et poète, vous aussi...

11. Traduction de Huu Ngoc.

Aussitôt elle s'enhardit, tirant la main au-dessus du genou, là où le contact était moins dur, et Ly se reprit :

— *Tâm tham cua quân vô lai:* Plutôt un tapis de brigand.

Ah ! comme son français s'allumait. Le tailleur solitaire allait-il rattraper le temps perdu ? Elle retira sa jambe, rattacha le dernier bouton du chemisier, avala son thé. Vint un couple, fort poli, désirant *tai do* et *bô vét,* tailleur et complet que Pham Van Ly coupait si bien. Kathleen Murphy quitta la boutique, avec la promesse que la robe serait bien prête le lendemain dès quinze heures.

Elle prit un *pho* dans la rue Trân Phù, et il flottait dans les épices les rêves les plus insensés d'une étrangère à Da Nang.

En ce matin de la mi-janvier, le soleil enflammait le sông Han et le quai. Dans le violent contre-jour, les *thuyên may* et les *tàu cho hang,* les bateaux de bois ventrus et bourdonnants, et les petits cargos accusant l'usure, semblaient folâtrer sur le fleuve, tels les jouets de Bà Thuy, déesse des Eaux. Marchandes de volaille et de marée trônaient sur la scène d'un théâtre populaire dont l'auditoire vibrait de clameurs et de couleurs. On était encore à deux semaines des festivités du Têt, le Nouvel An vietnamien, mais déjà l'animation s'amplifiait tout autour du marché Han. S'affairant entre poules et canards, Huê et Ty ne devaient plus guère aller à l'école. Sur les trottoirs de la rue Trân Phù, les marchands élevaient des pyramides de biscuits, chocolats, fruits confits et bonbons, habiles échafaudages de boîtes colorées, au bas desquels s'alignaient, telle une garde impériale, les coûteuses bouteilles de cognac et de whisky. Il était évident que les éternels fromages fondus La vache qui rit, quasiment les seuls fromages vendus au Viêt Nam, perdaient de leur prestige avec les préparatifs de la fête.

Kathleen Murphy s'aventura au cœur du grand marché et fut subjuguée par la folie des étalages. Des centaines de variétés de confiseries crachaient leurs couleurs dans la plus grande toile impressionniste du siècle. Souriantes dans cet océan de sucreries et d'alcools, les vendeuses lui apparaissaient telles les bonzesses du Temple des sublimes libations. Allait-elle succomber à la tentation ? Acheter un sac de bonbons assortis ou un coffret de chocolats, à l'intention de l'homme qui dans quelques heures, enchanterait son corps dans la soie ? Ou pour les jeunes enfants et neveux de madame Ky, dans ce café où le chant de l'*hoa mi* effacerait le brouhaha du marché Han ?

L'orgie des éventaires la paralysa, lui retira jusqu'à l'envie de goûter quelques gâteaux inconnus. Quittant cette vaste pagode de la gourmandise, elle éprouva un curieux vertige : Da Nang serait-elle, les jours suivants, la spirale des irrésistibles désirs ? Elle but une petite bouteille d'eau purifiée, mâcha un pain vapeur qui lui brûlait les doigts, et prit la décision de bousculer sa lente découverte de l'Annam. À l'agence de la rue Lê Loi, elle obtint un siège dans le bus de quatorze heures trente pour Hué. À l'université elle salua Thu, avec laquelle elle arrêta rapidement l'itinéraire de son périple, celui des lieux et villes annamites ayant le plus souffert des bombardements américains, trente années auparavant. Les paroles de Kevin jaillissaient dans celles de la bibliothécaire, tel déjà le florilège d'un amer pèlerinage. Elle fit un saut à l'impasse de la rue Phan Dinh Phung, où, la boutique du tailleur étant fermée, elle glissa une brève note l'avisant de son absence pour une dizaine de jours. Son bagage léger vite bouclé, la réceptionniste lui donna quelques conseils pratiques, dans l'attente de l'autocar qui la prenait à l'hôtel.

○

De Da Nang à Hué, la route est l'une des plus attrayantes du Viêt Nam. Passé la rivière Cu De, elle s'élève en dominant la baie, puis grimpe en lacets jusqu'au col des Nuages, à cinq cents mètres d'altitude. Là où vient mourir, sur la mer de Chine, la barrière montagneuse des Truong Son descendant du Laos. Bien que la côte fût encore ensoleillée, le col méritait son nom, dissimulé dans l'épais manteau nuageux où s'enfonçait le car durant le dernier quart d'heure de l'ascension. De brèves trouées offraient aux passagers des flashes océaniques au fond des abîmes boisés, tandis que le trafic était ralenti par les poids lourds surchargés.

Vitres ouvertes, les gouttelettes apportaient l'odorante tiédeur du versant, mystérieux mélange d'essences tropicales, hélas ! affadi, souillé par les échappements noirâtres des camions. Des touristes britanniques guettaient les éclaircies, afin de rapporter quelques photos leur rappelant une route littorale du Pays de Galles ou de l'Écosse.

Mais Kathleen Murphy avait une raison bien particulière pour s'émouvoir, lorsque la route disparaissait dans la brume. Daniel avait plusieurs fois questionné son grand-père, l'ancien aviateur Kevin, qui lui avait appris qu'au-dessus des nuages gris le ciel était toujours beau, toujours bleu. À quatre ans, cela n'était pas clair dans la tête de Danny, qui posait alors les questions les plus inattendues à Kevin, parfois pris de court. Aussi Richard et Kathleen avaient-ils promis à leur garçon de l'emmener au-dessus des nuages pour ses cinq ans. Non pas en avion, mais en auto au sommet du mont Washington, à près de deux mille mètres d'altitude, dans le nord du New Hampshire. Jeffrey et Brenda, avec leurs jumelles Doreen et Janice, du même âge que Daniel, s'étaient décidés à faire aussi le voyage. Oui, ils avaient préféré, pour les derniers kilomètres, leurs voitures au pittoresque chemin de fer à crémaillère, célèbre dans toute la Nouvelle-Angleterre, et dont la courte locomotive à vapeur était pour les enfants un bien curieux engin. Et les deux automobiles étaient entrées dans les nuages, où le « train penché » avait également disparu – c'est ainsi que Daniel avait appelé le petit train du mont Washington, d'allure si bancale à ses yeux. Alors, quand dans les cumulus la montagne s'était effacée, Doreen, qui était montée avec son cousin, lui avait demandé :

— Les nuages, quand ils s'en vont, ils emportent un bout de la montagne ?

Et Daniel, dans l'affirmation de ses cinq ans, lui avait tranquillement répondu :

— Non, la montagne est trop lourde, c'est de la pierre.

Lorsque le mont Washington était réapparu, roche et herbe ensoleillées au-dessus des nuages, Danny avait dit à sa voisine :

— Tu vois, la montagne dépasse, comme un rocher dans l'eau.

Dick avait souri au volant, et Kate l'institutrice était fière du bon sens de son garçon, tout en sachant que c'est souvent grâce aux filles que les plus beaux contes s'enrobent de merveilleux.

Là dans le bus de Hué, retrouvant avec la descente les flancs verts des Truong Son, et par échappées la voie de chemin de fer, tout en bas entre deux tunnels, elle revoyait son fils, les yeux pleins de questions, contre la vitre de la Toyota. Cinq ans, un petit bout d'homme qui annoncerait bientôt à son grand-père :

— Moi aussi, je suis allé au-dessus des nuages… et j'ai vu le ciel bleu.

Danny qui ne le lui dirait jamais, puisqu'il serait tué par un chauffard, trois semaines plus tard.

Plus bas, sur les cahots de la route en réfection, elle avait réentendu Danny et Dick, des paroles qui martelaient sa découverte de l'Annam, un pays hélas ! où tant d'enfants et leurs pères étaient morts au printemps, à l'été de leur vie.

○

Kathleen Murphy détesta Hué. Sa citadelle, dont plusieurs édifices avaient été restaurés avec l'aide de l'UNESCO, du Japon, de la Thaïlande et de quelques grandes compagnies privées, était un lieu de raffinement, un magistral témoignage de la splendeur passée. Mais toute cette beauté s'était lamentablement dévoyée dans la cupidité d'une ville transformée en *tourist trap*. Taxis, accès aux monuments et tombeaux royaux, les prix étaient quadruplés pour les visiteurs étrangers. Animée d'un ardent désir de comprendre et d'aimer un peuple que l'Amérique avait tant méprisé et appauvri, Kathleen fut ici choquée par son application à copier les travers du capitalisme. Oui, les raids des B-52 avaient détruit des chefs-d'œuvre de la dynastie des Nguyên, et maintenant des distributrices à Coca-Cola paradaient entre les portiques et les trônes laqués de la Cité impériale. Elle eut honte devant cette nouvelle génération indigne des sacrifices de la précédente. Oh ! elle le savait, le monde, la vie étaient ainsi : les compagnons de Mao, de Hô Chi Minh avaient lutté dans le givre, la sueur et les fièvres, un boudin de riz autour du cou, et leurs descendants rêveraient de baskets Reebok, de jeans Levi's, et s'abrutiraient sur les claviers d'Internet. Elle le savait, mais la réalité dépassait la raison, l'image tuait le mythe, et l'inconscience avait le goût insipide d'un chewing-gum trois fois remâché. Hué lui a donné la nausée, et dans sa chambre d'hôtel Kathleen Murphy se retint pour ne pas pleurer. Était-elle donc toujours aussi sentimentale, si loin de la Souhegan, de Lorraine et Russell, et d'un homme simple et honnête à l'entrée du Swing Bridge ? Si loin, soudain, d'un artisan de Da Nang dont la pensée était plus riche que bien des livres savants ? Au dernier téléjournal, George W. Bush tançant l'Europe lui fit fermer le téléviseur. Elle eut une nuit à la godille, coupée de verres d'eau, rêvant de juteuses pommes du Vermont alors qu'elle avait un ananas dans son petit réfrigérateur.

Le lendemain matin, l'Américaine se réconcilia avec ce pays moins habile dans la paix que dans la guerre. Elle évita la Cité impériale, longea le canal de la citadelle et passa la voie ferrée. Sur la route de Làng Minh Mang, elle dut refuser les propositions plus qu'insistantes des conducteurs de moto-taxi. Elle désirait marcher seule, à l'écart de la ville bruyamment marchandée. Sur sa gauche, la rivière des Parfums retrouvait les teintes douces des aquarelles sous un ciel au bleu de soie. Sur le côté opposé, le couvent du Carmel, murs beurre à filets blancs, eut, entre les maisons ternies par les moisissures, l'éclat incongru d'un gâteau de noces. De petites pagodes s'accordèrent plus humblement au paysage, avec leurs portiques, leurs toits à demi recouverts par les lichens. Sur quatre kilomètres la ville se dilua dans la sérénité du fleuve, au pied des Truong Son dont la haute silhouette tendait son beau lavis.

Kathleen Murphy ne mit pas une heure pour atteindre la courbe dans laquelle se dressait le Thien Mu, la pagode de la dame Céleste. Ce lieu, bien qu'envahi lui aussi par les touristes descendus d'autobus climatisés, lui plut parce qu'il était habité. Bonzes et religieuses y coulaient une vie ancestrale, entre les arbustes et les fleurs d'un magnifique jardin suspendu au-dessus du fleuve. Mais le plaisir vint surtout, après la courbe, sur la petite route de Làng Minh Mang. Là, plus aucun touriste n'exhibait sa tenue relâchée ou sa caméra vidéo, en bus ou en bateau ils étaient tous repartis à Hué ou plus au sud vers les tombeaux impériaux. Alors elle découvrit le chemin des menuisiers. Ils étaient bien une vingtaine, se succédant sous les arbres, dans le sifflement des scies circulaires et le râle lancinant des raboteuses. Entre les modestes machines-outils, de jeunes artisans maniaient la scie, la varlope, le ciseau à bois et le maillet dans la danse lente de leurs biceps de bronze. Portes, fenêtres, bois de lit étaient consciencieusement façonnés, assemblés de tenons en mortaises, dans l'odeur fraîche des copeaux de *gô tràm**, un bois dur encore vert, dont les faces rabotées avaient sous la main la douceur d'une femme et une fragrance d'aube moite sous les branches.

Passé les derniers menuisiers, la rivière des Parfums réapparaissait, lascive, envoûtante, porteuse de sampans et de légendes, et plus bas de fausses gondoles à touristes, avec pour proues des têtes de dragons jaunes. Un étroit champ de maïs étirait son ruban vert entre la rive et la route jusqu'au village de Van Thanh. Et à l'entrée du village, face au fleuve, s'élevait sur un tertre le temple de la Littérature, le Van Thanh, qui lui donnait son nom. Après la porte, deux dragons ouvraient l'escalier d'un portique impérial, au balcon duquel des plantes folles disputaient le ciel à d'autres dragons. Puis, sur deux allées couvertes d'un long toit de tuiles, et se faisant face dans une parfaite symétrie, trente-deux tortues de pierre portaient chacune une stèle sur laquelle était gravé un poème en caractères chinois, dont certains devenus presque illisibles. Kathleen Murphy apprécia la tranquillité du lieu, à peine ponctuée par le roulement sourd des petits diesels sur le fleuve. Dans les hauts arbres à menthe au bas du tertre, des oiseaux leur opposaient leurs chants alternés, tandis que les papillons narguaient la gueule ouverte des dragons.

Reviendrait-elle ici avec Pham Van Ly ? Déjà l'institutrice de Milford rêvait bien plus qu'elle ne pensait, obligatoirement muette devant les signes chinois gravés dans la pierre. La littérature arborait là des habits étranges pour une Américaine. Dans le concert des *chào mào**, elle songea aux poèmes naïfs des écoliers de la Heron Pond School, sur les murs des corridors en fin d'année, avec leurs dessins et papiers découpés. Ne renvoyaient-ils pas les textes mystérieux du Van Thanh sur une lointaine galaxie ?

Plus loin le village étirait sa simplicité le long de la route de Làng Minh Mang, avec ses boutiques minuscules, ses menuisiers et ses ferronniers, ses paysans reclus dans l'ombre. À seulement six kilomètres du palais de l'Harmonie suprême, de ses criards essaims de touristes, grotesques dans leurs bermudas tombants sous des ventres gavés, Kathleen Murphy a retrouvé le Viêt Nam éternel, rural et paisible, dur au travail et doux au repos. Le peuple des longues luttes et des longs silences, sous les auvents de tuiles, entre les guirlandes de bonbons et de biscuits des échoppes pas plus grandes qu'un lit d'enfant. Elle s'est attardée devant un jeune homme au torse nu, retenant avec le pied la longue planchette qu'il sculptait avec un ciseau à bois. Une frise devant décorer un lit, dans le bois jaune du jaquier, le *gô mit* tendre et docile sous l'outil de l'homme habile, aux gestes précis que dominait un buste d'apollon oriental. Ce village, apparemment sans charme, l'a séduite par sa saine rusticité. D'un menuisier à l'autre, les éclats de bois, les copeaux, la sciure collante aux bâtis des petites machines, et une modeste scierie, jouet insolite par comparaison aux grands « moulins à scie » du New Hampshire, du Maine, du Vermont. Elle a humé de près cette odeur chaude et surette du bois ouvert tel un fruit de géant. Cette trace, presque animale, qui s'insinue, monte et s'efface entre l'homme et la forêt maîtrisée. Forêt opaque au-dessus de Claremont, et si meurtrie au centre de l'Annam.

○

Sur deux mille cent kilomètres, la route nationale n° 1 traverse tout le Viêt Nam, de Cà Mau au sud, dans la pointe du Nam Bô[12], à Lang Son au nord, près de la frontière chinoise. Des autocars confortables relient les grandes villes, mais des millions de Vietnamiens voyagent, à moindre prix, dans des cars et minibus surchargés, dont l'état mécanique et la carrosserie crient misère. C'est cependant dans l'un de ces bus ferraillants que Kathleen Murphy reprit son périple vers le nord. Vingt et un passagers sur douze sièges, des enfants, des bagages, des sacs de légumes, de fruits sur les genoux, les hanches tassées dans la rudesse des corps maigres. Là, plus de touristes français, allemands, anglais ou scandinaves, plus d'Américains ou d'Australiens, sinon quelque routard endurci. Si compteur et indicateur de vitesse étaient depuis longtemps hors d'usage, il était évident que le moteur avait bien fait quatre fois le tour de la Terre, sinon plus, et la boîte de vitesses du minibus coréen

12. Le Viêt Nam se divise en trois grandes régions, correspondant à celles du régime colonial français, soit, du nord au sud : le Bac Bô ou Tonkin, le Trung Bô ou Annam, le Nam Bô ou Cochinchine.

avait de temps à autre des râles inquiétants. Qui n'inquiétaient personne, surtout pas le chauffeur, décontracté à souhait. Deux haut-parleurs, au volume immodéré, anesthésiaient l'inconfort avec des tubes sentimentaux.

Au bout d'une heure s'espacèrent les rizières, remplacées par un terrain sablonneux sur lequel s'élevaient çà et là des tombeaux. Un paysage plat et ravagé, des deux côtés de la voie ferrée ayant rejoint la grande route. Durant les derniers kilomètres, les monuments funéraires se rapprochaient, formant un immense cimetière, dans le désordre duquel vaches et buffles tondaient une herbe courte.

L'étrangère fut la seule à descendre à Quang Tri, et l'unique hôtel, neuf et bien tenu, lui serra le cœur aux premières marches. Le mur arrière dans la rizière et la façade sur la route nationale, l'hôtel Thành Cô lui offrit, au second étage à l'avant du corridor, un vaste balcon de marbre où elle demeura figée quelques minutes avant même de gagner sa chambre. Elle était enfin là où Kevin avait vu l'enfer, du cockpit de son Phantom. Et cette petite ville lui paraissait si banale et anonyme dans sa grisaille, malgré la fugitive succession des tombes, un quart d'heure plus tôt dans la vitre sale du minibus. La route nationale, la géographie, le soleil mitigé ne lui mentaient-ils pas ? Elle ouvrit, s'affala sur le large lit, somnola sous le haut plafond d'une blancheur crue. Elle eut tout à coup l'impression d'être, non pas à soixante, mais à mille kilomètres de Hué. Une jeune femme de chambre passa, s'excusa dans la porte restée ouverte, lui demanda si elle n'avait besoin de rien, dans un anglais sommaire mais étrangement agréable à entendre. Quelle soudaine sororité allait donc crever l'indicible malaise de Kathleen Murphy à son arrivée à Quang Tri ?

Lâm Thi Thanh portait bien son nom, symbolisant la beauté simple, naturelle, le ciel bleu. L'Américaine l'invita à s'asseoir, et le soleil entra dans la chambre. Les deux femmes eurent de magiques raccourcis pour situer leurs origines et leurs aspirations, dans un langage qui était autant celui des intuitions que des mots. Collégienne diplômée, Thanh n'avait pu trouver d'autre travail que celui de l'hôtel, et plusieurs camarades d'études avaient dû retourner aux champs ou à la rizière. Était-ce le passé qui handicapait encore l'avenir ? Les industries étaient rares dans les environs, et les recrutements administratifs chimériques.

Un grand-père, deux oncles et une tante étaient tombés durant les affrontements intensifs de l'été 1972, alors que les combattants viêtcongs avaient défait les troupes sud-vietnamiennes à Quang Tri. Selon les chiffres appris à l'école et répétés par les parents, la ville avait reçu, en bombes et obus des armées sudiste et américaine, l'équivalent de sept bombes atomiques. On avait complètement rebâti Quang Tri, mais la nouvelle génération savait qu'elle était née de l'héroïque survivance d'un petit Stalingrad vietnamien. Oh ! la fierté un brin naïve de Thanh, dans son anglais de collégienne :

— After war, my town was nothing, only ruins. But today my town has everything.[13]

— Tout, sauf des emplois pour les jeunes diplômés.

L'Annamite avait joliment souri, puis avoué :

— Je suis chanceuse d'avoir ce travail... plus agréable que la rizière.

— Bien sûr, le marbre et le tapis plutôt que la boue et les éteules. Cependant, certains clients ne sont-ils pas plus imprévisibles que le buffle ?...

Lâm Thi Thanh avait franchement ri, avant de reconnaître :

— Oui, parfois, en ouvrant la porte, je me demande si ce n'est pas un éléphant qui a occupé la chambre. Mais vous, quel beau métier vous avez !

— On me le dit souvent. Pourtant, lorsqu'on entre en classe, on ne trouve pas toujours que des anges...

---

13. Après la guerre, ma ville n'était rien, seulement des ruines. Mais aujourd'hui elle a tout.

Kathleen alla à la fenêtre, l'ouvrit, revint en sortant son petit agenda.

— Aimeriez-vous être ma guide, pour mes deux jours ici ? Guide et interprète, disons deux ou trois heures dans la matinée, et autant l'après-midi.

Thanh se redressa, agréablement surprise.

— C'est la première fois qu'on me le propose. Oh ! je connais bien la ville, elle n'est pas bien grande, et j'y suis née. Je vais voir le directeur, s'il peut me remplacer pour ces deux jours.

La jeune femme avait dévalé l'escalier, et le claquement de ses souliers sur le marbre avait, aux oreilles de l'étrangère, confirmé le plaisir qu'elle aurait à l'accompagner. L'hôtelier avait donné son accord, après s'être entendu avec une autre employée. Ne voulant pas la gêner, Kathleen ne posa pas la question à Thanh, mais lui offrit, pour les deux jours, une somme qui devait égaler, sinon excéder son salaire mensuel. Dès le premier instant, elle avait aimé le regard franc de cette femme, et son brusque embarras ne fit qu'en rehausser la naturelle simplicité.

Les deux jours furent bien remplis. Des deux bords de la rue principale, Trân Hung Dao, la ville s'était entièrement reconstruite, besogneuse et sans luxe, avec ses boutiques, ses modestes ateliers artisanaux, ses bureaux administratifs, ses écoles. Uniformément d'un seul étage au-dessus du rez-de-chaussée. Un unique bâtiment émergeait de cette monotonie : le *cho,* le marché central de toute ville vietnamienne, dont la structure de béton était ici coiffée d'une grande horloge. Des flamboyants, des badamiers ombrageaient cette artère essentielle, avec aussi des *cây trung ca* dont le feuillage se déploie en généreuse ombrelle. Là aussi, entre les mécaniciens, quincaillers, épiciers, cordonniers et coiffeurs se glissaient les tailleurs et quelques bijoutiers. Sans ostentation ni fantaisie. Cette ville apparaissait tel un gros village, avec bien peu d'automobiles, mais partout des cyclistes lents et chargés. Quelques cafés, de rares restaurants peu éclairés, un voile de tristesse flottait sur la quiétude des commerces. Oui, tout avait été reconstruit sur la rue Trân Hung Dao, tout sauf peut-être quelques îlots de fantaisie. Kathleen ne s'en étonna plus, après que Thanh eut attiré son attention sur l'unique ruine conservée dans la ville, et à l'entrée de laquelle était inscrit :

Chung tich truong Bô Dê[14]

Des pans de béton défigurés par les bombes. Sous lesquels un homme proposait des bonsaïs et des plantes ornementales. À trente mètres, des enfants jouaient dans la cour de la nouvelle école aux murs jaunes et rouges. Kathleen fit le tour de l'hallucinant édifice, détailla les bonsaïs, les chrysanthèmes, les roses et les orchidées, les oiseaux de paradis dans leur insolite jardin, et s'adressa à sa guide, tandis que sortaient des écoliers.

— Des fleurs et des voix d'enfants. Oui, Thanh, la nature triomphera toujours de l'industrie de la mort.

L'Annamite ne répondit pas. Elle s'approcha de l'homme, effacé dans la sombre béance des murs. Elle lui tendit un billet pour qu'il acceptât de lui couper une petite orchidée, qu'elle planta aussitôt dans le chemisier de la visiteuse. Au Viêt Nam, cela ne se fait pas, sauf parfois dans l'intimité des amoureux. Mais Lâm Thi Thanh avait lu qu'en Occident une boutonnière pouvait accueillir une rose sans épines, du muguet ou des violettes telle une marque de sympathie. Touchée, Kathleen Murphy n'ajouta rien, et les deux femmes réalisèrent que l'amitié pouvait naître aussi simplement. En s'éloignant du fleuriste sous les ruines, Thanh dit enfin :

— C'était bien des années avant ma naissance. Pourtant, mon père m'en a tant parlé. Il avait quatorze ans quand la ville a été détruite. Tout était comme cette école. « Comme une rizière après un typhon », disait-il.

14. Vestiges du High School Bô Dê.

— Et votre mère ?

— À cette époque, elle vivait encore à Tam Ky, au sud de Da Nang. Plus tard, lorsqu'elle a rencontré mon père et qu'elle est venue vivre ici avec lui, alors que la ville n'était pas toute reconstruite, elle lui a déclaré, en descendant de l'autobus : « Je ne pensais pas que tu m'amenais vivre dans un cimetière. »

— Et aujourd'hui ?

— Elle est morte voilà cinq ans, d'une encéphalite.

Kathleen marqua le pas sous un flamboyant. La ville devenait un peu la sienne, avec le regard de Thanh. La jeune femme lui demanda :

— Voulez-vous vous reposer quelques minutes ? Dans un café ?

— Non, Thanh, ce n'est pas cela. Dites-moi, à la mort de votre mère, vous aviez quatorze ou quinze ans…

— Seulement treize.

— Et vous avez un frère, une sœur ?

— Un demi-frère.

— Comment ça, un demi ?…

— Mon père a eu ce garçon avec une autre femme.

Thanh redemanda à Kathleen si elle ne voulait pas s'asseoir dans un café. Non, elle préférait marcher lentement vers la citadelle. Mais la jeune fille comprit que l'étrangère voulait en savoir plus, sans que cela fût écouté par les clients d'un café. Alors elle se confia plus intimement, en cherchant les mots anglais, en s'excusant de leur indigence :

— I can't tell you everything…[15] C'est à treize ans, pourtant, que la vie m'a appris qu'elle n'était jamais aussi belle ni aussi laide qu'on le dit. À onze, à douze ans, je pensais détester mon père à cause de cette autre femme.

---

15. — Je ne peux tout vous dire…

Puis, une semaine après la mort de maman, il m'a dit une chose que je n'oublierai jamais.

— Vous n'êtes pas obligée de...

— Si, Kathleen, je veux vous le dire : mon père m'a regardée dans les yeux, et les siens étaient mouillés. Et il m'a parlé, doucement, comme s'il venait de vieillir de dix années : « Thanh, j'ai vu la ville brûler, disparaître sous les obus, sous les bombes. Presque trois mois d'enfer. Eh bien ! le décès de ta mère me fait plus mal que toutes ces morts de juillet à septembre 1972. » Et il a pleuré. Avait-il pleuré, à quatorze ans, lors des bombardements, à la mort de son père à lui et d'une partie de la famille ? Je ne le lui ai jamais demandé. Alors Kathleen... je vous appelle Kathleen, n'est-ce pas...

— Bien sûr, Thanh.

— Oui, Kathleen, depuis ce jour-là, je sais que les choses, les actes, les sentiments ne sont pas noirs ou blancs. Je l'ai compris à treize ans, et le collège n'y a rien changé.

L'institutrice s'attarda devant le bric-à-brac d'une petite quincaillerie. N'était-ce pas qu'une façon de faire diversion après les paroles de la jeune femme ? Le monde resserrait sa dureté sans frontières, les sentiments n'avaient ni langue ni pays, la vie n'était qu'un doute face aux événements qu'elle devait toujours surmonter. Nulle herméneutique ne saurait être plus explicite ou secourable que deux regards amicaux, et que la retenue qui chez les femmes porte souvent le souffle même de la vie. Sous le regard oblique du commerçant, Kathleen examina quelques objets usuels, visiblement fabriqués par des artisans, et non dans des usines : des serrures, des charnières, des ustensiles ménagers, quelques outils ; en elle songe aux paroles de Richard : « les choses simples et bien faites ». Mais n'était-ce pas remonter le siècle, s'évader, se réfugier dans les petits musées ruraux et folkloriques de la Nouvelle-Angleterre ? N'était-ce pas refuser la tragique complexité du présent en recourant à la précarité floue du passé ? Puis il y avait, près d'elle, le regard pur, la jeunesse innocente de Thanh. Trop de choses, trop d'images et d'appels couraient en elle, qu'elle ne pouvait échanger avec la jeune fille, bien qu'elle lui parût très proche.

Construite selon les enseignements de Vauban, la citadelle de Quang Tri avait été le cœur de la ville martyre. Rasée comme toute la cité, elle a été transformée en parc, avec au centre un monument pieusement entretenu, près duquel une rampe de missile pointe un Sam vers le ciel. Ah ! le Sam russe, l'ennemi tant redouté de Kevin et de ses camarades de l'Air Force et de la Navy. Ce mot étranglait la voix de l'ouvrier de Claremont. Car le Sam, à l'instar du courage du *bô dôi,* avait prouvé que les *linh mi** n'étaient pas invincibles. Mais c'est un peu plus loin dans l'ancienne citadelle, à l'intérieur du Thành Cô, le musée de l'héroïsme de la ville, que l'émotion figea la visiteuse. Les photographies montrant les *bô dôi* parmi les ruines de 1972 rendaient insipides les images d'*Apocalypse Now*. Thanh n'eut pas à en traduire les légendes, leur silence fracassant étouffait la raison. Oui, en septembre 1972, Quang Tri avait bien été un petit Stalingrad. Un horizon de ruines, dans lequel se tordaient les éparses silhouettes d'arbres calcinés. À la sortie du musée, Kathleen crut avoir rétréci de quelques centimètres. Elle fit une pause, réalisant une nouvelle fois que l'équanimité n'est pas une tendance naturelle chez l'âme humaine. Elle réentendit, dans l'amical silence de Thanh, les paroles qu'elle avait eues à propos de son père. À l'inverse, les photos trentenaires de Quang Tri eurent en elle la douleur d'un soir au Pumpkin Festival. La Terre, la Vie tournaient, avec l'enfant mort, avec aussi l'homme que lui avaient arraché les cinglés d'Allah. Mille morts, combien de morts durant ces quatre-vingt-un jours de feu à Quang Tri ? Mille morts dont elle ne savait rien, rien d'autre que des photographies sur un mur de béton, si longtemps après le fracas et le sang. Mille morts inconnus qui s'appelaient soudain Daniel et Richard.

Thanh la devina, la comprit sans paroles. Dans les allées du parc, elle attendit que l'Américaine retrouvât le sourire. Alors elle la surprit :

— Maintenant, je vais vous montrer une autre ville, une ville-jardin. Une ville heureuse.

Et la découverte fut belle. De part et d'autre de la rue Trân Hung Dao, en descendant vers la rivière Thach Han, ou à l'opposé entre l'ancienne citadelle et la route nationale, Quang Tri était un vaste jardin, où les maisons basses et colorées se dissimulaient dans le jaillissement de hautes fleurs, sous des palmiers ou derrière les bambous, bananiers, pêchers, longaniers, caramboliers et citronniers. Souvent dans l'entrée, à quelques pas du *am tho* délicatement entretenu, s'élevait sur un panneau de ciment jaune ou bleu le rouge et accueillant idéogramme chinois prononcé *fou* en cette langue et *phuc* en vietnamien.

福

Thanh en expliqua la signification à Kathleen. À l'origine, la partie droite inférieure de l'idéogramme évoquait un damier de rizière. Et le bonheur était de posséder beaucoup de terre, dans un milieu paysan, patriarcal. Dans plusieurs pays de la civilisation du riz – Chine, Corée, Japon, Viêt Nam –, il devint le symbole du bonheur, et se nuança avec le temps, pour appeler la richesse, l'honneur, la longévité, la paix, et jusqu'à l'amour de la vertu. Des grappes de collégiens se dispersèrent dans ces petites rues verdoyantes, quelques-uns saluèrent l'étrangère avec un sonore :

— Where you come from ?

Quand ce n'était pas, lancé sans complexe :

— Where you from ?

— Étiez-vous comme eux ? osa Kathleen, avec Thanh plutôt gênée.

— Les touristes étrangers sont si rares ici. Les bus filent vers Hué ou Hanoi sans arrêter à Quang Tri. Alors la curiosité, à quinze ans, est-ce un défaut ?...

Kathleen hésita quelques secondes, pour lui répondre :

— Et être américaine, ici, n'est-ce pas une provocation ?

— Plus maintenant.

Oui, l'Annam rasé, dénudé par les bombes et les défoliants, les bosquets, les forêts brûlés par l'agent orange avaient reverdi. Les rues fleuries, les vergers de Quang Tri le clamaient avec éloquence. Et près du marché une affiche prévenait les amoureux des dangers du sida. Une autre guerre, tellement plus sournoise. Dans la rue Quang Trung, elles s'arrêtèrent à l'école maternelle aidée par l'UNICEF. Au mur une fresque de l'oncle Hô tenant un enfant dans ses bras, et dans la cour quelques animaux de ciment, dont un éléphant sur lequel grimpaient les bambins. Les institutrices se confondirent en paroles de bienvenue et leur servirent le thé. Kathleen aima les dessins éclatés de la vie, qui n'étaient pas bien différents de ceux de la Jacques Memorial School à Milford. Ah ! ces petites têtes aux cheveux raides ou aux couettes en panache, songea Kathleen Murphy devant l'humilité du personnel, ces enfants de l'héroïque Quang Tri apprendraient-ils aussi à détester la guerre ?

Quittant l'école, les deux femmes descendirent vers le fleuve, où dragues, chaloupes, muscles et sueur tiraient du gravier, alimentant une noria de camions. Ou plutôt de tracteurs habillés en camions. Tout un poème, ce véhicule rudimentaire fabriqué au Viêt Nam, et se déplaçant à la vitesse d'une bicyclette : un châssis en fer soudé, sur l'avant duquel était fixé un moteur chinois dont le bruit, coupé de fortes explosions répétitives, massacrait la quiétude des riverains. Enfin, la nature était généreuse : le fleuve irriguait les rizières et fournissait le gravier pour la construction des maisons, et du poisson plus loin vers l'embouchure. Il était large et lent entre les rives basses, rythmant la vie de la province, comme ne pouvait plus le faire la Sugar River dans le comté de Sullivan.

Le lendemain, à l'arrière de deux motos-taxis, Kathleen et Thanh avalèrent les dix kilomètres de la triste route nationale jusqu'à Dia Tang, ou plus exactement jusqu'au *Bé thi co duo phat,* le «Bouddha du monde souterrain», érigé à cinquante mètres de la route et de la ligne de chemin de fer. Là où eurent lieu les plus durs affrontements entre armées viêtcong et américaine. Un lieu que l'on appelait *Duong kinh hoàng,* la «route de la Terreur». Tout autour du Bouddha, un cimetière sans fin, égrené dans une terre meurtrie, un sable blanc qui semblait refuser la végétation. Kathleen n'avait pu en mesurer le tragique silence, tassée dans la rudesse du minibus, deux jours plus tôt. Mais ce n'était que le début d'une dure journée. Elles filèrent vers le nord, sans arrêter à Dông Ha, sur le sông Hiêu, à la jonction de la route du Laos. Thanh avait prévenu Kathleen, et c'était peu dire que Dông Ha n'était qu'une ville repoussante, où les très rares femmes en *ao dai* apparaissaient irréelles ou inconscientes, égarées dans un poisseux magma d'oxydes et de poussières. Seules les chaloupes sur le sông Hiêu apportaient une touche bucolique aux abords de la ville. Vingt kilomètres plus loin, Thanh demanda aux conducteurs de s'arrêter à la sortie du pont sur le fleuve Ben Hai, marquant le dix-septième parallèle, longtemps déclaré frontière entre le nord et le sud de Viêt Nam.

— Une coûteuse utopie, lui souffla Kathleen.

— Oui, la fameuse DMZ[16], truffée de mines, dénudée par l'agent orange, et protégée par les armes les plus redoutables.

Thanh n'eut pas à l'ajouter, Kathleen savait que cette barrière infranchissable n'avait pas arrêté les infiltrations viêtcongs vers le Sud. Les deux femmes virent plutôt le fleuve comme un symbole de la folie des peuples. De l'aveu-

16. DMZ: zone démilitarisée, verrouillée au sud par une ligne de défense complexe, appelée ligne McNamara.

glement politique. Cela était évident pour l'une et l'autre : du nord au sud du pays, tant de fleuves descendaient vers la mer de Chine : ils étaient les artères du Viêt Nam, et aucun n'avait vocation à le diviser.

Passé le gros bourg de Hô Xa, les deux Honda prirent une petite route entre les rizières, en direction de la côte. À l'approche du cap Lay, des hameaux apparurent entre les bosquets, puis une maigre forêt couvrit un labyrinthe d'étroits chemins. Lorsque stoppèrent les motos, apparemment au milieu de nulle part, Thanh annonça simplement :

— Nous sommes à Vinh Moc.

Ce seul nom figea Kathleen, déjà à demi engourdie après une heure sur la Honda. Un guide vint, avec une lampe de poche, qui conduisit les deux femmes dans ce haut lieu de la résistance vietnamienne, bien invisible de la côte. Elles s'enfoncèrent dans d'étroits passages, creusés sur trois niveaux dans la terre brune et humide. Près de deux kilomètres de tunnels, hauts de un mètre quatre-vingt et larges de un mètre vingt, avec dans les parois des cavités espacées, dans lesquelles on ne pouvait se tenir debout, et qui avaient chacune abrité une famille. Un abri spécial avait été plus profondément aménagé pour résister aux intenses bombardements et, çà et là dans ce dédale souterrain, on voyait des lieux de réunion, un puits, des toilettes, une cuisine, et même une « maternité » où naquirent dix-sept enfants. Aujourd'hui encore, le monde s'étonne à découvrir comment quatre cents personnes ont pu survivre dans de tels terriers, de 1966 à 1968.

Parcourant, en se courbant souvent, cet obscur labyrinthe de terre grasse et suintante, Kathleen Murphy crut étouffer, et descendre vers la mort. Dans son dos, la voix douce de Lâm Thi Thanh prenait un accent de catacombe. Aussi, lorsque, à une sortie, elle découvrit devant elle, en contrebas, la plage, la petite baie de Vinh Moc, elle poussa un long soupir. À gauche était le Nord Viêt Nam, et à droite le Sud Viêt Nam. Un coin idyllique sur la mer de Chine, qui dans sa falaise cachait l'héroïsme d'un village. De quatre cents paysans et pêcheurs qui avaient eu le malheur de naître, de vivre là où la politique divisait le monde. Là où le dix-septième parallèle était devenu la frontière la plus insensée dans l'histoire d'un peuple. Elle songea à Kevin, pour lequel Vinh Moc demeurait une énigme. À ses élèves auxquels elle ne pourrait enseigner de telles choses. Avant de repartir, l'Américaine invita sa jeune amie à descendre sur la plage, où trois pêcheurs réparaient leurs filets. Le soleil hâlait des corps maigres, aux gestes précis. La pêche ici, avec de petites embarcations, se fait généralement entre quatre et dix heures, avant la grande chaleur. Deux garçonnets et une fillette creusaient des rigoles entre les lents assauts des vagues, tandis que l'horizon brûlait dans sa nudité marine, sans même la silhouette d'un caboteur. Une image immémoriale de la paix. La côte de l'Annam était-elle si différente de celle du New Hampshire, à l'écart des stations balnéaires ? Kathleen observa longuement les enfants, puis les hommes, que sa présence ne semblait aucunement distraire. Elle eut cette brusque pensée, qu'elle se retint de communiquer à Thanh : comment ces fils des champs et de la mer, vivant, travaillant depuis toujours dans l'éclat et les caprices du temps, et non comme les gens des grandes villes, souvent terrés dans d'étroits et sombres ateliers ou boutiques, comment ces villageois avaient-ils pu devenir ces petits crabes de la plage, disparaissant dans leurs trous à l'approche du danger ? La cruauté des hommes les avait-elle ici ramenés au règne animal, à la préhistoire ? Chassant cette image, elle revit celle de Danny sur la plage de Rye North, elle l'entendit demander à Dick : Daddy, pourquoi la mer se sauve ou court après nous ? Elle se déchaussa, marcha à la limite des vagues sous le regard amusé de la jeune fille, qu'elle surprit :

— Le Nord et le Sud, la terre et la mer, la sagesse ou la folie des hommes, dites-moi, Thanh, nous faudrait-il être des cailloux pour ne plus avoir aucune peur ?

La guide se baissa, ramassa un petit galet, le passa sur sa joue, et répondit :

— Il est aussi doux que silencieux. Peut-être a-t-il vécu mille, ou dix mille ans, pour devenir si doux. Mais ne craint-il pas, lui aussi, que sa liberté ait une fin ? Qu'on le ramasse et qu'il se retrouve prisonnier, dans le béton d'un mur, condamné à entendre les disputes d'une maison ou les machines d'une usine...

— À moins qu'une bonne âme le place sous un lotus, dans un petit bassin aux pieds de Quan Am, le paradis pour un caillou.

Cela fit rire Thanh, qui à son tour retira ses sandales et trempa ses pieds dans l'écume. Les deux femmes s'accordèrent sur un point : elles étaient sans chapeau, et le soleil devait malmener les esprits. Les enfants s'approchèrent, chuchotèrent, osèrent quelques « Miss ! » sans plus élaborer. À demi nus, ils respiraient la santé, et il était évident que les tunnels de Vinh Moc n'étaient pour eux qu'une curiosité attirant les touristes. La guerre était bien loin, pour le jeune trio, et Kathleen s'en réjouit, sans même leur demander pourquoi ils n'étaient pas à l'école en milieu de journée. La paix, pour beaucoup de familles rurales, avait son lot de privations, parfois proches de celles de la guerre, et l'insouciance des enfants était peut-être un signe d'espoir. Là sur la côte, ils apprenaient le millénaire dialogue de la terre et de la mer, avec leurs parents paysans et pêcheurs en des lieux où la terre et l'eau avaient trop longtemps vomi la mort. Il fallait accepter que la vie reprît les couleurs de la banalité, fût-ce un beau mensonge devant les étrangers. En remontant sur la falaise, Thanh, pour qui Kathleen n'avait qu'évoqué brièvement la mort de son mari, lui posa la question qu'elle redoutait :

— Vous n'avez pas d'enfant ?

L'institutrice s'arrêta sur l'abrupt sentier. Elle admira la baie dont la plénitude tropicale, à cette hauteur, n'était plus habitée par des ébats d'enfants, mais par des chants d'oiseaux. L'Annamite n'insista pas, et elle ne pouvait imaginer à quoi songeait soudain la visiteuse. Ni aux oiseaux ni aux enfants, plutôt au dotyla, le petit crustacé des plages, creusant des trous et roulant le sable en boulettes, là où la marée détruit régulièrement son travail. Oui, à la question de Lâm Thi Thanh, l'océan et toute la côte de l'Annam s'étaient réduits à la vie du *công da tràng**, le crabe dont la légende avait touché Kathleen Murphy, dix jours plus tôt à la bibliothèque tenue par Nguyên Thi Thanh Thu. Était-ce la convergence inattendue de l'amabilité des deux jeunes femmes avec le choc de Vinh Moc qui suscitait tout à coup cette vision de l'univers ?

Ah ! la merveilleuse histoire : le Da Tràng était un homme qui, ayant sauvé la vie d'un serpent, avait reçu de lui une perle magique donnant accès au langage des oiseaux, ce qui lui avait permis de multiplier ses bienfaits. Plus tard, il avait prié son ami de ne pas tuer une oie pour le fêter. Reconnaissante, l'oie lui avait offert une perle lui donnant le pouvoir de se déplacer dans l'eau. Le *da tràng* troubla ainsi le séjour du roi de la Mer, et celui-ci, effrayé, usa d'un stratagème. Il promit le titre de reine à la femme du *da tràng*. Cette dernière s'empara donc des deux perles de son époux et partit au royaume de la Mer. Et pour reprendre ses perles, le *da tràng* charria le sable sur la plage, jour après jour, construisant une route vers le fond de l'océan. Et chaque jour la marée emportait la route, tant et si bien que l'infortuné mourut à cette tâche de Sisyphe, transformé pour toujours en « crabe da Tràng[17]. » Aussi la locution populaire *công da tràng* signifie-t-elle « peine perdue ».

Le soleil amorçait sa descente vers le Laos, étirant les ombres brisées sur le flanc de la falaise. Kathleen se retourna, face à Thanh, à laquelle elle n'avait pas répondu. Elle fit deux pas, embrassa le front chaud.

17. D'après Huu Ngoc.

— My little sister.[18] Rentrons. À Quang Tri, nous parlerons.

Les deux Honda reprirent la route du sud, sans arrêter à Dông Ha. Oh ! la laideur de cette ville ne fit pas oublier la jonction de la route n° 9, celle qui montait à Khe Sanh, le Diên Biên Phu américain où, en mars 1968, dix mille G I n'avaient pu repousser l'attaque des Viêt-Congs. Khe Sanh était aussi un nom qui écorchait la gorge de Kevin Murphy. Pour l'homme de Claremont et ses camarades de l'Air Force, Khe Sanh et Lang Vei avaient été deux coûteuses bravades de l'état-major, des plaques de terre rouge où les hélicos tombaient comme des mouches. Deux cimetières de trop sur la piste Hô Chi Minh. Mais l'enfer là-bas, sur les montagnes brûlées à la frontière du Laos, n'était-ce pas déjà une guerre trop lointaine, après l'horreur de Manhattan, après l'étouffant silence de Vinh Moc ?

Le soir, Kathleen et Thanh flânèrent dans les rues calmes et fleuries, là où Quang Tri était redevenu un grand village, le jardin de la paix. Dans quelques entrées, les traits rouges du *phuc* rappelaient que l'aspiration au bonheur survivait aux hécatombes. Ici et là un merle, un perroquet, un *chào mào* épuisaient leur répertoire avant la nuit. D'un ruisseau s'envola un *gié cùi,* cousin du corbeau, bec et pattes rouges avec une longue queue. Il surprit l'étrangère, et Thanh lui apprit qu'un dicton populaire était attaché à cet oiseau : *Gié cùi tôt ma dài duôi* – le *gié cùi* a une belle apparence et la queue longue. Allusion à la femme de fière allure, mais propre à rien. Cela fit sourire l'institutrice de Milford : de l'humble crabe *da tràng,* voué au labeur perpétuel, à l'insolent panache du *gié cùi,* le génie d'une culture, d'une langue, ne résumait-il pas, entre mer et ciel, le fragile bonheur des habitants de la Terre ? Cent divinités n'avaient plus qu'à compliquer à souhait un florilège de croyances et de proverbes. Elle invita la jeune fille à choisir le meilleur

18. Petite sœur.

restaurant de Quang Tri, et Thanh fut bien embarrassée pour décliner sa préférence, tant la ville était pauvre de ce côté. Enfin, dans la longue rue Trân Hung Dao, à cent pas du marché, elle conduisit Kathleen à la table d'une cuisinière dont le *pho* passait pour excellent. Au fond de la pièce, deux enfants, garçon et fille, étaient penchés sur leurs cahiers, tandis qu'à une table voisine une vieille femme, aux lèvres violemment rougies par le bétel, semblait s'endormir devant son thé. La soupe au bœuf valait bien celle des bonnes tables de Da Nang, et l'Américaine le fit savoir à la tenancière, confuse au-dessus de son fourneau. Des *banh dûa cuon,* gâteaux roulés à la noix de coco, complétèrent ce simple dîner, avec le thé habituel.

Frère et sœur refermèrent leurs livres, et la mère envoya le garçon acheter d'autres pâtisseries, commandées par les clientes. Il devait avoir neuf ou dix ans, et il courut sans qu'on le lui demandât. Kathleen l'avait à peine vu, et pourtant le passé incendia brusquement le sombre local.

— Oui, Thanh, j'ai eu un garçon. Il aurait neuf ans aujourd'hui.

— Que lui est-il arrivé ?

— Un chauffard l'a fauché sur le trottoir, un soir de fête. Il s'appelait Daniel et il avait cinq ans.

Lâm Thi Thanh eut un frisson, dans lequel Kathleen Murphy lut les mots qu'elle étouffa. Un fils, un mari, à deux ans d'intervalle... N'était-ce pas une autre guerre, la guerre lente à laquelle l'Amérique n'était pas préparée ? Il y eut un silence, que vint meubler la candeur de la fillette, dont la tresse serrée retombait sur le devant de l'épaule. Un silence qui était aussi la vie des femmes que les paroles et les actes des hommes ont meurtries. La jeune fille demanda à l'enfant de lui montrer son cahier d'écolière, et lui adressa quelques compliments, bientôt suivis de ceux de l'étrangère. Et lorsque Thanh lui annonça que ces derniers étaient ceux d'une institutrice, la fillette eut un timide sourire et se retourna vers sa mère. Le frère revint, toujours en courant, avec des gâteaux ronds et minces, les populaires *banh giay* au riz gluant. Avec l'assentiment de Thanh, Kathleen les coupa en deux afin de les partager avec les enfants, sous le regard aussi gêné qu'attendri de leur mère.

— Ils doivent avoir l'âge de mes élèves, mais consommer bien moins de sucreries, nota l'Américaine. Chez nous, hélas, les obèses sont nombreux, dès l'école.

Aussi frêle qu'une orchidée, Thanh attendit le départ des enfants pour questionner Kathleen :

— Est-il vrai qu'en Amérique on jette beaucoup de nourriture ?

— Mille fois vrai. Nous sommes les champions du gaspillage. Toutes catégories : aliments, énergie, espace. Frugalité, économie, modestie sont encore des termes nouveaux, après avoir été longtemps des mots honteux.

— La richesse, peut-être, n'est pas une bonne école.

— Oui, l'insolente richesse des uns, et la misère des autres. Car la pauvreté en Amérique est bien plus qu'une maladie, elle est la faillite de notre société.

— Et nous qui cherchons tant à vous copier…

— Oh là là ! Thanh, quelle exagération ! Relevée de ses ruines, Quang Tri est un modèle de sagesse.

— N'allez ni à Saigon ni à Hanoi, vous serez déçue. Et à Da Nang également je crois, les nouveaux riches affichent leur folie.

— Da Nang demeure humaine.

— La démesure aussi est humaine. Trop humaine, me disait un professeur dont le frère vit en Californie.

— Et le pessimisme, petite sœur, est-il humain ou inhumain ?

— Qu'en dites-vous à vos élèves ?

— Ils sont bien trop jeunes. Pour eux, tout est encore relativement simple. Trop simple. La télévision, la publicité, la violence leur assènent des images de la vie qui sont la négation de la raison.

— Votre métier doit être difficile...

— C'est un pari, chaque matin. Un beau défi.

La vieille à la bouche enflammée par le bétel était toujours là, sa tasse vide, le regard inerte happé par la télévision. Thanh et Kathleen remontèrent vers l'hôtel, puis au balcon de marbre. Au-delà de la route nationale, Quang Tri s'endormait sous la lune, alors que perçait çà et là le point rouge d'un *am tho* ou la lueur d'une échoppe. La femme de chambre Lâm Thi Thanh reprendrait le lendemain son travail sur les deux étages. Mais pour un dernier moment, elle demeurait l'amie d'une touriste pas comme les autres, d'une Américaine pour laquelle le Viêt Nam n'était pas un itinéraire de routard, et bien au contraire une quête aux sources d'un désastre historique. Aussi, Kathleen lui demanda quel était, à dix-huit ans, son sentiment personnel à propos d'un conflit qui avait tant marqué le siècle. Dans sa naturelle humilité, la jeune fille lui répondit qu'elle n'avait appris et retenu que des rudiments de l'histoire de son pays, et principalement des années héroïques de la dernière guerre de libération. Elle savait que, depuis plus de mille ans, le pays avait été continuellement l'objet de luttes, de révoltes et de conquêtes. Aux convoitises des Khmers, puis des Mongols avaient succédé tant de rivalités seigneuriales, bien avant les Nguyên, les Trinh et les Lê. Avec, dans la mémoire des Chams, l'amer souvenir de la perte de l'Amaravati[19]. Après les humiliations du régime colonial français et de l'occupation japonaise, le dernier conflit, contre la puissante armée américaine, s'était inscrit tel le massacre injustifié de son peuple, dans l'esprit de tous ses camarades d'études. Elle avoua cependant :

---

19. Amaravati : cœur du royaume Champa, au centre de l'actuel Annam. D'influence hindoue, puis bouddhiste, riche pays rizicole, il fut le sanctuaire de l'art cham. À ne pas confondre avec l'Amaravati indien, site archéologique de l'Andra Pradesh.

— Je ne pense pas que l'Amérique soit si mauvaise, et je crois que les *bô dôi* n'étaient pas tous des héros.

— Avez-vous le droit de dire de telles choses?...

Thanh sourit, laissa un poids lourd s'éloigner vers le sud, et reprit :

— Peut-on nous retirer la liberté de penser?... Et vous, Kathleen, professeure, pourrez-vous enseigner ce que vous aurez vu et appris au Viêt Nam?

Le silence de l'Américaine fut une réponse éloquente. L'amitié toute simple chargeait la nuit sur Quang Tri de cent autres questions auxquelles ni l'une ni l'autre n'eussent pu répondre qu'en s'accordant une telle retenue. Elles échangèrent leurs adresses postales, se séparèrent comme deux sœurs.

Lorsqu'elle quitta l'hôtel au petit matin, le réceptionniste remit une enveloppe à Kathleen Murphy, qu'elle ouvrit vingt minutes plus tard, dans un grand car pour le nord, où elle eut par chance une place assise. Quelle belle surprise : à l'intérieur d'une carte aux motifs brodés de soie, Thanh avait écrit :

To Kathleen,
my american friend from Milford.
Have a nice trip in North Annam.
Yours, Thanh.

Mais où s'était-elle procuré le livret joint dans l'enveloppe, elle qui ne parlait pas français? Un recueil de poésie traduit dans cette langue et datant de 1983, aux pages jaunies, fragiles, rongées d'un côté par les insectes ; le titre en était *Carnet de prison* et l'auteur Hô Chi Minh. Le papier sentait le tabac, et les poèmes étaient pour la plupart des quatrains, dont elle compléta la lecture avant même la traversée de Hô Xa. Oh! dans la course matinale de l'autobus, ces quatre vers titrés *MINUIT* :

Les yeux clos, ils ont tous la mine honnête et pure
Le réveil les divise en méchants et en bons.

Bon, méchant… nul ne l'est en naissant – de nature –
On le devient. Surtout par l'éducation[20].

Quel texte tout indiqué, à afficher dans le bureau de la Heron Pond School, pensa spontanément l'institutrice. Hélas ! le seul nom de son auteur interdirait une telle suggestion. Elle remit le précieux livre dans l'enveloppe, en espérant que le sac de voyage ne lui serait pas trop dommageable.

○

Une belle route, la Nationale n° 1 au nord de Dông Ha, avec ou sans poèmes d'Hô Chi Minh à lire sur un siège plus qu'étroit pour une Américaine. Mais une route peut-elle être belle, quand de chaque côté des femmes brisent leur dos dans les rizières, sous la chaleur montante et les piqûres d'insectes ? Et pour des salaires inavouables. Dans l'infinie succession des paysannes courbées sous le *non la,* Kathleen Murphy réentendit les paroles amères de Phan Thi Oanh, une doctoresse de Da Nang avec qui elle s'était entretenue des ravages croissants du sida :

— Comment juger une fille qui préfère gagner en une nuit, avec un étranger, ce qu'elle n'amasserait qu'après deux mois de travail pénible dans la rizière ? Oui, madame Murphy, avait-elle appuyé, une semaine de prostitution rapporte plus qu'une année aux champs. Alors, allez donc les convaincre qu'avec le sida leur vie sera vite foutue…

Elle lui avait répondu qu'en faculté de médecine, bien sûr, on ne devait pas plus enseigner la solution à ce problème qu'elle n'avait, au Keene State College, appris à convaincre des parents irresponsables de mieux songer à l'avenir de leurs enfants. Face à la délinquance juvénile, à la drogue et au sida, la plupart des pays baissaient les bras.

20. Traduction de Phan Nhuan.

Sa chance à elle était d'avoir de très jeunes élèves. Mais, treize ans après Lorraine, la doctoresse vietnamienne lui avait dit que cette chance était aussi un beau devoir, les premières années d'école étant capitales dans une vie. Parmi les passagers de ce bus bondé montant vers Hanoi, elle était la seule étrangère, et ses pensées lui apparurent puériles en regard des visages graves et las autour d'elle. Quels drames traînaient ces destinées insondables, ces raideurs, ces brefs demi-sourires qu'imposait la dignité orientale ? La barrière de la langue repoussait les malentendus, et sans doute, au-delà des tragédies familiales, les antagonismes encore vifs entre le Nord et le Sud.

Kathleen s'arrêta à Dông Hoi, où elle passa la nuit. S'étirant entre l'embouchure du sông Nhât Lê et la route nationale, cette capitale provinciale ne manquait pas de charme, avec ses rues ombragées, ses fières résidences, et sur les rives du fleuve les grands carrelets des pêcheurs, souvent manœuvrés par leurs enfants, alors que remontaient ou descendaient vers la passe les *thuyên may* de la pêche côtière. Dông Hoi avait également été la cible d'intensifs bombardements, dont témoignait la squelettique silhouette d'un clocher au bas de la ville. Surprise : on avait construit un *dinh** remarquable en l'honneur de Hô Chi Minh, qui à lui seul justifiait l'arrêt à Dông Hoi. Un temple mieux accordé à la personnalité du leader que le musée kitsch que Hanoi lui avait consacré. Au rez-de-chaussée, des panneaux photographiques évoquaient la dureté des combats tout autour de la ville, ceinturée de tranchées où hommes et femmes tenaient les mitrailleuses. Là aussi on montrait le pilote américain d'un avion abattu. Cependant, en voyant, à l'étage supérieur, l'oncle Hô trôner sur un autel entre vases, urnes, fleurs et bougies tel le Bouddha, l'institutrice de Milford réalisa à quel point elle n'avait pas l'âme vietnamienne. Elle ne put s'empêcher de songer aux quinze mille paysans exécutés pour s'être opposés à la réforme agraire imposée par Hô Chi Minh.

Avant la tombée du jour, elle s'attarda sur la plage au-delà de l'estuaire, fascinée par l'immensité marine sur laquelle les bateaux de bois se berçaient tels des bouchons. Ici le panorama ne souffrait pas de l'angoissante proximité des tunnels de Vinh Moc, et il n'avait pas la trompeuse sérénité de la baie de Da Nang. Sous un ciel moutonné vers le sud, la mer de Chine dressait un tableau somptueux, passant lentement de l'aquarelle au lavis, puis à la mine de plomb quand les dernières embarcations regagnaient le havre.

Un marcheur croisa l'étrangère, se retourna, l'accosta dans un bel anglais. Il travaillait au nouvel hôtel construit face à la plage, et Kathleen Murphy comprit, avant même qu'il s'en expliquât, que cet homme élégant et sans complexe était, à l'instar de la coiffeuse Kiêu Thi Ngoc, un *my lai*. Tandis qu'il l'invitait à poursuivre la balade sur la grève, elle se remémora la boutade de son beau-père : *Americans and Vietnameses make nice bastards.* Dans la lumière déclinante, son fin profil et son pas souple ne manquaient pas de séduction. Elle lui avoua que cette longue plage de Nhât Lê eût pu être idyllique, sans les détritus qui la jonchaient çà et là en bas du mince rideau d'arbres la séparant de la route. Il attendit pour lui répondre, sans fard :

— Je partage entièrement votre sentiment. Bien sûr, Dong Hoi n'est pas Nha Trang[21]. Pourtant, avec un réel effort nous pourrions attirer les touristes.

— Et remplir votre hôtel ! Mais les vacanciers ne sont-ils pas aussi pollueurs que les habitants…

La réplique le fit sourire. Un jeune couple se détacha, plus bas, à la frange des vagues, marchant amoureusement collés l'un à l'autre.

— Ces deux-là ne voient qu'un ciel bleu, même s'il est déjà sombre.

21. Nha Trang : célèbre station balnéaire du sud de l'Annam, et capitale de la province de Khan Hòa.

L'homme était charmeur, et elle aussi s'amusa de sa répartie. Ils poursuivirent vers le nord, là où la plage semblait s'urbaniser. Il s'arrêta bientôt.

— Voyez-vous, ces douches, ces cabines, un peu d'entretien, de peinture ne leur ferait pas de mal. Mais cela n'est pas encore naturel chez nous. Nous traînons des relents de guerre, de privations. Cependant, malgré leur tristesse, les petits restaurants, les paillotes un peu plus haut servent du bon poisson… Vous n'avez pas faim ?

— Pourquoi pas !

Ils remontèrent sur la route, où l'homme interrogea les cuisinières à propos de leur menu. Après la réponse de la quatrième, il avisa l'étrangère :

— Des calamars frits et du mérou, ça vous plaît ?

Elle tira une chaise à la première table, lui volant une galanterie pour laquelle il voulut se rattraper en commandant un Coca-Cola.

— Horreur ! le coupa-t-elle. Du poisson frais avec ce sirop de paumé, vous n'y pensez pas…

Le repas fut lent et délicieux, accompagné d'un jus d'ananas et de thé. Lui s'appelait Mike, et tous prononçaient Mac. Oui, il était bien un *my lai,* et son père était un grand blond du Wyoming, que sa mère n'avait vu que durant un mois à Plei Ku. Plus que triste, la guerre avait pour elle fini deux ans plus tard sous la rafale d'un Chinook[22]. Et pour lui chez une tante près de Qui Nhon. Une veuve devenue sa mère adoptive, et qui l'avait élevé de son mieux sur sa maigre parcelle. Puis, à l'âge de toutes les questions, elle l'avait embarqué avec elle, tassés sur un sampan où ils étaient bien cent cinquante à avoir dérivé vers les côtes du Cambodge, avant d'être attaqués par des pirates thaïs. La tante, avec quelques autres *boat people,* était morte de peur autant que de fièvre. Et lui s'était retrouvé parmi les

22. Chinook : hélicoptère lourd de combat durant la guerre du Viêt Nam.

deux mille réfugiés de la mer du camp de Laem Sing, en Thaïlande. C'est là qu'à neuf ans il avait commencé à apprendre l'anglais, dans l'espoir de partir aux États-Unis, en Australie ou au Canada. Pour finalement revenir au Viêt Nam à douze ans. Les agents recruteurs de ces trois pays avaient-ils jugé l'orphelin trop chétif pour l'inscrire sur leurs listes ? Au retour, on lui avait craché une dernière information : son père n'avait jamais dû revoir le Wyoming, et être tombé au combat quelque part entre Plei Ku et Khe Sanh. Alors le fils de personne s'était taillé une vie d'adolescent blindé dans cent petits métiers de Saigon, tout en perfectionnant son anglais. Il était ensuite passé dans plusieurs hôtels là-bas, avant de servir dans un palace de Hué, puis d'être engagé voilà trois ans par ce nouveau Dragon Hotel, l'orgueil de Dông Hoi. Voulant abréger, il admit humblement :

— Parfois, du balcon d'une chambre libre, j'observe la mer, et je revois ma tante, mourante sur le bateau. Je touche le fer chaud de la balustrade, tel le bras, le corps fiévreux de Ha.

— Alors ce soir, ne regardez plus l'horizon. Changeons de chaise, si vous voulez…

— Non, c'est inutile. De la route ou de la plage, je vois comme vous l'océan des pêcheurs, des enfants, des vacanciers. Je vois la marée qui rythme un peu notre vie. Mais si je monte les étages de l'hôtel, la mer de Chine est toute autre : une insondable trahison de l'univers. L'atroce désespoir de tous ceux qui avaient cru en la pitié, la générosité des pays riches, et qui ont été engloutis dans l'indifférence ou le mépris. Je vois des points noirs qui ne sont pas nos bateaux de pêche, mais des familles, des centaines de familles qui sont mortes pour avoir voulu vivre plus librement. Et quand la nuit tombe, j'entends leur désespoir dans les camps.

— Je pensais que ces embarcations partaient du Sud.

— Vous avez raison. Elles sont presque toutes parties des côtes du Nam Bô. Mais pour moi, elles restent des points noirs sur la mer de Chine.

— Et sur le golfe de Thaïlande...

— Oh ! là-bas, c'étaient des points rouges. Des rumeurs, des récits de mort. À neuf ans, on ne comprend pas tout, mais on comprend déjà trop.

Kathleen eut mal à l'écouter. Cet homme était sincère, elle le voyait, elle l'eût vu sans même les quelques cours de psychologie de sa formation à Keene. Ils devaient être quelques milliers comme lui, à s'être sentis abandonnés par l'Occident, par des pays qui clamaient si fort leur amour de la liberté. Il s'exprimait aisément, sans chercher ses mots, et loin de tout snobisme ou afféterie. Loin aussi du langage rugueux, agressif qu'eût pu devenir celui d'un enfant, d'un adulte après un tel parcours. Curieusement, elle le percevait comme allogène dans son propre pays natal, ayant vécu une épreuve, un désespoir trop forts pour réapprendre l'éternelle beauté de la terre vietnamienne. Ces gens ne développaient-ils pas une hypermnésie des faillites humanitaires, que leur travail, leurs relations sociales les obligeaient à retenir dans l'enclos d'une solitude intérieure ? Elle douta d'elle-même, de son humble compréhension des choses, et demanda simplement :

— Au retour d'exil, pour quelles raisons avez-vous tenu à perfectionner votre anglais ? Après le refus de l'Amérique, de l'Australie, ce ne devait pas être facile...

— Pour gagner ma vie. À Saigon, mieux on parlait anglais, meilleur était le salaire, même dans les plus sales boulots. À douze ans je l'ai compris. Et plus tard encore mieux.

À son tour elle dut remonter son passé, résumer les motifs qui l'avaient conduite à cette sorte de pèlerinage sur les côtes de l'Annam. Il l'écouta sans l'interrompre, tout en lui servant du thé. La nuit s'était posée sur l'océan, mat silence qu'estompait le tardif bourdonnement d'un *thuyên may*. Au sud les nuages avaient fui, et la lune hésitait encore à grimper au-dessus de la ville assoupie. Il y avait dans le récit de Kathleen quelque chose d'irréel, d'impensable, mais ainsi étaient la vie, le monde, la profonde irrationalité des êtres. Lorsque enfin elle reconnut l'ambiguïté d'un tel voyage en de telles circonstances, l'homme lui répondit :

— Ne vous excusez pas. J'imagine votre douleur, et votre angoisse d'institutrice, devant des élèves, des familles qui n'ont jamais vu leur maison, leur ville bombardées. Pourtant, je ne vous dirai pas que ce 11 septembre fut une leçon salutaire pour l'Amérique. La barbarie ne se justifie jamais. Je veux seulement espérer que d'autres femmes, d'autres hommes feront votre effort pour mieux comprendre l'absurdité de certaines guerres. De toutes les guerres, non ?

— Ce n'est pas à vous que je dois enseigner l'Histoire, moi qui n'ai aucun diplôme. Guerre juste ou injuste, la question est vieille comme le monde. Mais peut-être peut-on distinguer les luttes de libération des guerres de conquête, les héroïsmes nationaux de l'aveuglement des fanatismes ?

— La confusion entre résistants et fanatiques n'est-elle pas, elle aussi, millénaire ? Et, aujourd'hui plus que jamais, entretenue par les médias ?

— De toute évidence. Et les nôtres sont de beaux parangons d'hypocrisie.

Elle se leva, régla la note, sortit du côté de la plage. La lune s'élevait au fond de l'estuaire, argentait d'infimes vagues. Fixant l'océan au calme absolu, elle hasarda :

— Mike, ce soir, que voyez-vous ?

Sans répondre, il quitta le terre-plein, descendit sur la grève, et elle le suivit. Perça le léger clapotis de la marée, suivi d'un jappement lointain. Plus un bateau, plus un moteur vers la passe, Dông Hoi s'endormait, et la mer de Chine tendait son épais mystère. Ils marchèrent encore vers le nord, dix, quinze minutes avant qu'il ne s'assît sur le sable tiède. Elle demeura debout à quelques pas, reprit sa question :

— Mike, que voyez-vous ?

— Une silhouette. Une Américaine je crois, qui veut aimer la mer, et oublier la guerre.

Elle vint s'asseoir près de lui, avec un oppressant désir d'amnésie, et le brusque sentiment que les mots avaient trop mangé le temps. Depuis quinze mois à Milford, le regard de Dick, la maison portant partout son empreinte et celle de Danny, l'affection de Lorraine, de Russell, de Cheryl, la stimulante amitié de Cindy, tout avait concouru à élever autour d'elle une enceinte d'honorabilité. Si loin soudain les non-dits des collègues et de la famille, si loin l'impasse d'un tailleur de Da Nang, et cette ville et ce pont dont les lumières disparaissaient au-delà de la tension de Vinh Moc, des mille tombeaux sur la terre brûlée de Dia Tang.

— Avez-vous une femme, ou l'avez-vous quittée à Hué, à Saigon ?...

— Oui, à Hué, une amie. Que j'ai perdue à l'hôpital. Le cancer, la sale guerre sous la peau. C'est aussi à cause de cela que je suis venu ici, car nous travaillions là-bas dans le même hôtel.

Un frisson secoua Kathleen Murphy. L'homme la retint d'une main ferme, imprimée dans l'épaule. Elle ne bougea pas plus lorsqu'il abaissa le col du tricot et l'embrassa sur la nuque. Alors il s'enhardit, quêtant un baiser sur les lèvres rafraîchies par la brise. Elle s'y déroba sans rompre le silence, laissant sa tête glisser sur la poitrine osseuse du Vietnamien. Il tissa un patient labyrinthe dans les cheveux souples et courts, puis plus bas dans le tricot, jusqu'à l'enveloppe soyeuse du sein. La main s'endormit là, où elle apprécia cette commune chaleur à l'écart de la brise. À nouveau il humecta délicatement la nuque, et les doigts libres vinrent en napper les infimes frémissements. Dans le tendre inconfort, elle vit l'océan vibrer sous la lune déjà haute. Quelques vagues plus fortes, une folle gerbe d'eau à Rye North Beach... Elle crut pleurer, se redressa subitement en refermant son tricot. Elle appuya sur une touche de sa montre lumineuse, se leva en invoquant l'heure tardive pour regagner son hôtel. Devant le Dragon, elle pria l'homme de ne pas l'accompagner plus loin. Elle lui accorda un pudique baiser avant de presser le pas vers la route bordant l'estuaire. Passé l'humble pagode en retrait à cette extrémité de la ville, elle se retourna afin de s'assurer de n'être pas suivie.

À l'instar du maître d'hôtel, l'océan avait également disparu au bout du havre, où les carrelets dressaient leurs silhouettes cubiques de monstres nocturnes. Oh ! cette fugitive image, ce bond de Dick dans une vague à Rye North. Dans un éclat de lune à Nhât Lê. Quinze mois, douze années, le temps était sans dates et sans oubli. Dick avait crevé l'angoissant silence de la mer de Chine. N'avait-il pas aussi interdit la paix dans la nuit de Dông Hoi ?

Face à la poste centrale, le My Ngoc Hotel ne comptait que douze chambres, spartiates mais propres et aérées. Kathleen Murphy était descendue là le matin à l'arrêt de l'autocar, vite séduite par la gentillesse de mère et fille à la réception. Toutes deux lui offrirent le thé avant qu'elle ne montât dans sa chambre par l'étroit escalier de ciment, où chaque marche révéla la fatigue d'une journée fort remplie. Elle était sous la douche lorsqu'on frappa sur le palier. Elle se rinça à la hâte, fit valser deux serviettes et enfila son pyjama de soie, un caprice qu'elle s'était payé à Hué. Quatre petits coups revinrent à la porte, qu'elle ouvrit sur l'embarras de la jeune fille de l'hôtel. Un homme bien vêtu demandait à la voir, il insistait malgré l'heure, en disant s'appeler Mac. À peine surprise, Kathleen lui répondit qu'elle pouvait le laisser monter. Ce qu'il fit sans bruit, ses sandales à la main. Elle étouffa un rire en le voyant, alors que, la porte refermée dans un complet silence, il l'étreignait déjà, glissant sur son dos, son buste, les savants frissons d'un tissu de rêve. Il prolongea indûment cette balade verticale, esquivant les baisers qu'elle attendait, donnant à la soie des trésors de luxure. Il aima tant l'odeur des cheveux mouillés, cent fois défaits dans ses mains fines, cette nuque encore à laquelle il accordait les furtifs baisers refusés à une bouche impatiente.

— Mike, Mac, fit-elle, et il comprit qu'elle désignait le large lit, d'une indécente blancheur sous le tube fluorescent.

— Mike, Mike...

Il la maintint debout dans l'entrée de la chambre, avec la persistante moiteur de la douche toute proche, mêlant encore mieux la douceur de la soie aux frémissements de la peau. Elle voulut le provoquer, l'agresser dans son costume de parfait séducteur, ne parvenant qu'à exacerber l'exquise et insupportable lenteur des doigts sur le tissu. Le pyjama jeta des ponts, tendit d'ardents désirs dans la nuit blanche et humide, avec au creux d'un havre l'insolent défi de l'étoffe. Son corps la trompa, tant le tissu et l'épiderme s'attiraient et se fuyaient, flux et reflux d'une marée lascive aux algues fortes. Toujours il lui refusait des lèvres ailleurs si actives, et elle se cabrait, esquissait un pas vers le lit, alors que des mains inlassables visitaient, flattaient, choyaient son corps dans un délire d'organsin.

— Mike, Mike, soupira-t-elle, tandis que la soie se faisait plus intime.

Enfin il l'embrassa, la fit s'étendre sur le drap, marquée d'eau et de sueur dans le pyjama bellement froissé, la dénuda aussitôt. Elle ne lui murmura pas que ses lèvres d'homme avaient aussi la jouissive douceur de la soie, et il ne lui avoua pas plus qu'elle était, dans la lumière crue et sans bijoux, plus sensuelle qu'une apsara. Ils eurent deux, trois heures d'ivresse et d'abandon, sans que l'un ou l'autre ne coupât le fluorescent.

Sous la douche ils se hâtèrent, afin que la tuyauterie n'éveillât pas les voisins, et elle prit plaisir à le regarder se rhabiller. Des gestes d'homme qu'elle avait oubliés. Ils n'échangèrent pas leurs adresses, chacun savait que cette nuit serait sans lendemain. Telle une étoile filante, un éclair de tendresse, ou plutôt de désirs refoulés par les convenances. Un joli feu de paille oriental, bien loin des feux de la Saint-Jean qui enflamment les cœurs des Vikings assagis. Mike descendit aussi silencieusement qu'il était monté, mais quel silence palpitant dans la porte entrouverte, que Kathleen referma avec précaution. Elle se surprit alors de son audace ou de sa faiblesse, ne sachant à quel sortilège elle avait succombé sur la plage de Nhât Lê. Elle fut saisie par la ridicule impression d'avoir trompé l'aimable Pham Van Ly. Avait-elle perdu la raison, dans cette chambre austère qu'avait ensorcelée un séducteur dont elle ne connaissait que le prénom ? Elle éteignit, se roula dans le drap, rêva d'un monde où le Swing Bridge, Rye North, l'impasse du 15 A Phan Dinh Phung, comme un soir du Pumpkin Festival ou un matin de septembre à Manhattan, n'auraient pas plus d'importance que le chant de l'*hoa mi* dans les bambous, ou le sourire de Thuy lorsqu'on lui achète quelques sachets de cacahuètes. Elle souhaita dormir jusqu'à midi.

Hélas ! avant six heures deux coqs entonnèrent leur duo derrière l'hôtel. Kathleen Murphy remonta le drap sur sa tête. Sans guère d'effet dix minutes plus tard. Elle se leva, but un grand verre d'eau, tira de son bagage le recueil de poèmes d'Hô Chi Minh, et relut le quatrain de la page cinquante-six :

Un coq chante
Tu n'es qu'un animal tout à fait ordinaire
Qui, de sa voix puissante, annonce le soleil.
Au premier chant, un peuple émerge du sommeil
Le travail que tu fais n'est pas si vile affaire[23].

Elle sourit, revit plusieurs pages, et quand cessa le duo maudit elle retourna sous le drap, en pensant que tout leader révolutionnaire a le droit de rêver, et même d'errer, lorsqu'il est loin de sa bien-aimée, ou en prison.

23. *Carnet de prison*, traduction de Phan Nhuan.

○

À deux cents kilomètres au nord de Dông Hoi, Vinh était la mémoire dure de la guerre. Cette ville avait été bombardée de 1964 à 1974 par les B-52, auxquels s'étaient joints, lors des raids intensifs de 1972, les chasseurs d'un porte-avions stationnant au large de l'estuaire du sông Ca, le grand fleuve descendant du Laos. Si elle comptait maintenant plus de deux cent mille habitants, ceux-ci l'avaient désertée au plus fort des attaques, n'y laissant que les militaires et les personnes occupant les postes-clés des secteurs stratégiques. Vinh n'avait pas d'industrie lourde de première importance, mais principalement des fabriques d'équipements électriques et de wagons de chemin de fer, des filatures et des dépôts de carburants, entre lesquels s'imbriquaient, comme dans toutes les grandes agglomérations, des usines secondaires et des ateliers artisanaux. Elle était cependant un centre majeur d'approvisionnement en armes, combustibles et denrées destinés aux combattants de l'Annam, que les bombardements américains visaient à interdire. Elle était aussi une ville dont l'âpre résistance était la fierté du Nord, et l'on aimait y rappeler que Hô Chi Minh était un enfant du pays, né au village de Kim Lien, à seulement quinze kilomètres de Vinh.

L'ancien aviateur Kevin Murphy l'avait dit et redit à sa bru :

— À Vinh, nous n'avons pas laissé grand-chose debout.

Lors d'un entretien téléphonique, quelques jours avant son départ, il avait hésité à lui confier son embarras :

— Oui, Kathleen, ce voyage, vous le ferez un peu pour moi, mais peut-être ne devriez-vous pas monter jusqu'à Vinh.

— Presque trente années ont passé, Kevin.

— Je sais. Pourtant je crains que vous n'y soyez mal reçue. Être américaine, là-bas…

Durant trois heures et demie dans un autre autobus archicomble, cette voix de Claremont avait émergé de la brève aventure de Dông Hoi. Les paroles de Kevin avaient flotté au-dessus des rizières, et creusé, durci les regards des passagers, jeunes et vieux. Cette dernière étape n'allait-elle pas blesser le sentiment qu'elle avait d'aimer chaque jour un peu plus ce pays ?

Et Kathleen Murphy était restée trois jours à Vinh. Là où aucun touriste ne descendait. Toute rebâtie, la cité industrielle du nord de l'Annam l'avait à la fois déconcertée et enthousiasmée. En grande partie, l'agglomération s'articulait de part et d'autre d'une large avenue nord-sud de trois kilomètres, sur laquelle se succédaient les commerces et les hôtels. Hélas ! au bas de cette artère, d'horribles HLM construits avec l'aide de l'Allemagne de l'Est salissaient le cœur de la ville. Mais dans les rues adjacentes, Vinh se prenait à rêver, avec des édifices, des villas à deux ou trois étages dont l'architecture et les couleurs tenaient des gâteaux de noces. Ici et là entre ces délires de béton blanc, jaune ou rose, de petits commerçants et artisans travaillaient en famille, dans un millénaire héritage de patience et d'ingéniosité. Partout des enfants vifs secondaient leurs parents pour les plus humbles occupations. Kathleen retrouvait également ces jeunes ouvriers accroupis sur le ciment, démontant ou remontant une motocyclette, s'activant au délicat rembobinage d'un moteur électrique, ou ajustant tenons et mortaises d'un meuble rustique. Derrière eux, debout devant leurs machines-outils huileuses et peu éclairées, leurs aînés maîtrisaient toutes les mécaniques. Elle découvrait au hasard d'une entrée, ou à l'arrière d'une boutique, une famille préparant les *cu do**, spécialité de Vinh : des gâteaux ronds de grandeur variable, faits de deux feuilles de pâte de riz retenant des arachides noyées dans du sucre de canne mou.

À quinze minutes de l'hôtel, entre la rue Nguyên Thi Minh Khai et l'avenue Quang Trung, étaient réunis, aux yeux de l'Américaine, quelques-uns des plus vivants contrastes urbains. Un petit triangle d'or, plus instructif qu'une heure passée dans un musée de province. Oh ! la belle métonymie hors les murs que cette galerie de tous les espoirs qu'était le trottoir à Vinh. Un édifice étroit de quatre étages, mauve et coiffé d'une couronne dorée, pâle esquisse d'un Disneyland vietnamien, était au rez-de-chaussée occupé par un chic studio de photographie, avec de riches costumes pour fêtes et mariages. Collée à cette bonbonnière de béton, la modeste épicerie de madame Nguyên Thi Hanh s'accordait mieux à la simplicité des passants. Dans son comptoir vitré et sur une quinzaine d'étagères s'alignait tout ce qui peut soudain manquer à une famille annamite, du thé au lait condensé, de l'huile à la bière, des biscuits de riz aux chips de banane, des cigarettes au dentifrice, avec tout d'abord les flacons de *nuoc-mâm** et les sachets de monoglutamate. Et tout en haut, non pas un bouddha, mais quelques bouteilles de whisky et de champagne, probablement pour les mariés sortant du studio voisin. Sur le trottoir opposé, trois coiffeurs pour hommes tenaient salon contre l'enceinte grillagée d'un parc. Un siège, deux paires de ciseaux, quelques lames de rasoir, un peigne et un miroir guère plus grand qu'une carte postale, le talent du barbier palliait la nudité du décor. À la pointe sud du triangle, façades, couloirs et arrière-cours des HLM imposaient leur laideur, leur ciment écaillé, fissuré, noirci, peuplé de silhouettes sans joie, telle une prison sans verrous. Le linge aux fenêtres tendait de surréalistes guirlandes, tandis qu'au sol les jeux, les cris des enfants humanisaient cette honte de la ville.

Cependant, c'est au cœur du triangle que Kathleen Murphy avait cru voir l'âme de Vinh. Un lieu, une jeune femme qui symbolisaient les mille facettes de la vie, de l'espoir après les ruines. Phan Thanh Loan était photographe, et son studio tenait sous un parasol au milieu du parc. Y pendaient plusieurs robes éclatantes, des blouses blanches, rouges, chatoyantes, quelques dentelles et colliers que revêtaient les fillettes ou leurs aînées pour se faire photographier, en buste ou en pied. Durant dix minutes elles étaient princesses, avant de retourner à la vie grise et monotone, en pantalon noir et défraîchi, en tricot délavé. Sept mille dôngs (un demi-dollar) pour une photo couleur qui les ferait rêver toute l'année, dans un logement exigu et sans autre luxe qu'un ventilateur et une télé aux images granuleuses. Sept mille dôngs, était-ce encore trop cher pour s'offrir ce plaisir ? Ce jour-là les jeunes filles, en tenues d'écolières ou dans des habits lâches et ternes, s'éloignaient toutes sans choisir aucune robe, après avoir gaiement devisé face aux portraits affichés près du parasol. Loan demeurait silencieuse dans l'ombre.

Une fillette solitaire était repartie après s'être attardée devant les beaux habits. Son pantalon bariolé était plus qu'élimé, sa chemisette rapiécée. Fluette et grave, elle n'avait pas d'âge, et l'étrangère l'avait observée tandis qu'elle remontait l'avenue Lê Loi. Elle paraissait aller sans hâte, s'arrêtant, se retournant, traînant autour de l'étal d'un camelot de trottoir, ou revenant sur ses pas. Puis elle était repassée voir les photographies des petites reines d'un jour. Une longue queue de cheval s'agitait de temps à autre sur sa nuque, balayait la blouse tel un jeu anodin. Kathleen s'était rapprochée d'elle. Un fin profil, des yeux très mobiles sous un front cuivré, des lèvres pincées, une main de poupée nerveusement accrochée à un pan trop long de la chemisette, un glissement saccadé des tongs sur la terre battue ; tout trahissait, autant que l'envie, l'angoisse précoce d'une enfant souffrant d'insécurité.

L'institutrice songea à Thuy, jamais aussi triste dans son attente des clients sur les quais de Da Nang ; puis à ses élèves insouciants de Milford, réapparaissant chaque matin dans des vêtements propres. La pensée l'effleura qu'il serait stupide d'offrir à cette pauvrette son portrait avec une robe de rêve. Charité trop facile, mièvre pitié ou égoïste satisfaction d'une touriste, qui ne ferait qu'exacerber, quelques minutes plus tard, une banale image de la détresse dans une ville qui devait en cacher beaucoup, au-delà des sourires qu'elle lui accordait.

Au diable les mauvaises ou bonnes raisons de ne pas troubler l'ordre ou le désordre des choses ; Kathleen Murphy tira trois mots d'anglais de la jeune photographe, et lui demanda de prendre six clichés de la fillette dans autant de toilettes différentes. Un petit cadeau pour le Têt. Phan Thanh Loan dut la comprendre mieux qu'elle ne s'y attendît. Loin de bâcler son travail pour quelques billets, elle traita la gamine comme si elle eût été sa propre fille. Elle retira d'abord l'élastique de la queue de cheval, brossa, lissa les cheveux dans lesquels elle noua deux rubans bleus, et invita l'enfant à choisir plusieurs habits, après lui avoir fait décliner son nom : Lai. Devant la perplexité de la frêle Annamite, et puisqu'elle portait le nom d'une fleur blanche, Loan décrocha en premier une robe au blanc rehaussé de fil d'or et de dentelle. Elle apporta aussi, derrière le paravent, une paire de souliers noirs, trop grands bien sûr, mais cela ne se remarquerait pas sur la photo. Elle ajusta le tissu sur le corps maigre, sans trop resserrer la ceinture. Il ne fut pas aussi facile d'obtenir un sourire à l'instant du déclic, et l'Américaine apprécia la patience, le talent de la photographe. Une robe rouge à volants, avec des rubans assortis, puis une bleue, une blouse fleurie, et deux autres coupées dans de vifs imprimés, sur jupe droite ou pantalon lustré ; Lai apprit à sourire, tandis que Loan changeait collier ou bijoux de pacotille entre les prises. Les photos couleur seraient prêtes le lendemain à quatorze heures, et la fillette promit d'être là bien avant. Lai embrassa timidement l'étrangère, et disparut cette fois en courant.

Était-ce le soleil ou la fatigue accumulée depuis une semaine ? Kathleen Murphy crut perdre le sens des réalités. Elle aurait vingt élèves à son retour à Milford, mais sa maison, la maison de Dick, de Danny, serait vide. À trente-sept ans, devait-elle imaginer avoir un autre enfant ? Elle paya Phan Thanh Loan. Trois dollars pour un si beau travail, elle s'en indigna intérieurement. La barrière de la langue ne lui permit pas de s'épancher. Elle eût aimé souhaiter à la jeune femme un riche époux qui lui ferait bâtir un studio, avec un salon d'essayage dont trois murs seraient des miroirs, pour des robes, des toilettes de mariés, des costumes qui lui vaudraient les clients fortunés de Vinh. Mais alors, Loan ne ferait plus le bonheur des fillettes, ou des demoiselles pauvres, qui pour sept mille dôngs, pas même le prix d'un cornet de glace, pouvaient coller une photo de rêve sur leur armoire ou près de la télévision. Ah ! que la vie savait être insensée, là où elle avait, trente années auparavant, triomphé de la mort, de la diabolique mousson de feu des B-52.

Le lendemain matin, elle plongea dans l'immense labyrinthe du Cho Vinh, le marché ouvrant la longue avenue centrale. Elle s'y égara, flâna durant une heure dans le dédale des allées si étroites qu'on peinait à y croiser vendeurs et acheteurs. De véritables échafaudages de marchandises, au creux desquels les boutiquiers avaient des yeux tout autour de la tête, hiboux d'une vaste foire dans la pénombre aux cent odeurs. Des citadelles de sucreries et de biscuits annonçant la fête du Têt, dans quelques jours. Des étoffes vertigineusement empilées, des habits pendus en tous sens, et qui décoiffaient les rares Occidentaux, dépassant d'une tête les Annamites. Les quincaillers, relais des mille artisans fabriquant tous les objets de la vie courante, du tournevis à la serrure, de la cuillère à la lampe à pétrole. Plus loin les sacs de riz et de grains exotiques, les senteurs âcres et agressives du poisson séché, celles de la volaille, de la viande fraîche et saignante sur les planches. Puis à la sortie, là où le soleil perçait enfin entre les bâches, l'ondoyante aquarelle des fruits et légumes tropicaux, animée par les mouvements des *non la*. Mais ici à Vinh, des hommes portaient encore l'affreux casque verdâtre des combattants viêtcongs, aujourd'hui invisible au sud. Ces hommes-là, pensa Kathleen Murphy, avaient gardé une oreille dans la guerre. Devait les hanter le souvenir des villes héroïques qu'ils avaient nommées « Poche à bombes », « Triangle de fer » ou « Terre de feu », ainsi que l'avait rapporté le journaliste français Daniel Roussel.

Elle avait déjeuné à cent pas de cette obscure ville dans la ville, étirant un thé brûlant lorsque Lai l'aperçut et vint lui montrer ses photos, en compagnie de sa mère. Un coup d'œil à la montre : ah ! que Loan avait bien prévu l'impatience de la fillette. À midi elle brillait de joie devant l'étrangère, et sa mère se confondait en éloquents silences sous le *non la*. Kathleen leur offrit un *pho* aux généreuses boulettes de bœuf, et retourna avec elles au grand marché, afin d'acheter six cadres de bois vernis pour les portraits de Lai. Elle ne put refuser l'humble cadeau que lui fit la mère : un petit paquet de *cu do*. À nouveau, elle maudit le mur du langage, car cette femme, d'une belle simplicité dans son habit noir, devait connaître tant d'anecdotes sur le martyre et la renaissance de Vinh. Mais un doute la saisit : la digne Annamite n'était-elle pas plutôt la grand-mère de Lai ? Approchait-elle les quarante ou les cinquante ans ? L'évidence ne s'imposait pas. Aussi elle hésita, puis tenta la question avec le doigt, de l'une à l'autre, en français et en anglais. Lai marqua son embarras, murmura à l'oreille de la femme, répondit enfin :

— Bà nôi Hông.

Ce qui n'éclaircit le mystère qu'avec l'aide d'une jeune marchande ayant appris quelques mots d'anglais :

— Mother of father.

Hông était donc bien la grand-mère paternelle de Lai. Kathleen s'en émut, et imagina la brève histoire d'une famille de Vinh, cachée dans les très fines rides de cette femme. Sans rien demander de plus à l'aimable vendeuse. Elles se quittèrent sur Quang Trung, et sous les arbres s'alternèrent les drames familiaux, les beaux retours, et les espoirs définitivement morts. Ce n'était plus la guerre, mais la paix qui brisait les vies. La guerre lente, implacable, que le Nord faisait au Sud, et il ne s'agissait plus du Viêt Nam, mais d'une planète sur laquelle une meute de milliardaires massacraient l'Humanité. Le dur soleil enflamma la longue avenue. La ville devint un abîme, où des voix polyglottes scandaient d'étranges mantras. Une bonne sieste serait profitable. Hélas ! à son hôtel Kathleen Murphy alluma la télévision, et TV5 lui assena quelques sèches réalités. Bientôt une autre guerre, en Irak, pour vaincre une sanglante tyrannie, ou plus prosaïquement pour du pétrole, on ne savait pas, on ne savait plus, le mensonge et la frime engluaient depuis si longtemps les discours aux plus hautes tribunes.

Le troisième jour, l'Américaine s'aventura dans de nouveaux quartiers, loin du centre, là où les ateliers et les résidences alternaient avec les potagers ou les ruines envahies par les hautes herbes. On n'y parlait pas plus anglais qu'ailleurs, ou avec une telle difficulté que l'œil courait plus vite que les mots. Ce court séjour, cependant, n'était pas celui des frustrations. On l'accueillait, lui souriait, lui offrait un verre d'eau gazeuse, voire un *cu do* ou un fruit. Et la révélation de ses origines ne modifiait pas les attitudes. Elle pourrait rassurer son beau-père à Claremont : trente années après avoir détruit la ville, les Américains n'étaient plus automatiquement détestés à Vinh, où des écoliers arboraient sur leur sac à dos un Mickey Mouse ou un Batman. Où l'*ao dai* avait cédé la place au blue-jeans.

Oui, Vinh reconstruite était devenue une cité comme tant d'autres en Asie, lorgnant gauchement la publicité et les outrances de l'Amérique, et se laissant submerger par les bourdonnants deux-roues japonais. Mais, avant de repartir pour Da Nang, Kathleen Murphy voulait entendre une autre vérité : celle qu'une génération vieillissante protégeait dans sa courtoisie et ses silences. Celle d'une résistance, d'une lutte, d'un attachement millénaire à cette terre tant convoitée. Celle des miracles d'un siècle à peine refermé. Alors elle passa quelques heures avec un ancien professeur de l'Université de Vinh. Dans un français lent aux accents de modestie, le retraité évoqua le tragique destin de la ville, qui avait reçu plus de bombes que bien des centres industriels de l'Allemagne nazie. Sur sa petite Yamaha, il conduisit l'institutrice dans les dernières ruines de l'ancienne université. Deux bâtiments mangés par le climat, après l'avoir été par les flammes. Une sorte de mémorial secret, sans visiteurs, encerclé par de nouveaux édifices résidentiels. Ils se rendirent ensuite sur le nouveau campus, à l'autre bout de la ville. Espaces et modernisme aiguisaient la fierté du guide, qui, haussant la voix en s'éloignant d'une bétonnière, déclara :

— Voyez-vous, nous agrandissons déjà une faculté. Depuis la réunification, notre population a doublé. Autre époque, autres problèmes...

Bien que plus âgé, l'homme lui rappelait l'humilité mais aussi la conscience de Pham Van Ly, sa conviction que rien ne pouvait remplacer la connaissance et l'effort. Elle lui dit :

— Monsieur Quang, les jeunes mesurent-ils ce qu'ils vous doivent ?

— La jeunesse n'est-elle pas la même partout ? Elle voudrait tout avoir. Sans connaître le prix de ce qu'elle a. Mon voisin a un fils de dix-sept ans, pour qui le nom de Vô Nguyên Giap[24] ne signifie absolument rien.

La visite du campus terminée, Kathleen Murphy invita le professeur dans un café. L'intérêt que manifestait pour sa ville une institutrice du New Hampshire le touchait. Il avait un fils ingénieur à Hanoi, qui, lors d'un récent séjour en Illinois, avait noté une totale méconnaissance du Viêt Nam

24. Vô Nguyên Giap : plus communément appelé Giap. Général vietnamien, ministre de la Défense, puis Commandant suprême des forces du Nord Viêt Nam, jusqu'à la réunification en 1975. Compagnon de lutte de Hô Chi Minh et grand stratège, vainqueur des Français puis des Américains, son prestige est déjà gravé dans l'histoire du Viêt Nam.

parmi ses collègues américains. Après une guerre aussi coûteuse, cette ignorance le surprenait. Aussi eut-il plaisir à évoquer pour son interlocutrice l'incroyable survie de l'Université de Vinh durant les années de terreur. En 1964, les cours se donnaient à Nghi Loc, à quinze kilomètres du campus. L'année suivante à Thanh Chuong, à cinquante kilomètres à l'ouest, puis en 1966 à Ha Trung, à cent soixante-dix kilomètres au nord. En 1967, l'université s'exila encore plus loin : à Thach Thanh, à deux cent cinquante kilomètres au nord. Deux ans après, elle descendit à Quynh Luu, à soixante-dix kilomètres au nord, et trois ans plus tard elle s'installa à Yen Thanh, à soixante kilomètres à l'ouest. Ce n'est qu'en 1975, à la fin de la guerre, que les cours reprirent à Vinh. Sept déplacements en onze ans, était-ce un record ? Le professeur Dô Quang ne pouvait l'affirmer. Il précisa toutefois que pendant ces années de lutte beaucoup de jeunes quittaient leurs études pour rejoindre l'armée, et que d'autres travaillaient dans les usines d'armement. Oui, l'université s'était déplacée au gré des raids intensifs sur le nord du pays, et jamais il n'oublierait ces heures où il fallait être presque fou pour enseigner la philosophie. Kathleen Murphy lui demanda :

— Avez-vous écrit un livre relatant ces années ?

— Non. Mais deux écrivains de Vinh l'ont fait : Thach Quy et Hô Huu Thoi. Cependant, le texte qui, selon moi, relate le mieux ces journées, ces nuits de feu et de peur, est une nouvelle de Bao Ninh, intitulée *Une nuit inoubliable*. Je l'ai peut-être relue quinze fois. Cette jeune fille belle et douce, ce soldat perdu, fiévreux…

— Je crois l'avoir lue, en français, à Da Nang.

— Rappelez-vous : « Je la regardais dans la pénombre » ; puis, deux ou trois pages plus loin : « Ces B-52, ces terribles monstres, je les connaissais bien sur le front du Sud, je les avais vus voler en plein jour, avec une assurance tranquille et cynique. » Ce texte, reprit-il, je dois le savoir par cœur. Ah oui ! « …une pluie de bombes. Une seule de ces bombes pouvait pulvériser tout un pan de montagne, faire disparaître un cours d'eau, abattre une immense forêt. Mais en cet instant, il ne s'agissait plus de montagne, ni d'un cours d'eau, ni de forêt, il s'agissait de rues et de maisons. Que pouvait faire Hanoi, si petite qu'elle pourrait tenir dans le creux d'une main sous l'immensité de ce ciel balayé par ces monstres meurtriers[25] ? »

L'Américaine comprit que cette nouvelle était chère à son guide providentiel. Elle n'osa pas lui parler de ce 11 septembre qui était non pas sa nuit, mais son jour inoubliable. Non, elle n'avait pas vécu, enseigné, tremblé sous les bombes durant dix années. Elle ajouta simplement :

— Un peu plus loin, je crois, il y a ces lignes : « La jeune fille se colla contre moi, comme pour chercher un abri. Je sentais son corps glacé, le… » Ah ! je n'ai pas votre mémoire…

— « …le souffle de sa respiration haletante sur mon visage en sueur, et les longues mèches de ses cheveux. » Vous avez retenu ce passage, mais pourquoi celui-là ? Je dois vous faire un aveu : c'est un peu à cause de ces lignes que j'ai relu tant de fois cette nouvelle.

Le professeur Dô Quang se tut un long moment, que ne voulut pas couper l'institutrice. Puis, hâtant ses mots comme pour se libérer d'une douleur encore vive, il lui confia :

— Ma femme est morte lors d'un bombardement, et j'eusse aimé la serrer contre moi, si elle n'avait pas couru vers un autre abri. Elle n'avait pas trente ans.

— Et votre fils ?

— Quatre ans. Il a grandi avec ses cousins. Ma belle-sœur l'a bien élevé.

La visiteuse craignit que l'homme ne lui posât l'habituelle question des Asiatiques : Et vous, avez-vous des enfants ? Ce dont il s'abstint. Le raffinement, chez lui, s'alliait-il au

25. Traduction de Phan The Hong et Danielle Linais.

doute ou à l'intuition? Elle revit le tailleur Pham Van Ly, évoquant la disparition de sa famille à Haiphong. Elle réentendit son ancien professeur à Keene, Mitchell Callahan, lui rappelant que la guerre du Viêt Nam avait fait quatre millions de victimes parmi les civils. Non, il n'y avait pas de hasard, mais une profonde convergence entre les faits, les écrits, et le désir d'une Américaine de comprendre le passé, les souffrances d'un peuple au-delà de ses silences et de ses traditions. Elle eût voulu signifier à Dô Quang, en toute simplicité, l'admiration que suscitait chez elle le fait qu'un homme pût, après trente années, tant regretter de n'avoir su blottir son épouse contre lui dans un abri. De n'avoir pas été là à l'instant précis où elle avait fui dans la mauvaise direction. Combien de vies s'étaient ainsi brisées sous les raids des B-52? Combien d'orphelins, de veuves et veufs imagineraient le dernier mot de celui que la bombe avait choisi?

Pour son dernier soir à Vinh, Kathleen Murphy invita le professeur à dîner dans le restaurant de son choix. Il accepta, à une seule condition:

— Nous ne parlerons plus de la guerre.

— Est-ce possible?

— Je crois que oui, répondit le maître de philosophie.

○

Très tôt cette fois, dans la longue cohue d'un quai où Vinh semblait à nouveau s'exiler, elle avait pris le train directement pour Da Nang. Onze heures sur une banquette faiblement rembourrée, et dans d'autres wagons elles n'étaient que de bois. Quelle lenteur, quelle pitié les trains vietnamiens! Tout y était sale et abîmé. Mais cela n'était-il pas offensant qu'aux seuls yeux d'une étrangère? Les vitres jamais lavées cachaient à peine les rizières où les femmes poursuivaient leur antique et pénible labeur. Ce matin-là, Kathleen Murphy ne se remémora pas les paroles de la doctoresse Phan Thi Oanh. Ce fut une flûte, au fond du wagon, qui accompagna le refrain de la jeune paysanne Nhan dans l'émouvante nouvelle de Nam Cao, *Attente*.

Le soir revient sur la plaine verte
Une femme porte le riz à ta place depuis ce jour d'automne
Où tu es parti combattre l'ennemi...[26]

Les images de Vinh, de Quang Tri anéanties flottaient au-dessus des rizières, avec cette flûte de bambou qui chantait la rurale mélancolie. Sur la banquette opposée, une femme donna le sein à son bébé, que par pudeur elle couvrit de son *non la*. La scène était d'une telle beauté naturelle que l'institutrice en croqua les traits sur un carnet. Le visage ovale et frais de la mère, la menotte de l'enfant sur la blouse, le chef-d'œuvre de sparterie qu'était le chapeau conique, il y avait dans ce tableau l'immanence d'un destin. Une magie de l'essentiel, qui atténuait l'inconfort d'un train bondé. Le carnet refermé, Kathleen Murphy somnola bientôt. Une nuit écourtée qu'emportait le roulement lourd et grinçant du wagon dans la cacophonie des voix. Les ralentissements, les arrêts aux petites gares ou en pleine nature, les clameurs bousculèrent le rêve. Repassait un film rayé. Un interminable boulevard, d'un côté laideur et de l'autre foire et caramel, que des essaims de vélomoteurs animaient de leurs incessants zigzags. Elle chevauchait l'une de ces pimpantes mécaniques, à la recherche d'une ville qui l'aspirait et la fuyait, une ville inaccessible par une route qui devait être un ruban de Mœbius. Se succédaient, se brouillaient des images fugitives de Vinh, de Quang Tri, de Manhattan, mais aucune ville ne l'attendait, ne l'accueillait, et les motocyclistes qu'elle croisait avaient des yeux d'émeri.

26. Traduction de Lê Van Lap et Georges Boudarel.

Elle sursauta à un brusque arrêt du convoi, regarda sa montre. Le train n'avait pas roulé deux heures. Devant elle le bébé dormait, et sa mère accusait soudain la fatigue, peut-être venait-elle de Nam Dinh ou de Hanoi. Kathleen songea à Ly. Comment lui décrirait-elle Vinh et Quang Tri ? Quels seraient les mots qu'il préférerait ne pas entendre ? Déjà Vinh n'était plus une ville effacée dans la foule matinale de la gare, mais un nom si court, si simple et fort qu'il ôtait aux bruits et voix du wagon toute banale réalité. Vinh était devenu un mot perçant, un cri dans la vitre. Proche et lointain. Était-ce cela la lancinante mémoire de la guerre, pour celle qui ne l'avait pas connue ? Pas avant le 11 septembre 2001. La gamine de Milford n'avait-elle pas poussé trop vite, et trop protégée par Lorraine ? Elle avait couru sous les grands chênes, les pins et les bouleaux, en robe neuve à l'écoute du cardinal ou du moqueur polyglotte. Elle avait cueilli pour sa mère les grappes de lupins, de lilas et de forsythias. Et durant trois jours à Vinh, comme à Quang Tri, elle n'avait vu que des fillettes en pantalon noir ou gris, aidant leur mère à la lessive ou à la vaisselle, coupant les légumes, hachant les épices. Ou déjà petites femmes à la garde des cadets. Elle n'en avait vu aucune préparant un bouquet. Les fleurs étaient seulement aux clôtures des belles villas, sur les calendriers, les photographies de mariage, ou quelques-unes fanées sur l'*am tho,* quand elles n'étaient pas de plastique. Mais elle ne confierait pas cette triste impression à Ly, qui lui non plus n'avait jamais appris à aimer les fleurs. Sauf sur les étoffes. Et n'était-ce pas cette longue grisaille quotidienne, accumulée par les années de privations, qui portait la poussière de Haiphong, de Vinh, jusqu'à Ground Zero ?...

L'enfant se réveilla, et sa jeune mère lui sourit. Le train passa un autre fleuve. Le soleil inondait les rizières où des buffles avançaient lentement. Où les *non la* étaient les grandes fleurs jaunes du printemps. La vie était à refaire, à ennoblir durant l'année de la Chèvre, et c'était sans doute vrai pour quatre-vingt millions de Vietnamiens.

À la halte de Dông Hoi, passé midi, Kathleen Murphy troua brusquement la cohue en tenant à deux mains son sac de voyage. Au diable le billet pour Da Nang, elle sauta sur la première moto-taxi avec ces mots :

— Dragon Hotel !

Fort surpris, Mike lui offrit une chambre face à la mer, au dernier étage, avant de la rejoindre dans la salle à manger. Il ne lui demanda rien. Il attendit qu'elle livrât ses premières impressions après trois jours à Vinh. Elle simplifia :

— Vinh, pour moi, c'est le Nord. Que je ne connais pas.

— Le Nord, pour nous, c'est le Tonkin : Nam Dinh, Hanoi, Viêt Tri, Haiphong, Hong Gai. Mille industries entre les rizières. Le Nord, ce sont les digues et les hautes cheminées.

— Plus tard peut-être, je visiterai Hanoi.

— Et la baie de Ha Long…

— Je n'en suis pas sûre, je l'ai trop vue en carte postale… Puis j'aime tant Da Nang. Et Vinh, après Quang Tri, n'est-ce pas déjà toute la mémoire, toute la souffrance du Nord, avant la Libération ? Oui Mike, je ne vous dis pas que j'aime Vinh. Ce n'est pas une belle ville, un lieu touristique dont on rapporte des photos et des souvenirs… Mais…

— …Vous vous y êtes fait des amis…

— Pas plus qu'ailleurs. Pourtant c'est une ville où j'ai un peu mieux compris votre pays. Je crois qu'on doit aimer Vinh comme on aime sa mère, ou son père. Celui qui nous a donné son sang, sa jeunesse. Celui qui nous a appris à tenir plutôt qu'à pleurer.

— Bien sûr.

Il s'est excusé, l'a quittée pour répondre à un appel téléphonique, en lui souhaitant une bonne sieste. Ah ! quelle sieste ! Elle n'était pas sous la douche, mais au balcon quand il frappa à la porte de la chambre. Là encore il ne lui demanda rien. Du moins, pas avec les mots. Il la suivit à l'avant, dominant la plage déserte et l'horizon où tanguaient des bateaux de pêche. Elle se souvint, lui dit :

— D'ici, je crois, la mer de Chine vous renvoie ses drames.

À peine eut-elle replacé le rideau bleu qu'il l'enlaça, l'attira vers le lit surplombé d'une moustiquaire. Elle dédaigna l'un et l'autre, retourna aussitôt à la porte du balcon. À la draperie légère dans laquelle scintillait l'océan. Elle laissa Mike se glisser devant elle, lui faire face.

— Laissez-moi regarder la mer. Dans le rideau, elle est d'un bleu profond.

Elle ne put lui dire pourquoi, après douze années, ce balcon de la mer de Chine portait un autre nom : Rye North Beach. Un brûlant, un immense désir, bien plus qu'un sacrilège. Elle avait bondi du train vers une fenêtre sur la mer, au New Hampshire, en Annam, avec Dick, avec Mike, le savait-elle vraiment ? Elle le décoiffa tendrement, lui souffla :

— Mike, ou Mac…

Il l'embrassa. Les lèvres entrouvertes, les yeux pers plus intensément bleuis par le rideau, et cette nuque élancée d'un premier baiser, quatre jours auparavant. Tout à coup il aperçut, sur une commode basse, un sachet transparent dont il crut deviner le contenu.

— Vous avez des *cu do,* la spécialité de Vinh…

— Le cadeau d'une femme, au marché. Il doit m'en rester deux ou trois. Vous les aimez ?

Il répondit avec ses jambes, revint avec un gâteau qu'il tendit, introduisit dans une bouche surprise. Puisque Kathleen le dépassait de quelques centimètres, Mike haussa le cou, le menton pour mordiller l'autre moitié du *cu do* sans le rompre. Ce disque sucré, à la fois mou et croquant, était un beau pari : ils devaient le grignoter sans hâte, alors que leurs lèvres se frôlaient et que les doigts étaient ici interdits. Ceux de Mike ne chômaient d'ailleurs pas. Ils ouvrirent le chemisier, le jeans, firent de belles balades avant de retirer du haut les parasols, et d'ouvrir en bas la pagode. Empâtées par le sucre de canne, leurs bouches étaient condamnées au silence, alors que les muscles se tendaient et vibraient dans un langoureux défi. Ah ! la sensuelle déraison, l'excitante habileté à ne pas perdre l'équilibre dans un déshabillage aussi inattendu. Leurs lèvres enfin triomphèrent de l'insolente mastication. Douze années, et elle eut encore ce réflexe d'écarter un brin le rideau. L'océan, aux antipodes, avait toujours cette plénitude qui donnait à l'homme sa puissance incantatoire. Deux *thuyên may* descendaient vers l'estuaire, lents et sûrs telles les mains qui effleuraient son corps. Malgré la vitre, leurs moteurs sillaient dans la lumière crue, soulignant le silence des caresses. Lorsqu'ils disparurent du cadre du balcon et que leur bruit s'effaça, elle baissa les yeux.

— Mike.

La fête fut belle sous la moustiquaire. Il la quitta sur une pointe d'ironie :

— Bonne sieste.

Le soir ils retournèrent dîner à la paillote, avant une longue marche sur la plage de Nhât Lê. Il n'osa pas lui demander si un jour prochain, dans le train de Hanoi, elle sauterait du wagon pour une autre nuit à Dông Hoi. Dans la nocturne monodie des vagues, il la questionna sur l'Amérique bien plus que sur elle. Oh ! il avait abandonné toute idée de partir aux États-Unis ou en Australie, et le Canada était trop froid pour lui. Mais cette étrangère qui était venue sonder l'âme du Viêt Nam, et qui lui avait offert quelques heures de paradis, cette femme, il l'estimait bien plus que les touristes occidentaux à la recherche d'exotisme ou de vacances à bas prix. Kathleen lui parla franchement, consciente du fait que l'Amérique restait un mythe chez beaucoup d'Orientaux. Cette fascination, qui s'était émoussée en fin de siècle, demeurait tenace dans ses racines, notamment parmi les jeunes obnubilés par Internet. Elle lui expliqua pourquoi dans les grandes villes, de l'Atlantique au Pacifique, les nouveaux immigrants n'étaient plus les adeptes inconditionnels du melting-pot, de l'intégration socioculturelle tels que leurs prédécesseurs l'avaient été. L'Amérique avait partout ses *con lai,* et en maints endroits ses ghettos. L'Amérique surtout – et cela n'était pas facile à avouer pour une institutrice – était une école de l'injustice et de la violence. Et avec la « mondialisation » elle exportait, imposait ses maux à toute l'humanité. Mike l'écoutait, la croyait, et cependant il voulut la réconforter en remontant vers l'hôtel.

— N'ayez pas trop mauvaise conscience. L'Orient se perdra aussi bien sans vous. La dictature de l'argent, la corruption aux plus hauts échelons sont dans la nature asiatique. Oui, Kathleen, nous avons une culture millénaire de la corruption. Elle a précédé la naissance de l'Amérique.

— Jamais je n'aurais pensé entendre cela de la bouche d'un Vietnamien. Surtout pas au retour de Vinh.

— La vérité est multiple. Comme nos divinités. Et nos politiciens ont toujours su détourner le yin et le yang pour leurs intérêts. Puis nous sommes si près de la Chine.

— Plus près de la Chine que du Bouddha…

Mike n'ajouta rien. Sur la commode, le sachet de *cu do* avait disparu. La nuit était sans étoiles et le balcon sans illusions. L'océan invisible était également tout silence, sans vagues ni *thuyên may*. Kathleen Murphy songeait que cet homme serait toute sa vie un réfugié de la mer. Un exilé dans son propre pays. Les boat people hanteraient longtemps les côtes du Viêt Nam, et l'amie de Hué n'avait peut-être été pour Mike qu'une autre âme errante sur une terre profondément meurtrie.

À trente-sept ans, l'Américaine s'étonnait de l'ambiguïté de sa brève aventure. La conterait-elle à Cindy sans s'attirer un doux sarcasme ? La nuit opaque, dans laquelle les lumières du Dragon Hotel semblaient être celles d'un navire sans gouvernail, s'emplissait de visages, de noms inconnus, de rêves évanouis sitôt allumés. À cette heure aussi, plus d'oiseaux, pas un tardif *chich chòe** pour alléger la pesanteur de son églogue mystérieuse. Elle eut un frisson, en chassant l'idée folle que l'amour de Rye North pût renaître ici, face à la nuit de la mer de Chine. N'était-elle pas soudain aussi perdue que le merle en forêt ?

Une porte claqua sur un balcon voisin. Mike rouvrit la leur, tendit la moustiquaire, laissa, comme au My Ngoc, le tube fluorescent allumé. Contre elle il demeura allongé sans presque la toucher. Leur respiration retenait un dialogue inutile, mille fois dit, mille fois tu dans cet univers sensoriel où chaque seconde de silence est sacrée. Elle se tendit vers lui. Il la dévêtit, la prit sous la violente lumière du plafond. Elle ne le suivit pas sous la douche, et resta nue, étendue sous l'exotique baldaquin. Elle ne se releva pas plus lorsqu'il vint l'embrasser avant de la quitter. La porte refermée, elle se retourna, pleura dans le refuge de l'oreiller.

Le matin, divers oiseaux zinzinulaient près de l'hôtel. Chants ou complaintes, amours ou querelles, peu importait à Kathleen Murphy, puisque la mer au loin gardait aussi son ambivalente fascination : l'espoir ou la mort. Avant midi, Mike voulut la reconduire à la gare, mais elle préféra attendre en ville un bus direct pour Da Nang. Au départ elle prononça :

— Mike, Mac.

Dans la portière il lui répondit :

— Kathleen, Câm Lê.

Kathleen Murphy retrouva Da Nang dans la fièvre précédant le Têt. Sept heures de route, tout d'abord debout jusqu'à Dông Ha, puis un demi-ananas pour tasser la faim à l'arrêt de Hué, et la tête lourde au Col des Nuages. Reins cassés et jambes flagadas, c'est un paquet d'os que le bus, descendant vers Saigon, déposa à l'ouest de la ville. Elle attendit quelques minutes avant de héler une motocyclette. Articulations et muscles ressuscités, elle s'y accrocha, vite dopée par la frénésie du trafic, et heureuse que le conducteur ait calé devant lui son bagage. Déjà la nuit allumait sur les trottoirs mille lumières cérémonielles. Des petites tables étaient dressées à l'entrée des magasins et des habitations, sur lesquelles débordaient les victuailles, dominées par des décorations en papier rouge et doré. Même accueil à l'hôtel Tân Minh, où la réceptionniste résuma pour sa cliente le rituel du Têt.

Pendant les derniers jours de l'année lunaire, appelés le Tât Niên*, chaque famille prépare les aliments, viandes, riz, légumes et fruits que l'on expose au seuil du salon ou de la boutique. On y ajoute le *banh chung,* le gâteau de riz gluant, traditionnellement enveloppé dans une feuille de bananier, aujourd'hui souvent remplacée par du papier d'aluminium. La nourriture sera consommée, généralement sur le sol de céramique ou de ciment, lors d'un grand repas la veille, parfois l'avant-veille du Têt, après qu'on a brûlé sur le trottoir les décors rouge et or, en jetant aussi au feu des imitations de dollars américains, symbole entre tous de richesse, plus rêvée qu'accessible. Beaucoup de bière, d'alcool de riz, de coûteuses cigarettes renchérissent ces agapes du Tât Niên, auxquelles sont associés les ancêtres. Ainsi les *am tho* sont richement fleuris, et l'on dépose sur les *bàn tho* les fruits représentant les cinq éléments de l'Univers, en invoquant la fécondité et l'harmonie cosmique. Dans les foyers de Da Nang, ce sont les bananes, une petite noix de coco, les mangues, la papaye verte – le *du du** évoquant l'abondance –, les mandarines et les pêches, dont les couleurs et la disposition témoignent du goût de la famille. Ces jours-là, l'entrée ou le salon devient un grand *bàn tho* où se côtoient les vivants et les morts. Les bus et les trains sont archipleins de gens rejoignant leur ville ou village natal pour les célébrations. Tout le pays s'anime, s'enfièvre et se gave, entre les révérences sous les portraits des disparus et les éclats devant la joie des enfants. En quelques lignes, l'écrivain Pham Quynh en a bien résumé l'intime résonance :

« Durant le Têt, les morts sont tellement mêlés aux vivants que les parents et amis qui viennent rendre visite chez quelqu'un ne manquent jamais de faire les prosternations devant l'autel des ancêtres, présentant ainsi leurs hommages aux morts avant d'adresser leurs vœux aux vivants. Et s'il est un souvenir peu agréable que le Têt laisse parfois, c'est cette sensation de courbature qu'on éprouve après trois jours consacrés à cet exercice maintes fois répété et plutôt fatigant ! »

Mais l'auteur ajoute aussitôt :

« ... Vivre pendant quelques jours dans une sorte d'allégresse générale, éprouver soi-même un peu de cette joie impersonnelle, inconsciente, mais singulièrement communicative, se sentir en communion de pensée et de sentiment avec tous les hommes de sa race, ce n'est pas là une mince satisfaction, et c'est le Têt qui nous la donne[27] ».

L'Américaine se souvint de quelques-unes de ces lignes lues dans l'avion de Bangkok. Ce soir-là cependant, elle

27. Pham Quynh, *Essais franco-annamites*.

s'éternisa sous la douche, vite froide, et cela ne fut pas désagréable. Bien qu'il fût différent, le Têt se brouillait dans les célébrations familiales de Noël et du Nouvel An au New Hampshire, un mois plus tôt. Oh ! elle fêtait bien peu depuis la mort de Daniel, et celle de Richard avait emporté les dernières bribes de folklore. Avant son départ, c'est avec Cindy dans un cinéma puis un restaurant de Boston qu'elle avait terminé l'année 2002. Alors, quittant la salle d'eau, elle ne rouvrit pas la porte du balcon, elle ne revit pas le sông Han tirant le dernier mois du calendrier lunaire avec les silhouettes arquées des *thuyên may*. Elle mit le climatiseur en marche et s'allongea sur le lit si large, et si vide. Elle revit l'écran en compagnie de Cindy : *Sous le sable*, le beau film du Français François Ozon, sous-titré en anglais. Le regard triste, absent, terriblement présent de Charlotte Rampling, et elle retourna au miroir du lavabo pour s'assurer qu'il n'était pas le sien. La lassitude n'avait pas complètement disparu sous l'eau fraîche, et peut-être, songea-t-elle, étaient-ce cette fatigue du voyage autant que le Têt qui donnaient aux morts, aux ombres leur poids de vérité, de douleur. Ces hommes et femmes disparus, n'étaient-ils pas, dans les paroles et les jours de Ly, de Thanh, de Mike, du professeur Quang comme dans les siens, plus vivants que bien des visages quotidiens ? Une étrange eccéité interchangeait les êtres dans la nuit blanche.

Fut-ce passé minuit qu'elle entendit Cindy répéter, à quelques secondes d'intervalle :

— Disappear in the sand, what a strange fate.

Et sa propre voix qui, au restaurant italien de Boston, lui avait répondu en français :

— Disparaître sous le « café moulu », est-ce plus enviable ?

Pourquoi en français ? Était-ce le verre de Chianti, ou l'illusoire sentiment que les mots seraient moins durs dans cette langue ? Ah ! Cindy, qui après la cassata l'avait amicalement provoquée :

— Au Viêt Nam, en Orient tu vas réinventer le monde. Quand moi je m'effacerai sous la neige…

Elle frissonna, ferma le climatiseur, sortit sur le balcon. Ni dockers ni balayeurs, ni amoureux ni matelots. Ni au loin les lumières changeantes du nouveau pont. La montre expliqua tout : il était trois heures, et le fleuve s'offrait une brève nuit de repos avant les prochains arrivages de volailles et de marée.

○

En cette avant-veille du Têt, la foule fut très matinale sur le quai, à marchander poulets et canards, vivants ou plumés, poissons et crustacés débordant de cent plateaux et bassines de plastique. Tout autour du marché Han, fruits, fleurs naturelles et artificielles, pots et vases de céramique, gâteaux, confiseries et alcools, papiers colorés et argentés envahissaient les trottoirs. On voyait même, dans ce délire commercial, des cartons-cadeaux de Coca-Cola voisiner avec des statuettes du Bouddha et de Quan Am, dont scintillaient les auréoles multicolores et lumineuses. Kathleen ne s'étonnait plus de ces débordements de mauvais goût, dans lesquels les peuples perdent leur âme en voulant la célébrer.

Chez les tailleurs de la rue Trân Phù, les odeurs des fruits et des mets du Tât Niên supplantaient celles des étoffes. Il apparaissait à l'institutrice de Milford qu'en deux semaines le pays, la ville s'étaient métamorphosés. Une atmosphère de légèreté, d'insouciance, de jeunesse et d'euphorie s'accommodait de la chaleur montante. Les cyclistes et motocyclistes redoublaient d'adresse, sinon d'audace, dans l'espace que leur grignotaient les marchands et leurs clients volubiles. Hélas ! collèges et université étant fermés, les gracieuses étudiantes en *ao dai* s'étaient envolées. Était-ce pour cela que les jeunes femmes qui leur succédaient rivalisaient d'élégance dans des soieries de rêve ? La magie du Têt était-elle aussi d'épanouir des charmes longtemps retenus sous les *non la* ? L'Américaine de Da Nang se prit à penser que la vie renaissait avec le Têt.

Dans l'impasse du 15 A Phan Dinh Phung, l'atelier de la famille catholique revivait Noël sans complexe, avec la voix sonnante du benjamin, le futur chanteur Truong Hoang Phu. Mais au K 15/12 rien n'avait changé, ou si peu. Seulement une rose dans un petit vase blanc tout près de la statuette ébréchée du Bouddha, sur la dernière étagère de l'atelier. Pham Van Ly était seul et il posa ses ciseaux pour saluer sa cliente, la visiteuse étrangère qui lui avait visiblement manqué. Il s'enquit de la richesse d'un voyage dont chaque étape lui rappela un pays, une vie qu'il eût aimés moins blessés par la folie des hommes. Bien que Ly fût plus jeune d'une bonne douzaine d'années, sa voix se confondait, à l'oreille de Kathleen, avec celle de Quang, à Vinh. Les intonations et les mots. Le flot intérieur de la pensée devait être le même chez les deux hommes. Elle ne put se retenir :

— Sans le savoir, vous avez un frère aîné à Vinh. Il a votre voix, vos expressions parfois. Aujourd'hui retraité, il enseignait la philosophie à l'université.

— Je ne connais pas cette ville, seulement l'arrêt du train, mais tous les quais de gare se ressemblent. Bien sûr, comme tous les Vietnamiens de ma génération, j'ai entendu cent récits sur les bombardements de Vinh. Puis, je vous l'ai dit je crois, l'un de mes meilleurs camarades, tombé sous un raid à Dông Ha, était un instituteur de Vinh. Un poète.

— Le tailleur et le philosophe, tous deux vous êtes aussi poètes.

— Quand j'étais à Thai Binh, où j'ai appris mon métier, la tante Ty, à l'approche des avions, me disait qu'ils « venaient cracher ce qui leur restait dans le ventre après le survol de Vinh ou ce qui les démangeait avant de vomir sur

Haiphong». Elle m'a même dit, alors que la radio parlait de Vinh en flammes : «Les Américains perdent leur temps et leurs avions, ils ne savent pas qu'à Vinh les Annamites ont la tête encore plus dure que les Tonkinois.» Ah! Ty! une tante qui valait bien trois cousins, elle n'avait peur de rien, et mon patron prétendait qu'elle avait du sang de buffle.

— Et vous le sang du fleuve Rouge...

— Après tant d'années, je ne pense pas.

— Alors, avec les eaux calmes du sông Han, quel beau mélange! La sagesse, après la lutte et la colère. Comme le professeur Dô Quang, vous voilà philosophe...

— Et vous, après trois semaines, déjà un peu vietnamienne. Vous avez appris à flatter vos interlocuteurs.

— Bon, je ne dis plus un mot avant d'avoir vu cette robe...

Pham Van Ly la sortit d'une penderie et la tendit à sa cliente, avec un sourire bien bavard. Dans la cabine sautèrent jeans et blouse tel un envol de *chim chich**, et glissa la soie telle une seconde peau. Délicatement noué le rabat et remonté le zip, ah! que le *xung xam* lui seyait admirablement. Face au grand miroir, elle s'assit sur le Honda. Non, elle n'était pas Maggie Cheung, et, dans cette robe cependant, Kathleen Murphy fut séduite par le mouvement de la soie sur la jambe repliée, la tombée pudique du pan, fendu au genou, le calme rebond du buste là où s'effaçaient les discrets motifs de bambous. Quelles retouches des mains d'artiste avaient-elles pu apporter à ce fourreau azur pour qu'il conservât son doux confort dans chaque mouvement? Elle s'exclama :

— Venez! Entrez!

Il écarta le rideau, attendit qu'elle descendît du vélomoteur, et elle répéta, sans bouger :

— Venez! Approchez!

— Elle vous plaît, maintenant?

— Oh ! fit-elle, sans descendre, elle me convenait fort bien la dernière fois. Mais je ne sais quel miracle vous avez accompli depuis, car j'ai l'impression de renaître dans cette robe. Je ne la sens pas. Oui, elle me moule parfaitement, et pourtant je ne perçois qu'une douceur enveloppante, comme une longue caresse, excusez ma franchise.

— Simplement l'amour du métier, Kathleen. Les choses faites comme il se doit.

Ces paroles l'émurent. Pouvaient-elles encore être celles de Richard, si loin de Milford ? Elle vérifia l'attache de la seconde boutonnière, ce bouton de rose si délicat sur la courbe azurée, puis répondit :

— Toujours aussi modeste, monsieur Ly.

— Disons qu'à Thai Binh, j'ai eu un bon maître.

— Et quel talent ensuite, sur combien de femmes à Da Nang... Des Annamites souples et légères comme le bambou... Mais une Américaine... Peut-être suis-je la première ?

— Non, la seconde. Voilà deux ans, un couple d'Atlanta. Ils m'avaient commandé chacun un complet. Lui était grand et maigre, et je n'ai eu aucun mal à le satisfaire. Mais elle ! Assez haute, et enflée, gonflée de partout. Un tonneau ceinturé de bourrelets, des chairs, des formes qui se déplaçaient à chaque mouvement. Un sacré défi pour un tailleur vietnamien.

— Il est vrai que des obèses, ici, je n'en vois quasiment pas.

— Enfin j'ai fait ce que j'ai pu. Elle est revenue cinq fois avant d'emporter son tailleur. À chaque essayage elle était mécontente, elle arguait que ci, que ça, plus haut, plus bas. Elle prenait son mari à témoin, mais lui se taisait, et je comprenais bien qu'il devait savoir l'inutilité de ses remarques.

— Oubliez-la. Voyez-vous, en Amérique, ce sont souvent les femmes grosses, avec des ventres, des cuisses à étages, qui l'été se promènent en short ou en mini-jupe.

Elles n'ont aucun goût, sinon celui de s'exhiber. Ce sont les abonnées des McDonald's et du Coca-Cola.

— Et vous, là, en *xung xam* sur mon vélomoteur, vous feriez un beau poster pour Honda.

— ...Avec de grosses retouches au visage, car l'habit ne fait pas l'Orientale.

— Allons, faites quelques pas.

Elle descendit, tourna deux fois devant le miroir, traversa l'atelier.

— Alors, satisfait cette fois-ci?

— Absolument.

Elle retourna à la cabine d'essayage, en songeant au flash qu'elle avait eu, deux semaines auparavant, à demi nue sur le Honda: un poster pour Levi's cette fois. Ly plia la robe, la glissa dans un beau sac de plastique blanc à filet d'argent. Kathleen le paya, en le taquinant:

— Et les Vietnamiennes en jeans, est-ce mieux que les Occidentales en *ao dai* ou en robe chinoise?

— Pas toujours...

— Pourtant, la maigreur...

— Oh! vous le voyez bien, les femmes riches qui mangent trop, et qui veulent s'habiller comme à Paris. Nous avons pour elles un dicton sans ambiguïté.

— Puis-je savoir?

— Ce n'est pas très distingué. Pour une institutrice... *Dâu annamit, dit phrang xe:* La tête annamite, les fesses françaises.

Kathleen ne put s'empêcher de rire, avant de retourner la boutade:

— Et vous, maître Ly, voilà dix minutes, vous pensiez: la tête américaine, le derrière chinois, n'est-ce pas...

— Sans doute ne le savez-vous pas, mais en ces derniers jours de l'année lunaire, nous évitons les mauvaises pensées, les querelles. Nous voulons la joie, le bonheur autour de nous.

— Mais vous, ici, vous ne fêtez pas, il me semble.

— C'est juste, pas de festin ni de fleurs dans mon entrée. Depuis que je suis seul, je ne célèbre plus le Têt comme il se doit. Sans Nguyêt, la fête a pour moi perdu ses couleurs.

Kathleen ne lui a pas dit que pour elle également, à Milford, le Nouvel An sans Dick et Danny demeurait gris malgré la neige. Et Ly l'a bien compris dans les yeux pers, ces yeux pour lesquels il avait choisi l'azur pâle de la robe. En l'absence de clients, il lui a demandé :

— Pour quelques minutes, me permettez-vous d'être votre instituteur ?

Elle a souri, l'a écouté. Dans le français de Ly, tout s'éclairait, se clarifiait. Avec lui les mots devenaient des fleurs, des fruits à cueillir dans un temps de paix, après les temps de guerre. Le Têt s'ancrait dans la tradition d'un peuple de paysans, comme une fête de l'union de l'homme à la nature. Après les douze lunes de dur labeur venait la période du repos. Le villageois sentait alors monter en lui la sève du printemps, avec de nouvelles énergies. De cette croyance millénaire étaient nées de belles coutumes. Ainsi, tout acte au Nouvel An devait être pur et beau, car il augurait des douze lunes suivantes. Durant trois jours donc, on évitait les sautes d'humeur, les jurons, la belle-mère la plus revêche faisait la paix avec sa bru, les époux désunis évitaient les disputes. Il fallait que le monde neuf fût le meilleur.

En dehors du Têt, la vie était ponctuée de cent fêtes, variant pour la plupart d'une province à l'autre. Dédiées aux saisons, aux dieux et pagodes, aux coutumes historiques, elles multipliaient les occasions de festoyer, le plus souvent avec les modestes moyens de la vie rurale, et les contraintes des difficultés urbaines pour de nombreux jeunes. Parmi ces fêtes, il en était une dont parlaient encore des vieillards de la région : la fête de l'Association des chasseurs de Hué, célébrée près de Quang Tri, en l'honneur des génies tutélaires de Thuong Phuoc. Mais cette chasse sacrée du cerf était depuis longtemps abolie, et Ly ironisa :

— Aujourd'hui, les hommes chassent plutôt les *nai to mac ao dai,* les jeunes biches en *ao dai*.

Mais ce qui ne changeait pas, selon le conteur, c'étaient, du nord au sud du pays, la folie des dépenses pour le Têt et en février les poches vides, les trottoirs sans étalages et les marmites moins remplies. Pendant trois jours des jeunes femmes se pressaient dans les salons de beauté, d'où elles ressortaient avec des coiffures en pagodes, ou des fantaisies hollywoodiennes. Puis durant un mois elles se contenteraient d'une soupe sans viande ni poisson. Et 2003 serait l'année de la Chèvre, peu propice aux bonnes nouvelles.

— Alors de temps en temps, je porterai ma robe pour défier la chèvre. Elle me portera bonheur, j'en suis certaine.

Un couple vint. Ly apporta la robe-polo que la jeune femme étrennerait pour le Têt. Kathleen Murphy leur souhaita à tous trois beaucoup de bonheur, « même si cette nouvelle année, il faudrait la prendre par les cornes ». Ly traduisit aussitôt, et les clients rirent sans gêne lorsque l'étrangère s'éloigna.

Avec le chic emballage du fourreau, elle ne voulut pas retrouver l'aimable famille de madame Ky, dans le café aux oiseaux. Ni Ngoc, la coiffeuse qui devait être si occupée. Dans la rue Trân Phù cependant, elle rencontra Thuy, qui s'étonna de la revoir. Sans aucun doute, la fillette pensait que la fidèle cliente était repartie dans son pays. Non, Kathleen ne lui acheta aucun sachet. Elle lui prit la main, et elles remontèrent jusqu'à la rue Phan Chau Trinh, dont les boutiques regorgeaient d'acheteuses excitées. Parfums et tissus mêlaient leurs odeurs, où se perdait celle des pains vapeur vendus sur le trottoir. Dans un magasin pour enfants, l'Américaine libéra Thuy de son chargement de chips et de cacahuètes, et l'invita à se choisir une robe. La fillette se figea dans l'exiguïté de l'allée, et Kathleen dut se faire tour à tour patiente et pressante, avant qu'elle n'en désignât une, d'un rouge vif. La vendeuse sortit la bonne taille, et plia l'habit dans du papier argenté. « Ton cadeau pour le Têt », lui fit traduire la cliente, à l'intention de la gamine. Thuy fut si gênée qu'elle reprit sa boîte et ses sachets pendus au cou, remercia en vietnamien et en anglais, et partit rapidement en serrant contre elle le beau paquet.

Le lendemain, l'âcre odeur du papier brûlé attira Kathleen Murphy dans les petites rues. Les enfants sautaient, criaient de joie autour des brûlots, où les décorations se tordaient dans les flammes, avec les imitations de dollars jetées par les adultes. Ah ! que les petits imprimeurs avaient fait de bonnes affaires ces derniers jours ! Dans les salons d'entrée, les familles avaient partout repoussé les meubles. Ils étaient quinze, vingt ou plus, parents et enfants, cousins cousines, jeunes et vieux assis ou accroupis près des plateaux richement garnis, des plats alléchants d'un banquet de paradis. Avec des escadrons de bouteilles entre les assiettes, bière et Coca-Cola, jus de toutes les couleurs et au centre quelques sérénissimes whiskies et cognacs. Et valsaient les paquets de cigarettes, tandis que les enfants faisaient des razzias dans les bonbons et les biscuits.

La pensée du tailleur solitaire au dernier jour de l'année gâta son plaisir. Dans plusieurs maisons, à l'entrée desquelles elle avait admiré cette mosaïque festive de visages et de plats, on l'avait invitée à s'asseoir pour goûter quelque pâté, nem ou fruit, et, lorsqu'elle avait gentiment décliné l'accueil, une femme s'était levée en lui tendant un *banh tét**, le gâteau de riz, carré, préparé pour la fête. Craignant qu'il ne fût occupé par d'ultimes retouches ou essayages avec les retardataires, Kathleen résista à la tentation d'apporter à Pham Van Ly quelques fruits et pâtisseries. Elle passa le pont, et prit le quai de Son Tra jusqu'à la flottille des *thuyên may* bleus et ventrus, amarrés, agglutinés là en permanence, tel un village fluvial au cœur de Da Nang. Les gamins couraient sur les planches, les fragiles passerelles lancées vers les bateaux, où là aussi on festoyait sans luxe, à la poupe sous une bâche ou une claie de bambous.

Enfin elle retourna à l'enchanteur café de Nguyên Thi Kim Ky, dans la sinueuse ruelle de Dông Da, où la ville calmait sa frénésie. Quy Trân lui sauta au cou et lui montra l'*am tho* spécialement fleuri pour le Têt. Elle lui reprocha de n'être pas venue trois heures plus tôt pour le grand repas familial, sans que la visiteuse ne comprît un mot. Mais quelques minutes plus tard, les bruits de vaisselle et les regrets de Ky exprimés dans son anglais sommaire justifièrent le dépit de sa fille. Quy Trâm apporta son globe terrestre et pointa fièrement :

— Ou S A, Nou Hamchir, Nou Yok.

Merle et rossignol clamèrent qu'eux aussi désiraient finir l'année en beauté. Hô, l'époux de Ky, offrit à Kathleen une bière froide qu'elle refusa, avant d'accepter un jus d'ananas et des biscuits de Malaisie. Kiêu Thi Ngoc arriva peu après, prévenue par Quy Trân, qui pour son âge ne manquait pas de brillante intuition. La belle *my lai* venait de coiffer sa dernière cliente, et elle était heureuse de pouvoir enfin s'asseoir, loin des odeurs des teintures et lotions capillaires. À dix et huit ans, Quy Trâm et Quy Trân étaient plus frère et sœur que cousins germains, et ils rivalisaient d'empressement à servir les deux femmes. Jus, thé, gâteaux, Kathleen ne put rien payer, et Ky regretta encore que les deux amies n'aient pu participer au festin du Têt. L'*hoa mi* chanta quand elles quittèrent le joyeux patio. Dans la rue Dông Da, Kathleen déclina l'invitation à dîner de Ngoc. Elle l'embrassa pudiquement, sans pouvoir motiver son refus. N'étaient-elles pas déjà assez proches pour reporter quelque secret ?

○

Les pâtisseries de la rue Lê Loi n'avaient plus grand-chose en vitrine. Mais l'envie étant plus forte que la raison, Kathleen Murphy remonta la rue Hung Vuong et parvint enfin à se procurer quelques *banh tét*, et plus facilement une bouteille de cognac. Elle redescendit sur une nerveuse moto-taxi, dans un trafic qui tenait plus de la foire que de la circulation urbaine. Depuis plusieurs années, le gouvernement interdisait les pétards et feux de Bengale pour le Têt, et il apparut à l'Américaine que la population se défoulait dans la folie des achats de dernière minute. Boîtes de biscuits, fleurs, arbres nains, appareils ménagers, voire meubles ou matelas, vélomoteurs et triporteurs zigzaguaient sous des charges habilement équilibrées. Lorsque le souriant kamikaze la déposa à l'entrée de l'impasse, jupe froissée et un paquet dans chaque main, elle crut rajeunir de vingt ans, être l'une de ces collégiennes de Nashua sautant de la moto d'un petit ami. Apercevant, sur le trottoir opposé, la digne Lam Thi Thu sous sa guirlande d'imperméables de plastique, et le jovial Van Moi ayant abandonné ses outils pour fêter, elle chassa l'idée du ridicule et se hâta jusqu'à la porte, fermée, du tailleur.

Elle attendit, là debout au fond du passage, devant ce numéro K 15/12, qui de minute en minute devint le symbole non plus du ridicule, mais de l'inconscience. Elle attendit quinze minutes, avant que ne revînt Pham Van Ly. La nuit approchait, l'année finissait sur une douce ambiguïté.

— J'aimerais vous inviter à mon petit balcon du Tân Minh, mais cela ne se fait pas. Alors, plutôt que face au fleuve, célébrons le Têt dans la bonne odeur des étoffes… et sous la protection du miraculeux bouddha d'Haiphong.

Ly ne sut lui répondre qu'en refermant la porte, et en l'invitant à le suivre dans l'étroit escalier. Il alluma et la pria de choisir l'un des deux fauteuils près de la table basse. Aussitôt elle remarqua, sur la commode et dans un cadre laqué, la photographie d'une femme, un demi-sourire auquel elle ne pouvait donner d'âge. Elle se leva, s'en approcha.

— Votre femme… Nguyêt… le clair de lune qui est le soleil dans cette maison, n'est-ce pas…

— J'ai pris cette photo lors d'un voyage à Hué. Oui, voilà quatorze ans.

— Tonkinoise, comme vous, si je me souviens bien.

— Née à Hanoi. Mais sa famille avait déménagé à Haiphong alors qu'elle n'avait pas onze ans.

— Une amie d'enfance…

— Non. Nous nous sommes rencontrés dans un abri, en 1973. Elle avait dix-neuf ans, et je rentrais du front. C'est pourquoi, comme le professeur qui vous a guidée à Vinh, moi aussi je relis parfois la nouvelle de Bao Ninh.

Kathleen s'accouda à la commode, détailla le décor d'une solitude, l'exiguïté d'une demeure d'artisan, à laquelle d'humbles objets, photos et souvenirs conféraient un cachet de noblesse qu'elle appréciait toujours chez ses parents ou à Claremont. Il y avait ici bien moins de livres que chez Lorraine et Russell, mais la guerre n'était pas passée là-bas. Encore elle observa le visage calme sur le meuble.

— Elle est très belle.

Le regard de Ly s'éclaira. Était-ce parce que l'institutrice avait employé le présent et non le passé ? Nguyêt avait été plus souvent grave et triste que sereine et souriante, et cependant c'était avec cette douceur, un dimanche au bord du sông Huong, que le tailleur la revoyait chaque matin avant de descendre à son atelier. À son tour il s'approcha.

— C'était dix ans avant sa mort, elle avait trente-cinq ans. C'était aussi sa découverte de Hué. Et elle n'avait guère aimé cette ville… comme vous je crois.

— Probablement pour des raisons différentes, car, à cette époque, il ne devait pas y avoir de touristes, pas d'étrangers…

— Oui, ils étaient rares. Mais Nguyêt, dès le premier soir, m'avait dit que les gens de Hué sentaient le bois vermoulu, la vieille brique humide, la pierre mangée par le temps. Ce qui l'avait frappée, c'était cette moisissure qu'exhalait toute la ville.

— Les ruines peut-être… pas les habitants…

— Si. Selon elle, hommes et femmes reniflaient la mort. Ils ne vivaient qu'au passé. Sans doute, le fait d'être stérile, et d'en souffrir, la portait-il fréquemment au pessimisme.

— Et pourtant, sur la photo, elle semble heureuse.

— Bien sûr, et elle l'était réellement. Je l'ai prise le second jour, le dimanche matin. À quelques kilomètres de Hué, sur une petite route longeant le sông Huong, la rivière des Parfums. Il y avait là, sous les arbres, plusieurs menuisiers, oh ! des artisans bien pauvres, avec plus de talent que d'outils. Ils travaillaient surtout le *gô tràm,* et la fraîche odeur des copeaux l'avait transfigurée.

— Le bois vert, la sciure chaude, les parfums bruts d'écorce et d'aubier, la brise le soir autour des petites scieries, je les apprécie toujours dans les villages forestiers du New Hampshire ; mais, dans le delta du fleuve Rouge, ai-je appris, ce sont plutôt les rizières...

— Absolument. Cependant, après avoir travaillé durant une quinzaine d'années dans les ateliers de la compagnie des tramways de Hanoi, le beau-père avait ouvert sa menuiserie à Haiphong. Et Nguyêt n'avait pas oublié ce qu'il avait déclaré à son premier client, sans avoir bu le moindre verre de *ruou gao**: « Je ne ferai jamais autant de pieds de table et de chaise que j'ai taillé de barreaux pour les claires-voies des tramways, mais j'espère avoir encore mes dix doigts au mariage de ma fille. » Elle aimait tant son père. Et avec lui toutes les odeurs du bois.

— Et à votre mariage, il ne lui manquait pas le bout d'un doigt...

Ly ouvrit le tiroir supérieur de la commode, en sortit un album de photographies.

— Le voilà devant sa dégauchisseuse. Il est mort lors d'un bombardement, lui aussi. Trois mois avant que j'épouse sa fille unique. Je crois que c'est également pour cela que Nguyêt s'attardait parmi les artisans à l'ouest de Hué. Elle était si heureuse, elle m'a dit : « Le sông Huong doit ses meilleurs parfums non pas aux fleurs des temples, pagodes et tombeaux royaux, mais au bois que coupent et caressent les menuisiers. »

— Et sa mère ?

— Elle avait perdu l'esprit, sous les bombes. Elle est morte peu après notre mariage... La voilà, près de Nguyêt, dans un parc à Haiphong.

Ly rangea l'album, tel un précieux incunable. Avec tant de précautions que Kathleen s'en émut. Le regard du tailleur s'assombrit, se durcit, ses mains se figèrent quelques secondes sur la couverture en bois laqué de ce trésor familial. Elles peinèrent à refermer le lourd tiroir. L'étrangère eut soudain l'impression d'être à l'attique d'une très haute maison, dont chaque étage avait vécu un drame inoubliable. En cette soirée du Têt, ce n'était pas la dernière lunaison qui s'effaçait dans le meuble, mais le destin d'une famille, d'un pays. Elle le comprit avant même que l'hôte hésitât à se confier plus intimement.

— Kathleen, même à mon âge...

Elle attendit qu'il poursuivît, le pria de s'asseoir. Sur le fauteuil, il lui apparut vieilli de quelques années. À la fois grave et doux, mais très fragile. Était-ce l'éclairage, la fatigue, ou la conjonction de quelques sentiments confus chez l'un et l'autre ? Il reprit lentement :

— Oui, Kathleen, l'âge, les épreuves ne nous aident guère à clarifier nos pensées profondes. Encore moins à rapporter fidèlement celles qui nous ont été confiées par des êtres chers. Je voudrais, avec vous, rester simple, et sincère. Aussi, après ce que je vous ai dit de ce voyage à Hué, de Nguyêt, ai-je le droit de taire quelques-unes de ses dernières paroles ?... à vous, Américaine...

— Je vous en prie, ne craignez pas de me vexer.

— J'aimerais résumer, sans la trahir. Voyez-vous, pour le médecin, Nguyêt a été emportée par une évolution brutale de l'encéphalite japonaise. Mais, pour moi, elle avait pressenti sa mort depuis quelques mois. Elle ne donnait, ne voyait plus de sens à la vie. Un soir, elle m'avait glacé. Tous ces gens, plus de quatre millions, ce chiffre l'obsédait vraiment. Tant de victimes dans un pays aussi pauvre. Tant de morts autour d'elle dans le delta, puis avec les hommes la terre qui mourait aussi, les digues millénaires détruites en quelques minutes, les cratères des bombes qui défiguraient le pays. Les usines, les villes qui s'effondraient, « comme une termitière sous un coup de pioche », m'avait-elle dit. De quel droit l'Amérique pouvait-elle infliger autant de souffrances à un peuple aussi courageux, et aussi loin de ses frontières ? Pourquoi lui avait-elle retiré l'espoir, la joie d'avoir un enfant ? L'Amérique qui avait vaincu l'Allemagne nazie et le Japon, pourquoi avait-elle détruit son pays pour défendre le régime le plus corrompu de la planète ? Oui, Kathleen, vingt ans après la Libération, Nguyêt se frappait le ventre en maudissant l'Amérique pour l'enfant qu'elle n'aurait jamais. Et ce soir pour le Têt, c'est à une Américaine dont l'époux a été tué par les nouveaux barbares que je dois rappeler cette détresse de ma femme. Dans quel monde vivons-nous, Kathleen ?

— Un monde qui ne change guère, qui apprend seulement à mentir un peu mieux.

— Pour un soir, nous devrions l'oublier. En bon Vietnamien, vers minuit de ce trentième jour de la douzième lune, je devrais couper une branche de prunier et la placer ici dans un vase. Si elle se conserve bien pendant le Têt, elle apportera la chance. Mais je n'y crois plus, depuis longtemps. Alors je dormirai.

— Non, Ly, ce soir, vous la couperez. Bien avant minuit, devant moi. Mais avez-vous un prunier dans votre cour ?

— Seulement un *cây chanh,* un citronnier. Rassurez-vous, pour cette coutume, tout arbre peut remplacer le prunier. Et si on entamait vos *banh tét,* vous n'avez pas faim ?

— D'accord !

— Je vais préparer un *pho* et du thé.

— Comme tout bon Tonkinois…

Pham Van Ly disposa les gâteaux sur une assiette, sortit la bouteille de son carton noir et or.

— Oh ! du cognac français… offert par une Américaine à un artisan vietnamien… Serait-ce vraiment la paix qu'apporte l'année de la Chèvre…

Puis il disparut dans la cuisine. Il ne lui fallut pas vingt minutes avant de servir deux grands bols d'un *pho* odorant, où les lamelles de bœuf nageaient dans un nuage de basilic et de coriandre, au-dessus d'une flore fuyante de dolic et de vermicelle de riz. Il s'excusa pourtant :

— Je n'ai pas de liseron d'eau.

— Ah ! monsieur Ly ! Quelle faute impardonnable ! Un cuisinier tonkinois sans liseron d'eau, n'est-ce pas comme un tailleur qui n'a pas de soie naturelle dans son magasin ?…

L'homme sourit enfin, versa le thé, aussi brûlant que la soupe. Il renaissait. Peut-être la mélancolique évocation de Nguyêt avait-elle été nécessaire, pour que lui succédât la sérénité en ce Têt 2003. Peut-être aussi était-ce plus inconvenable que rajeunissant, cette jupe si courte sur des cuisses si blanches. Elle déplaça son fauteuil, afin de ne plus faire face à son hôte, et, en se rapprochant du tailleur, il lui sembla que deux mondes se rejoignaient. Ly avait de nouveau le visage, le regard qu'elle aimait. Le coup de vieux avait été bref, et le *pho* fut un délice jusqu'à la dernière cuillerée, après qu'elle eut posé les baguettes. Bien que de coutume on ne vide jamais complètement son bol, Ly considéra cela comme un beau compliment.

— Dois-je en refaire ?

— Merci. Gardons un peu de place pour les *banh tét*. Dans lesquels j'ai déjà mordu avant la soupe… comme une Américaine qui fait tout à l'envers…

Il eut un large sourire. Elle lui tendit la bouteille.

— Un peu d'eau de jouvence…

Il ouvrit donc, et servit le cognac. La nuit était tombée dans l'étroite fenêtre, l'arôme du *pho* se laissait lentement supplanter par l'odeur sèche des tissus au bas de l'escalier. La ville étouffait sa rumeur dans l'antichambre d'une vie. Sans toucher à son verre, il s'épancha :

— Non, Kathleen, plus jamais le Viêt Nam ne sera le Dai Ngu, la Grande Paix heureuse. Et qui sait ? peut-être pas si heureux que ça, sous les Hô. Mais voyez-vous, moi qui suis né en ville, c'est ce *ca dao* que j'entends maintenant :

Ta di, ta nho quê nhà,

---

Je pars, je pense au village natal,
Je pense au bouillon de liserons d'eau,
à l'aubergine marinée dans la sauce de soja.
Je pense à celle qui brave le soleil et la brume,
Je pense à celle qui manie l'écope au bord de la route,
matin et soir.[28]

Kathleen resta songeuse. Qui, aux États-Unis, aurait en tête un tel refrain au Nouvel An ? À l'époque des pionniers, peut-être. Elle mâcha un dernier gâteau, étira son cognac, se leva.

— Allons couper cette branche de citronnier.

Dans la courette éclairée par une fenêtre voisine, ce fut vite fait, et le vase prit place sur la commode. Le frêle rameau près du délicat sourire de Nguyêt, n'était-ce pas le plus beau *bàn tho* que pût avoir le logement du tailleur Pham Van Ly ? D'ailleurs, la visiteuse n'en vit pas d'autre. Dans la chambre, pourquoi pas, mais elle ne demanda rien. Ils se rassirent pour un second cognac. L'hôte rompit le silence :

— Au New Hampshire, au Nouvel An…

Kathleen ne le laissa pas compléter sa phrase.

— Comme vous je ne fête pas, je ne fête plus, et vous savez pourquoi.

28. Traduction de Huu Ngoc.

L'artisan s'excusa avec embarras, alla à nouveau préparer du thé. Thé, cognac, au retour son regard ne s'égarait-il pas, entre les deux, vers un corps trop vivant dans trop peu de tissu ? Elle eut pitié, et déjà elle l'aimait. Non pas comme le brillant séducteur de Nhât Lê, le feu de Bengale de Dông Hoi. Elle aimait sa gêne, sa retenue, son émotion lorsqu'il avait replacé l'album dans le tiroir. Elle aimait cet homme qui très vite avait révélé ses doutes, ses angoisses, son humilité. Sa profonde honnêteté d'artisan. Elle replaça le fauteuil, enfonça le bouchon du cognac avec un clin d'œil.

— Gardez-en pour demain.

Sur le palier, elle passa une main dans les cheveux à peine grisonnants.

— Dormez tranquille, le rameau va bien vivre une semaine.

Dans l'escalier elle ajouta gaiement :

— Qui sait ? Peut-être y poussera-t-il un petit citron.

La porte se referma sans bruit, avant qu'il ne descendît. À l'angle de Phan Dinh Phung, elle se retourna une seconde, juste assez pour distinguer la silhouette dans l'entrebâillement du rideau.

Dans la rue Trân Phù, à l'hôtel et sur le fleuve, il flottait une musique douce qui n'était ni celle d'une flûte annamite en bambou ni celle d'un fifre folklorique de Nouvelle-Angleterre. Et pas plus le chant de l'*hoa mi* que celui du moqueur. Une aria proche et lointaine, qui serrait le cœur d'une veuve dans la nuit fiévreuse du Têt.

○

Quelle surprise à l'ouverture du balcon ! Silence au quai des caboteurs. Silence au quai de la volaille et du poisson. Pas un docker, pas une marchande, aussi loin que put voir Kathleen Murphy en se penchant. La ville tardait à s'éveiller.

Seul le fleuve descendait lentement vers la mer, salué par des corbeaux sur un ponton, et par une famille d'étourneaux dans le haut sablier, l'arbre du diable s'élevant devant l'hôtel. Elle fit un rapide tour du quartier, où Da Nang lui étala son épuisement. Boutiques closes ou entrouvertes, tristes trottoirs, avec çà et là dans une porte des corps, des visages las et gris. Des enfants guère plus remuants. Après une semaine folle, la ville digérait ses excès. Tout près de l'hôtel, Ty et Huê étaient absents, eux aussi. Fini la volaille à plumer, frère et sœur iraient-ils bientôt à l'école ?

L'Américaine revint à son balcon. Déjà haut, le soleil était violent, aveuglant au-dessus de Son Tra. Elle l'affronta durant quelques minutes, sans revoir la mer à Nhât Lê, mais en songeant à la rivière des Parfums, à sa rive fleurant le jaquier, le cajeput sous les outils des menuisiers. Elle voulut oublier les tragiques sampans des boat people, et ne voir, à l'écart des *thuyên may* endormis, qu'une fausse gondole emportant Ly et Nguyêt. Kathleen eut des yeux d'oiseau, si perçants dans les intenses vibrations de l'onde, où le courant berçait les amoureux. Était-ce le sông Han ou le sông Huong ? Était-ce hier ou voilà quinze ans ? Cette femme avait trente-cinq ans, elle les avait toujours sur la haute commode de bois rouge. Elle portait le nom de la Lune, et son sourire était le printemps de la Terre. Un printemps auquel la guerre avait retiré l'espoir de l'été.

Une romance creva la pesanteur, montant de l'étage inférieur, de la télévision qui en était si friande. Ah ! ces chansons si populaires au Viêt Nam, elles rappelaient parfois à Kathleen les voix d'opérette qui parvenaient de la fenêtre de Peter Carducci, à l'âge où l'amour était pour elle un mot enrobé de mystère. Cette musique brouilla la belle image sur le fleuve, et la brûlure du soleil chassa l'institutrice du balcon.

Une douche tiède, puis une brusque décision avant de se rhabiller. Ni jupe ni jeans, mais cette robe chinoise qu'elle n'avait pas commandée pour la questionner chaque soir dans l'armoire. Le Nouvel An n'était-il pas tout désigné pour l'étrenner ? À sa sortie, les employées du Tân Minh lui donnèrent visiblement raison. Elle désirait inviter Ly au restaurant Châu Trang, dans la rue Haiphong. Pour le premier déjeuner de l'année lunaire, la propriétaire et cuisinière leur offrirait ses délicieux *banh uoc thit nuong,* sorte de cannellonis farcis de bœuf et de fines herbes, et trempés dans une somptueuse sauce à l'arachide faiblement pimentée. Elle était plusieurs fois retournée à cette bonne table en quittant la bibliothèque de mademoiselle Thu. Madame Hô Thi Vân était professeur de littérature dans une école secondaire, et cuisinait par plaisir. Elle avait pour aides des filles de familles pauvres auxquelles elle enseignait son art, et dont elle suivait les études scolaires. Mais le tailleur, qui avait prévu la visite de Kathleen, la coupa net :

— Vous êtes à Da Nang, et pour le Têt mon invitée. Rassurez-vous, je ne vous servirai pas de *ruou mân,* et pas plus de *gia cày.*

— Et que sont ces plats auxquels je n'ai pas droit ?

— Le *ruou mân* est une viande de chien, sautée et cuite à petit feu, assez prisée dans le Nord. Quant au *gia cày,* c'est le « faux chien », qui se prépare avec des pattes de porc.

— Alors, peut-être me servirez-vous du chat, bien mijoté dans une sauce tonkinoise… Savez-vous qu'autrefois, si j'en crois mes parents, dans certains restaurants chinois de Boston, on ne savait pas trop ce qu'on mangeait.

— Montez, vous verrez bien.

Ly lui déconseilla de le suivre dans la cuisine, de crainte qu'elle ne tachât sa robe. Le repas fut prêt avant qu'elle n'eût lu toute l'introduction du recueil de nouvelles de Nam Cao, traduites en français. Les livres en cette langue étaient rarissimes sur les quatre étagères au-dessus de quelques vases et statuettes. Édités au Viêt Nam, ils étaient très mal imprimés, et ceux importés de France étaient proposés à des prix si prohibitifs qu'ils interdisaient toute diffusion. Elle demanda simplement :

— Me prêterez-vous *Chi pheo* afin que je le lise avant mon départ ?

— Bien sûr. Vous le lirez en deux soirées... ou en deux siestes. Ce livre, c'est un peu l'âme du Viêt Nam. Mais maintenant, déjeunons.

Des nems aux crevettes, du potage au liseron d'eau, une assiette de *cha ca thu,* tranches de gâteau de poisson sur un lit de salade, et rehaussées par une sauce aigre-douce, avec comme toujours le petit bol de riz blanc et le thé ; c'était excellent et sans flafla.

— Décidément, vous êtes aussi bon cuisinier que tailleur.

— Et vous trop flatteuse. Ce n'est pas très indiqué pour une institutrice.

Il approcha le cognac, et elle l'arrêta avant qu'il ne remplît son verre.

— N'est-ce pas trop...

— C'est le Têt.

— Le Têt, le Têt, et ma tête, à moi, qu'en faites-vous, monsieur Ly ?...

— Je la vois bien, et elle est aussi fraîche qu'à votre arrivée. Un jeune galant vous dirait : aussi fraîche qu'une fleur de lotus.

— Vous êtes toujours jeune...

Il se leva, porta la vaisselle dans la cuisine, essuya la table basse. Elle le surprit :

— La branche de citronnier préfère le vase à votre cour ombragée. L'avez-vous remarqué ?

Il lui redonna un peu d'eau, la redressa légèrement. Elle approcha dans son dos, se colla à la chemise blanche, encercla la poitrine de ses bras nus, lui souffla :

— L'année de la Chèvre vous sera bonne.

À peine se fut-il retourné qu'elle l'embrassa. Oh ! bien plus qu'une haleine de cognac, elle reçut toute la soudaine et vibrante fragilité d'un homme. Elle fut tendre et patiente dans l'attente des premiers gestes de Ly. Le silence, le temps, la respiration eurent le poids d'archaïques interdits. Quelle rivière ralentit son cours, à Da Nang, à Hué, à Milford, avant que l'homme n'entamât sur la soie une errance éternelle ? Sur la soie et au-delà. Quand il ouvrit le rabat, le zip latéral, et qu'une main plus que lente, puis une autre, unirent, désunirent l'étoffe et la chair, et qu'enfin la chambre, le lit natté, le souffle tiède d'un petit ventilateur oscillant, et que des mains encore, non plus lentes mais chaudes, firent muer et la soie et la peau, elle ne sut plus si l'artisan, le veuf ou le *bô dôi* l'aimait plutôt que l'insaisissable rêve d'une vie. Il avait pris tant de soin à ne pas froisser la robe sur un corps si doucement découvert. Il l'avait posée là près du lit, sur un coffre dont elle semblait sortie par magie. Était-ce par délicatesse orientale, ou millénaire gaucherie des hommes, qu'il lui avait alors demandé :

— La natte n'est pas trop dure ?

Elle espérait d'autres paroles, mais peut-être ne les avait-il jamais apprises. Elle vit, à bonne hauteur sur le mur opposé, le modeste *bàn tho* consacré aux ancêtres, se redressa afin de mieux le distinguer.

— S'allume-t-il ?

Ly alla près de la porte, poussa l'interrupteur.

— Et le tube, pouvez-vous le couper ?

Il le fit aussitôt. Le *bàn tho* rougeoyait dans la pénombre, et, sans s'enquérir si cela n'était pas sacrilège en un tel moment, Kathleen revit l'antique lampe animée de Rye North.

— Venez.

Il s'assit sur le bord du lit, très bas, et elle lui détacha sa chemise. Elle s'étendit sur la natte, retira ce qu'il lui avait laissé. Dans la lueur du *bàn tho,* et la lumière de la porte restée ouverte, son corps devint sacré, et elle le lui offrit bien plus qu'il ne le conquit.

L'heure glissa dans un doux silence, à peine meublé par le ventilateur. Il réapprit la paix dans les calmes replis du désir. En des instants où se confondaient le jour et la nuit. Dans le regard d'une femme venue de si loin pour ébranler le vide. Prestement rhabillé, il caressa une épaule, prononça :

— *Lua non,* la pure soie.

— Pas plutôt du lin de Nouvelle-Angleterre...

— *Lua non,* la soie du printemps.

« La soie du printemps », réentendit-elle dans les yeux neufs, amoureux, de Pham Van Ly. Elle jugea les mots naïfs et tendres, et cependant ils valaient mieux que tant de belles phrases dont on disait, à Milford, qu'elles étaient fort démodées. Le temps d'Internet maltraitait si brutalement les sentiments, tuait la poésie à la racine des langues. Elle répéta :

— Ly, Ly, Ly.

— Ka...teline.

— Kate, simplement Kate.

— Kate, cela fait si peu français.

Elle lui rappela à l'oreille :

— Je suis toujours américaine, monsieur Ly.

— Kate, Kate, bien sûr. Et pourquoi pas Câm Lê? En vietnamien, ce nom aussi vous va bien.

Spontanément, elle se souvint de ce prénom que lui avait donné l'imprévisible Mike à son départ de Dông Hoi. Alors elle questionna :

— Câm Lê, est-ce un nom que vous donnez aux Américaines ?

— Aucunement. C'est un joli prénom de femme, qui peut se traduire par « magnifique ». Il symbolise la nature, la beauté, la douceur. Il vous convient beaucoup mieux que Khanh, un nom que portent des personnages féminins du Tuông, l'opéra traditionnel de l'Annam.

— Monseigneuuuuur Lyiiiii... me voilà soprano.

— Soprano, je ne pense pas. Mais mon apsara nordique, peut-être, fit-il en flattant un sein rosi par le *bàn tho*.

Oh! qu'elle en mérita bientôt le titre évocateur, nue dans la porte de la chambre, avec des ombres pour toute parure. À trente-sept ans, elle volait aux apsaras leurs lignes depuis dix siècles vénérées dans la pierre. Elle se déhancha avec plus de charme qu'un mannequin, porta sa main gauche sur la cuisse opposée, leva le bras droit, le replia vers la tête penchée, prit au mot l'artisan, l'amant cultivé :

— Avez-vous un collier de perles pour la danseuse de Trà Kiêu ?

Et il est vrai que là, dans le contre-jour du salon, Kathleen n'était guère plus américaine que cinghalaise ou sévillane. Mais enfin, l'apsara de Trà Kiêu, n'était-ce pas le fleuron de l'art cham, le joyau du lointain royaume du Champa ? Aussi s'approcha-t-il pour déposer quelques baisers sur l'envoûtante silhouette, et lui dire :

— Je n'ai que ces bijoux à vous offrir, belle devata.

— Comment, prince ? J'étais votre apsara, et me voilà seulement devata.

Il l'enlaça, lui murmura :

— C'est que les secondes peuvent être aussi bien divines que démones…

Elle lui mordilla l'oreille, alla reprendre ses vêtements. Après avoir agrafé le balconnet, il évoqua le *yêm**, pour elle inconnu. Avant l'arrivée du soutien-gorge occidental, ce cache-seins de ses aïeules était muni de quatre bretelles, deux nouées derrière la nuque et les deux autres dans le dos. Carré, à col rond, en cœur ou fendu, blanc ou de couleur, il symbolisait la pudeur et la discrétion des Vietnamiennes dans leur séduisante féminité. Le *yêm* était l'emblème de l'amour, qui se retrouvait dans les chansons populaires. Ainsi dans l'une d'elles :

Uoc gi sông rông môt gang
Bac câu dai yêm cho chàng sang choi[29]

29. Si seulement la rivière n'était pas plus large qu'une main
Je ferais un pont de mes *dai yêm* pour te faire venir demain

Ces deux phrases touchèrent l'institutrice. Elles étaient d'un temps qui avait bien disparu des deux côtés de la Terre. Lorsqu'elle eut remis sa robe, il éteignit le *bàn tho*. Le soleil déclinant pénétrait dans le modeste salon, où le *xung xam* habillait, non plus une apsara, mais une femme qui venait de changer la vie. Ly effleura les fins bambous sur l'azur, et Kathleen lui dit :

— *Lua non,* aujourd'hui un pont vers toi.

Les mains s'imprimèrent dans la soie. Ce soudain tutoiement l'avait d'ailleurs surprise autant que lui. Étaient-ce l'écho de la chanson, ou les yeux d'enfant, les yeux neufs de Ly qui avaient appelé instinctivement les paroles ? Il ne la tutoierait pas, ce n'était pas dans sa nature, et le vouvoiement s'accordait mieux à leurs sentiments, où la mémoire et la tendresse croisaient tant d'épreuves et d'espoirs.

○

Kathleen revint le lendemain, de nouveau en jeans. Dans sa chambre d'hôtel, le téléjournal l'avait ébranlée. La désintégration de la navette *Columbia* lors de sa rentrée dans l'atmosphère, avec à bord sept astronautes, l'avait brusquement convaincue du bien-fondé de la croyance orientale voulant que l'année de la Chèvre fût celle du malheur. En ce premier jour de l'année lunaire, l'Amérique n'avait pas été frappée par ses ennemis déclarés, mais par une défaillance de sa puissante industrie spatiale. Ly partagea son désarroi, comprenant aussi que ce drame ravivait celui qui, seize mois auparavant, avait emporté Richard Murphy. Plus qu'amoureuse, Kathleen étreignit son hôte dans l'escalier, confiante que cette passion naissante la protégerait, sinon des imprévisibles violences de la nature, tout au moins de celles de la politique, cette « coriace machine à détruire l'humanité », ainsi que la qualifiait à Keene le professeur Mitchell Callahan. Elle ne demanda rien, et dans la lumière blanche du fluorescent leurs corps eurent un langage épuré. Quand le silence eut étouffé les mots tendres dans la gangue du désir, Ly murmura devant les yeux mouillés :

— Kathleen... Kate, nous sommes bien peu de choses dans l'Univers. La catastrophe de la navette *Columbia* nous le rappelle.

— Je sais, Ly. C'est ce qui est le plus difficile à enseigner : la fragilité de toute entreprise humaine. Les élèves ne veulent croire qu'aux miracles de la science, l'échec est un mot qui nous est presque interdit.

Lorsqu'elle sortit de la douche et qu'il lui eut séché la tête, il joua dans les cheveux courts, à peine frisés. Des gestes depuis si longtemps désappris. Des instants de bonheur simple au bout des doigts. Il prit un livre mince sur une tablette, en lut trois lignes :

La vie est faite
De petites choses
De très minimes petites choses

Elle apprécia, tourna quelques pages, lut à son tour :

Un homme ne peut construire
La Grande Muraille
Un million d'hommes ne peuvent rédiger
Un vers d'Homère[30]

Kathleen referma le recueil, posa un baiser sur les lèvres closes de Ly.

— Peut-être faut-il les yeux d'un Vietnamien pour voir ces choses ? Peut-être faut-il, depuis mille ans, avoir de ses mains construit tant de digues, pour savoir le prix d'une motte de terre, la valeur d'un grain de riz ?

— Oh ! Kate, l'Occident a eu ses poètes, qui ont su chanter, honorer les choses essentielles. Mais il est certain

30. Rédigés en français par Trân Nhu Canh, professeur et poète de Da Nang.

qu'aujourd'hui, les hommes qui doutent encore de l'identité d'Homère, et qui consacrent leurs énergies à enrichir toujours plus un clan de multimilliardaires, ne peuvent pas plus apprécier Trân Nhu Canh que Nguyên Binh Khiêm, qui au XVI^e siècle écrivait ceci : « Rien n'est plus sacré que la vie du peuple[31]. »

— Maintenant, beau tailleur, ce ne sont plus les poètes qui invoquent la vie du peuple, mais les fanatiques, les nouveaux barbares qui en détournent le sens pour imposer leur tyrannie.

— Oui, et les choses les plus simples n'ont jamais été aussi compliquées. Puis la nouvelle génération est obnubilée par l'informatique, on ne sait plus rien faire sans d'abord tapoter sur un clavier d'ordinateur.

— Pas pour couper des habits…

— Pas encore.

— Ah ! le progrès, Ly, le progrès…

— L'Amérique a la mémoire courte. Tenez, voulez-vous visiter la montagne de Marbre ? Je vous emmène sur mon vélomoteur.

Sitôt dit, sitôt fait. Kathleen n'hésita pas une seconde avant d'enfourcher la longue selle derrière lui, collant ses jambes contre le Honda afin de ne pas accrocher quelque motocycliste téméraire dans ses louvoiements pneumatiques. Trân Phù puis le nouveau pont, et ils filèrent vers le sud sur la route littorale de Hoi An. Dans Son Tra, les édifices neufs et chamarrés semblaient avoir été posés durant la nuit, tels des LEGO aux couleurs orientales. Une ville poussait sur la voie élargie, où disparaissaient les anciennes maisons basses, les petits commerces dans la poussière ou la boue. Passé Bac My An, des camions alourdirent le trafic dans le souffle chaud de la côte, et ralentirent le lancinant zigzag des deux-roues. Déjà les maraîchers

31. *Tang thu* : La haine des rats. Dans ce poème originellement écrit en chinois, Nguyên Binh Khiêm vilipendait les rats, c'est-à-dire les rapaces gouvernants qui saignaient le peuple.

alignaient leurs plants de salades, leurs parcelles de légumes entre les bras diffus du sông Han. Là où le ciel, la terre et l'eau, selon les heures, s'embrument ou s'enflamment sur des aquarelles ou des soies d'artistes.

Se dressèrent enfin les silhouettes déchirées des Ngu Hành Son, les monts des Cinq éléments, que les Français ont baptisés la montagne de Marbre. À huit kilomètres de Da Nang, les calcaires de ces formations karstiques, vieilles de quatre cent millions d'années, se sont transformés en marbre blanc, rose ou rouge, bleu pâle ou foncé, matériau de choix pour les générations de sculpteurs établies au pied des rochers. Les monts des Cinq éléments mythiques reçurent leurs noms du roi Minh Mang au XIX^e siècle, soit : Thuy Son, le mont de l'Eau ; Kim Son, le mont du Métal ; Hoa Son, le mont du Feu mythique, comprenant An Hoa Son, mont du Feu Yin, et Duong Hoa Son, mont du Feu Yang ; Môc Son, le mont du Bois ; et Thô Son, le mont de la Terre. Le roi Minh Mang donna aussi leurs noms aux grottes que les époques les plus reculées avaient creusées, sculptées dans le secret des collines.

Les amants ne s'attardèrent pas aux étals et magasins des artistes de la pierre, sous les doux sourires de Quan Am dans le marbre rose ou lactescent. Ly conduisit d'abord Kathleen à la grotte aujourd'hui célèbre de Huyên Không, située dans la montagne de l'Eau (Thuy Son). Là également, il parla bien peu des personnages religieux et mythiques accueillant les visiteurs à l'entrée des hautes salles naturelles. Bouddha, Quan Am, et les Ho Phap, les inséparables gardiens richement colorés, avec à leurs pieds l'encens, les fleurs et les offrandes ; l'Américaine leur prêta moins attention qu'aux magiques rayons de lumière tombant des percées de la voûte. Puis, dans cette surprenante caverne dont elle ne savait plus si elle était grotte ou pagode, Ly l'attira vers une plaque de marbre blanc fixée au bas du roc, et lui en traduisit les sept lignes avant d'en détailler l'histoire.

Durant quelques années, le lieutenant Phan Hiêp, portant alors le nom de guerre Phan Hành Son, avait eu son poste de commandement au plus profond de cette grotte. Il était chef d'une section de quatre-vingts *bô dôi,* animés d'une ardente volonté de repousser, de vaincre la peur face à la puissante armée américaine, si lourdement équipée, et si proche. Leur coup d'éclat s'était produit dans la nuit du 15 avril 1972, quand du haut de leur colline, avec seulement vingt-deux roquettes lancées de leurs mortiers chinois de quatre-vingt-deux millimètres, ils avaient détruit dix-neuf hélicoptères américains de combat, postés sur la base de Nuoc Man, à moins d'un kilomètre de la montagne de Marbre. Oui, du fond de sa grotte et des villages voisins, Phan Hành Son avait dirigé la résistance autour de Da Nang, sans que les experts de l'armée américaine ne le découvrissent. Kathleen s'interrogea :

— C'est incroyable. La fourmi dans la pierre, contre la plus puissante armée du monde...

— Non, lui objecta Ly, pas une fourmi, elles ne sont jamais seules. Mais un mulot, ou plutôt une chauve-souris. Un petit surhomme enfermé dans la roche. Moi aussi, j'ai eu du mal à y croire.

— Ah ! les Annamites ! Dans des tunnels, dans des cavernes, quelles oreilles ont-ils, ces hommes-là ?

— *Tai cua da, hai cai tai an trong da, truoc ra-da cua my :* Des oreilles de marbre, deux petites oreilles invisibles au nez des radars américains, traduisit-il aussitôt. Oui, Kate, une légende de plus pour la montagne de Marbre, qui en perpétue beaucoup depuis des siècles. Mais cette dernière n'est pas qu'une légende, et elle nous a coûté cher. Son héros vit toujours, à Son Tra, et les cigarettes qu'il grille sans arrêt n'améliorent pas ses poumons, après les dures épreuves de la guerre. Que voulez-vous ? pour tant de Vietnamiens le tabac est l'un des tout premiers plaisirs de la vie.

Ly et Kathleen ne visitèrent que quelques-unes des nombreuses grottes de la montagne de l'Eau, précédées de portiques, pagodes, pavillons et pagodons où lions et dragons veillaient à la tranquillité des dieux dans les chants d'oiseaux. Des cavernes obscures, où les millénaires concrétions calcaires dressaient des figures mystérieuses, humaines ou animales. Où le goutte-à-goutte des stalactites réduisait une vie d'homme à un caillou. Chaque lieu avait son histoire, son mythe sinon plusieurs, et Kate retint celui de l'abri naturel de Vu Da, aussi appelé Thach Nhu Côc, la Caverne des seins de femme. Là, un projecteur détachait deux éperons de pierre joliment arrondis ; et la légende voulait qu'autrefois l'eau pure y perlât dans une discrète musicalité. Jusqu'au jour où, après que le roi Thanh Thai y eut apposé sa main, l'un des seins se tarit. Séduite par cette fable, Kate happa dans l'ombre un baiser de Ly.

Juste au sud de Thuy Son, les amoureux du Têt firent un léger détour vers Môc Son, le mont du Bois mythique, le plus oriental des cinq sites, près des dunes sablonneuses de la mer de Chine. Môc Son s'élevait telle une forteresse aux parois abruptes, et coiffée de verdure. Phare et gardienne des montagnes de marbre face à l'immensité océane, elle préservait également sa légende, divisée entre deux femmes : Quan Am assise au sommet, sous la forme d'une pierre blanche, et Trung, une religieuse recluse dans une petite grotte portant son nom.

Sous un tamarinier au pied de la muraille, une jeune mère allaitait son bébé à la frimousse violacée telle une mangue. Kathleen l'observa, s'approcha, vite fascinée par la bucolique sérénité du tableau. Cette paysanne éclipsait soudain l'architecture des pavillons et des pagodes, le beau mystère des grottes, et la finesse de ses traits repoussait la froideur marmoréenne des divinités ciselées par les artisans environnants. Il y avait dans l'air chaud, faiblement iodé, dans la lumière rasante et le mélodieux gazouillis d'un *chich chòe,* un rappel de lointaines images d'enfance, plus vécues dans les paroles de Lorraine et Jeanne que sur les rives de la Souhegan. Le monde pouvait-il encore avoir cette douceur, cette paix simple et primordiale d'une paysanne annamite nourrissant son enfant ? Ou n'était-ce pas qu'un leurre inconscient dans une vie précaire ? À Ly qui l'avait rejointe, Kathleen confia à mi-voix :

— Voilà une scène, un tableau d'une fraîcheur dont l'Amérique a perdu le sens.

Lorsqu'ils se furent éloignés, le tailleur dit à l'étrangère :

— Selon ce proverbe vietnamien : *Gai môt con trông mòn con mat,* une femme ayant un enfant est si charmante qu'on la regarde jusqu'à ce que nos yeux soient usés.

Oh ! que le dicton était éloquent. Et douloureux. Cependant, en remontant sur la motocyclette, Kathleen Murphy comprit que, si Pham Van Ly le lui avait appris, lui auquel son épouse n'avait pas donné d'enfant, c'était bien parce qu'il l'aimait déjà, non pas telle une folie du Têt, mais comme une femme à laquelle il pouvait tout dire.

Pourquoi, sur la route encombrée de Son Tra, Kate songea-t-elle à la jeune astronaute américaine d'origine indienne, Kalpana Chawla, pulvérisée avec la navette *Columbia*? À cette femme qui, peut-être, avait rêvé d'avoir un enfant auquel elle enseignerait les merveilles du ciel et de la Terre ?

○

Elle est revenue chaque fin d'après-midi, et chaque fois il a craint que ce ne soit la dernière. Elle le regardait travailler, calme, méthodique et précis, dans une longue connivence avec le coton ou le polyester, la soie naturelle ou synthétique pour atténuer, effacer telle ou telle enflure, boursoufflure, déformation ou autre disgracieuse anomalie sur le corps d'un client. Les doigts de Ly, et ses yeux si mobiles, si prompts à cerner une silhouette, un dos, une épaule, une hanche, avaient habillé tant de fonctionnaires, de commerçants, de lettrés, avant de tailler l'ensorcelant *xung xam* d'une institutrice du New Hampshire. Oui, elle les voyait si habiles dans leur dialogue entre le *cach cat,* le patron d'un catalogue chinois ou japonais, et le tissu souple et docile dans lequel chaque coupe recréait bien plus qu'une apparence : un destin, une vie. Elle les attendait, les ressentait déjà sur son corps, dans quelques heures sous la faible lueur du *bàn tho.* Ly ajouterait la tendresse au talent d'une main chaude et sûre. Il détacherait, glisserait amoureusement ses vêtements pour les déposer sur le coffre de bois. L'année de la Chèvre serait une autre nuit de rêve, car le rameau de citronnier conservait sa fraîcheur dans le vase de céramique. Et ces doigts encore, qui, experts et ingénus, vifs et paresseux, l'aideraient à se rhabiller dans le petit matin, avant que la ville ne leur volât leur bonheur. Peut-être qu'aussi, sur le palier, ces belles mains rediraient que la nuit ne finit jamais, sur le dos, les cuisses tendus d'une amante, alors que la peau a le frisson las et exquis de l'impossible départ.

La bibliothèque universitaire étant fermée durant la semaine du Têt, Kathleen Murphy étira ses matinées entre le fleuve et les quartiers populaires. Elle revit Nguyên Thi Kim Ky et sa famille dans le tortueux passage de Dông Da. Parents et enfants traînaient la fatigue de la fête, et le café aux oiseaux était autant un lieu de sieste que d'accueil, n'eût été le concert du merle et du rossignol. Ah ! l'*hoa mi* favori de la jeune Quy Trân ne valait-il pas à lui seul la longue marche jusqu'à la courbe de Dông Da ? Au salon de coiffure, Kiêu Thi Ngoc avait peu de travail, l'argent des belles ayant fondu avec les chocolats et les *banh tét.* Kate et Ngoc s'offrirent un long déjeuner au restaurant du professeur Hô Thi Vân, elle aussi en congé scolaire. Elles parlèrent bien peu de cuisine et surtout des hommes, la coiffeuse ayant vite sondé l'étrangère et découvert sa métamorphose. Ngoc déclara qu'une liaison du Têt s'évanouissait parfois avec la première lune, et qu'en cette année de la Chèvre, un caprice de l'animal maudit pouvait même écourter l'aventure. Mais elle se ravisa aussitôt, en avouant que la franchise entre amies n'était pas toujours la meilleure conseillère. Puis elle ajouta, avec le sourire :

— J'ai une cousine à My Tho, qui affirme ceci : Un amour né l'année de la Chèvre, et qui passe une première lune, aura la longue vie d'un éléphant.

Kathleen avança la tête au-dessus de la table, et fixa la Vietnamienne.

— Cette cousine existe-t-elle vraiment ? N'est-ce pas vous, Ngoc, qui venez d'improviser ce dicton ?...

— Oh ! je ne suis pas diplomate, je le reconnais, mais mentir à une amie, non, je ne le pourrais pas. Et vous oubliez que j'ai aussi du sang américain. D'ailleurs cette cousine, Dang Thi Lan, vous pourriez la rencontrer si vous alliez dans le Sud. Elle travaille au guichet du *buu diên,* de la poste principale de My Tho. Hélas ! elle parle très peu anglais.

L'Américaine se redressa, avala un thé à peine refroidi, tenta de s'excuser, de s'expliquer.

— Pardonnez-moi, Ngoc, je ne mets pas en doute votre parole, mais le Viêt Nam est si compliqué. La vie y est si riche de mille détails, mille croyances, mille subtilités dans les sentiments et les coutumes, malgré une apparente simplicité.

— L'abeille et le buffle, la terre grasse et la soie...

— Le *bô dôi* encore dans la peau de bien des hommes. Et chez d'autres l'humilité, la douceur d'un éclat de lune.

— Rêvez, rêvez, Kathleen. Toutefois, n'idéalisez pas trop, vous pourriez en souffrir.

○

L'université rouvrit ses portes, ainsi que les collèges alentour. Reprit la ronde des bicyclettes avec le charme des *ao dai*. Kathleen Murphy retrouva mademoiselle Thu, qui allait bientôt se marier. Thu dont la modestie et la délicatesse habillaient une grande culture et autant de sagesse. Cette jeune femme accordait aux livres et aux lecteurs la belle complicité qui manque à de nombreuses bibliothèques, et de ses informations se dégageaient aussi bien les parfums et les secrets de l'Annam que la conscience professionnelle. Le monde de Thu n'était pas celui de Ngoc, et cependant l'une et l'autre apportaient à l'Américaine ce qui avait disparu à Milford : le sentiment d'appartenir à un pays complexe et fragile, dont la force n'était pas la richesse matérielle mais bien le profond attachement à des valeurs séculaires. Dans la mythologie populaire, Thu signifiait l'automne, et Ngoc l'éclat des pierres précieuses. Mais dans l'esprit de Kathleen toutes deux incarnaient et les promesses du printemps et les fleurs de l'automne, et leurs regards étaient plus fascinants que les bijoux dans les vitrines de la rue Hung Vuong. Tout autour de ces deux femmes, les claviers et écrans d'Internet n'étaient guère que les jouets coûteux des enfants gâtés, les gadgets d'une génération plus prompte à singer l'Amérique qu'à sauvegarder le patrimoine pour lequel la précédente s'était sacrifiée. Ngoc avait eu un beau raccourci pour résumer la cassure d'une époque :

— Il y avait souvent plus de grâce que de fatigue sous la palanche, et je vois aujourd'hui des boudins faire leur flafla sur les vélomoteurs.

Kathleen lui avait répondu que c'était peut-être une caricature trop facile, pour s'attirer une réplique encore plus mordante :

— Sans doute, comme celle-ci que j'ai apprise à Saigon : Il y a le GI qui nous lance ses bombes à cent mille dollars, et dans Harlem le gosse qui compte ses Smarties, au fond de sa poche.

L'Américaine n'avait pas ri, et, avant qu'elle ne rappelât la raison de son voyage au Viêt Nam, Ngoc l'avait embrassée sur le front. Deux fois. Avec déjà une excuse :

— J'ai toujours été gaffeuse. Ma mère n'a jamais pu m'en corriger. Peut-être est-ce ma blessure de guerre, invisible, mais plutôt moche…

Et cette fois, c'était Kathleen qui avait enlacé la nouvelle amie, et les confidences s'étaient alternées jusqu'au bas de la rue Lê Loi.

Maintenant, l'institutrice retrouvait la bibliothécaire, et, dans la retenue de l'une, elle entendait la spontanéité de l'autre. Deux amies, deux sœurs des antipodes, Thu et Ngoc. Et comme l'une annonçait son mariage, Kathleen pensa que l'année de la Chèvre serait cette fois bénéfique. Elle ne souffla mot de son propre bonheur, et se plongea dans une anthologie de poésie vietnamienne.

Le soir, elle lut à Ly les quatre dernières lignes d'un poème de Trân Dang Khoa qu'elle avait inscrites sur son carnet :

il m'emporte
et mon cœur reste ici
on n'a qu'une seule fois
le temps de son enfance

Ly connaissait ce poème, intitulé *Bên do* (« Banian et embarcadère d'antan »), dans lequel l'auteur évoquait son enfance durant les bombardements américains. Le banian, le sampan, les saules sur les diguettes, le village, la terre partout éventrée, défigurée par les cratères des bombes. Trân Dang Khoa avait écrit ses premiers poèmes à huit ans, et il n'avait que sept ans de moins que Pham Van Ly. Ils étaient tous deux des garçons de la guerre, ayant mieux connu le fracas des bombes que les gongs des pagodes. Ce soir-là, Kathleen se remémora les mots de Kurt Stern en préface de son anthologie de littérature vietnamienne, dont elle avait lu des extraits en français : « Les deux constantes de l'histoire et de la vie du Viêt Nam sont la poésie et la guerre.[32]» Elle savait que le tailleur pouvait, lui aussi, être poète, et ne s'étonna pas de sa réponse :

— *Cuôc sông không phai là ruông lua, và nhung ngày cua chung ta không phai là nhung chiêc gàu tat nuoc vinh cuu :* La vie n'est pas une rizière, et nos jours ne sont pas des écopes éternelles.

— La vie, Ly, est aussi ce qu'un jour on décide d'en faire, malgré toute la tristesse qu'elle nous a léguée.

Il ferma l'atelier, monta préparer le dîner, et cette fois elle s'imposa dans la petite cuisine. En quelques jours elle avait appris les recettes favorites du tailleur, et elle ne le déçut pas avec le premier plat qu'elle prépara seule. Mais, sur la table basse, il y avait bien plus qu'un *pho* odorant entre deux amants. L'un et l'autre réalisaient l'ambiguïté de la situation, tout en mesurant le chemin parcouru en si peu de temps. Entre Milford et Da Nang, tout comme entre Claremont et Quang Tri, le temps pouvait-il avoir changé l'histoire d'une monumentale incompréhension ? L'Américaine de Da Nang était-elle vraiment l'amoureuse de Rye North ? Et l'orphelin de Haiphong percevait-il, dans les étreintes de l'institutrice, l'écho douloureux des paroles de son beau-père ? L'amour au fond d'un passage, chez un artisan vietnamien, effacerait-il l'abîme entre deux continents, entre deux mondes où les hommes avaient mis tant de détermination à ne pas se comprendre ? Chacun entendait les mots du silence, et les diktats de la fatalité. Ly enfin se leva, dit simplement :

— Ah, Kate ! Ah, Câm Lê! Vous devez avoir raison. Nous sommes aussi responsables de notre vie.

À son tour elle quitta la table, la nettoya, devança l'hôte dans la cuisine, et la vaisselle fut vite nette. Cependant, le monde ne pouvait changer aussi rapidement que l'eussent souhaité les amants de l'impasse Phan Dinh Phung, et Ly

32. Kurt Stern, *Nächte auf dem marsch*.

confia à Kathleen, après avoir replacé sur la tablette le recueil de nouvelles de Nam Cao qu'elle lui avait rendu :

— *Vâng Kate, cai mêt cua con trâu gân voi chung tôi hon là tiêng hot cua chim chào mào:* Oui, Kate, la fatigue du buffle nous est plus proche que le chant du bulbul.

— Pessimiste. Ne savez-vous pas qu'il est interdit de l'être au Nouvel An ?

Elle s'étendit sur le lit natté, droite dans la jupe grise, sans même retirer ses sandales. Il s'allongea près d'elle, silencieux. Le rêve emporta vite sa compagne. Elle était retournée au musée d'art cham, où tout lui paraissait plus fascinant qu'à la première visite. Étaient-ce, dans le rêve, les courants d'air entre les salles aux chefs-d'œuvre immortels, ou les caresses du petit ventilateur oscillant que Ly avait branché sans allumer ni le fluorescent ni le *bàn tho* ? Une douce euphorie portait Kathleen Murphy d'une statue à l'autre, de la sérénité d'un bas-relief à la grâce d'une apsara, de la candeur d'un bodhisattva à l'érotisme d'un linteau. Elle revit les trois danseuses assises sur leurs talons. Son séjour à Da Nang lui avait-il appris à mieux recevoir cette lumière douce, sensuelle, généreuse, qui vibrait sur les corps demi-nus ? Cette fois, dans la nuit de Da Nang, elle s'attarda avec la célèbre danseuse de Trà Kiêu. Elle la contempla, la divinisa, s'éprit d'un corps dont les colliers de perles soulignaient l'éblouissante félicité. La perfection, le classicisme du déhanché, des mouvements, la paix du visage, et la lumière qui encore aiguisait la séduction dans la pierre, cette apsara portait l'art cham à la quintessence de l'Orient.

Et le rêve s'est alangui dans la tiédeur de la chambre. Sans devoir enseigner le dessin ou l'histoire de l'art, l'institutrice avait bien sûr visité les meilleurs musées de Boston, New York et Washington. Mais cette danseuse cham avait bien plus que les lèvres, le regard envoûtants des statuettes grecques ou égyptiennes. Et Kathleen a revu Dick, avec elle au Metropolitan Museum. Dick qui l'accompagnait pour ne pas la décevoir, car les musées l'ennuyaient passablement. Elle lui pardonnait cette lacune, si commune parmi les gars de Claremont. Et soudain, Dick a monté les marches du musée cham, il a traversé quelques salles et s'est immobilisé devant la *Danseuse* de Trà Kiêu. Après quelques minutes d'un silencieux dialogue, la belle s'est animée, souple et rayonnante dans la pierre grise et jaune, sans autre musique que la lumière, la grâce innée d'une femme sans lieu ni âge. Elle a quitté la salle, traversé le jardin du musée, s'est éloignée dans la grisaille de la rue Trân Phù. Et Dick la suivait à quelques pas. Elle n'était plus de pierre et de bijoux, mais vêtue du plus pur *ao dai,* soie blanche et bleu azur sur un corps d'ivoire, le pas léger, léger, insensible aux inégalités du trottoir et au flux des motocyclettes. Dick la suivait toujours, étrange étranger. Jamais Kate ne l'avait vu aussi élégant dans sa simplicité. Non plus le gars de Claremont ou de Milford, ni même un citadin de Boston. Encore moins le galant Richard Murphy sur la plage de Rye North. Il a rejoint l'irrésistible Annamite, est disparu avec elle dans une impasse qui n'était pas celle du tailleur, bien qu'elles se ressemblassent presque toutes. Et ce gaillard de la Sugar River, si mal peigné mais si adroit de ses mains, apprit la douceur de la soie, et le monde qu'elle recouvrait si délicatement. Alors le temps accorda ce qu'il fallait afin que la pierre devînt la fleur et le lis le désir.

Brusquement dans la courette, avec la bataille de deux chats ou le bond de quelque autre animal, la chute d'un seau sur le ciment fit sursauter la rêveuse. Tendre surprise : elle avait perdu ses sandales, son chemisier était ouvert, et une main se terrait très haut dans la jupe. Par la porte du salon, la lumière était elle aussi onirique, et le balayage du ventilateur bien plus qu'excitant. Kathleen se retourna sur le ventre, pour fuir la lumière ou reprendre le rêve, son mutisme fut d'une câline ambiguïté. Ah, le rêve ! Ah, le beau labyrinthe de la pénombre ! Toute nuit n'est-elle pas le palâtre d'or où l'amant quête le secret désir de l'amante ?

Non, il ne dégrafa pas la jupe, sous laquelle le slip s'esquiva dans les mains d'un voleur de charme, avant qu'elles ne piègent la colombe de la paix. Encore elle somnola, s'éveilla, pivota mollement sur la natte ou sur une barque, emportée par le sông Han ou le sông Huong, elle ne savait plus. Un vent léger buissonnait sur les cuisses, le ventre tiède et frileux, où la jupe avait remonté tel le rideau de scène d'un théâtre obscur. Les doigts chauds, le vent, la nuit, la lueur de la porte mêlaient tout, brouillaient les rôles. L'heure glissa en des odeurs floues de meubles, d'étoffes, d'herbe et de branchages. De bois frais coupé. Avec les clapotis des rives et le faible écho de rues animées. Était-ce le rêve, ou l'écoute d'un homme dont les mains pianotaient le silence? Enfin il parla, et la nuit s'épura.

— Votre ville autrefois, m'avez-vous dit, était une vaste carrière de granit, et Da Nang est la ville du marbre[33]. Mais si la pierre peut être belle, elle ne l'est jamais autant qu'à l'ombre d'un arbre. Les arbres chez vous, je ne les connais pas, et ici on les a tant détruits que la pierre en a perdu sa beauté naturelle.

La voix de Ly était aussi lente et douce à l'oreille de Kate que sa main sur la tempe, les lèvres entrouvertes, les seins levés dans la pénombre. Surprise, elle arrêta l'une et l'autre.

— L'arbre et la pierre. Dès la préhistoire, l'homme s'en est servi, pour se protéger, se réchauffer. Puis pour bâtir ses abris, qui deviendront des villages, des villes. Le bois et la pierre, comme la terre et l'eau, c'est aussi l'histoire du Viêt Nam...

— Au combat, au-dessus de Tang Ky, un camarade prétendait qu'un homme sans femme était comme une pierre sans la fraîcheur d'un arbre. Alors vous, Kate, vous devez être un sapin du Nord.

33. Le mausolée de Hô Chi Minh, à Hanoi, a été construit avec du marbre de Da Nang.

Elle sourit dans l'ombre, et il reprit, dans les deux langues :

— *Vâng Câm Lê, môt cai cây duoc gui cho tôy tu My, và-no-dây là ca môt canh rung:* Oui, Câm Lê, un arbre que m'envoie l'Amérique, et celui-là est toute une forêt.

Ah ! le tailleur Pham Van Ly était aussi poète, comme tant de Vietnamiens. Elle traça un beau sentier dans l'ouverture de la chemise, murmura :

— Cette peau-là a peut-être la brûlure de la pierre, mais je lui connais la fraîcheur du chêne dans les bois de Milford.

Elle y sema maints baisers, et il fut plus muet que la roche. Le temps s'étira dans les havres chauds, et enfin il lui répondit, en caressant la nuque, les cheveux en bouquet :

— *Môt canh rung dê xoa di cuôc chiên tranh... Moi cuôc chiên:* Une forêt pour effacer la guerre... Toutes les guerres, appuya-t-il.

Elle s'émut de cette tendre naïveté. Combien d'années grises Pham Van Ly avait-il dû connaître, avant de laisser disparaître sa jeunesse massacrée dans les clairières et sous les bombes de Tang Ky ? Combien de camarades avait-il perdus sous le napalm, ou dans les frissons de la malaria ? Une autre guerre dans la guerre, le *ma ga**, le paludisme que chacun craint comme la lèpre. Une malédiction, le *ma ga,* qui éloigne de vous les villageois, qui en plein jour vous enfonce au creux de la nuit. Nam Cao n'a-t-il pas écrit : « Avoir le *ma ga,* c'est une misère, une honte, une tare transmise par les ancêtres. Tout le monde redoute ce malheur. Nul ne veut pour femme ou pour mari d'un être affligé de ce triste sort[34] » ? Cet homme était veuf et cent fois orphelin. Kathleen le serra contre elle.

— Du granit du Tonkin ou du marbre de l'Annam, peu importe. Cette pierre est un chêne, avec la mémoire, l'énergie et le panache de quinze flamboyants.

---

34. Nam Cao, *Dans la jungle, Chi pheo.* Traduction de Lê Van Lap et Georges Boudarel.

— Un homme, un artisan, rien de plus, lui susurra-t-il. Une institutrice ne doit pas baratiner comme un camelot ou un politicien, la taquina-t-il, un peu plus près dans l'oreille.

— Oui, humble tailleur, acquiesça-t-elle en l'embrassant.

Ils n'eurent plus de paroles pour étancher leur tendresse, seulement de longues balades sur les sentes du désir. Il se dévêtit, coupa le ventilateur et alluma le *bàn tho*. Froissées, jupe et blouse atterrirent également sur le coffre, dont la silhouette massive avait quelque étrange solennité dans la pénombre. Leurs lèvres, leurs mains refirent l'Univers, qui pour chaque amant transcende la matérialité des jours. Ly pressentait que cette nuit serait l'une des dernières, et jamais il n'avait voulu demander à Kate la date de son départ. Et elle aussi refusait les adieux, les ultimes confidences d'un dîner, d'une nuit, d'un hall d'aérogare. Elle partirait sans bruit, sans larmes. Sans promesse. Mais elle savait que cette nuit était la dernière. Ses bagages étaient bouclés, et elle quitterait l'hôtel Tân Minh à huit heures trente pour aller prendre l'avion de Bangkok. Elle n'avait pas plus avisé de son départ mademoiselle Thu, ni madame Ky et l'amie Ngoc, pas même la jeune vendeuse de cacahuètes, Thuy, qui était pour elle la Petite Sirène de Da Nang. Peut-être aussi Kathleen Murphy songeait-elle déjà à revenir ?

Sur le lit bas maintenant familier, dans le faible éclairage parvenant du salon, et avec dans ses mouvements les touches rouges du *bàn tho,* elle se fit rétive et docile, sombre et ensorcelante. Elle s'était accoutumée aux surprises de la natte végétale, dont les aspérités aiguisaient parfois des réflexes nerveux, et cette nuit-là l'alternance des mains de Ly et des damiers tressés procurait à son corps de sensuelles dérobades. S'en doutait-il, par une voluptueuse intuition ? Il prit plaisir à accélérer la cavale de ses doigts, tour à tour soie ou bois sur des rebonds frémissants et fugitifs. Bientôt elle saisit une main folle, la retint sur la rampe vive de la hanche, puis plus bas sur le sexe clos.

Il somnola, s'éveilla sur un ventre moite, mystérieuse et rare phragmitaie d'enfance dans une courbe de l'un des cent bras du fleuve Rouge. Il avait huit ans, et, dans les joncs, les hautes herbes, un couple à demi nu s'ébattait près d'une chaloupe. Ce qu'il avait vu, il ne l'avait jamais dit à ses parents ni à Lai, de deux ans sa cadette et qui mourrait elle aussi sous les bombes. Les rires, les gestes, les corps endiablés dans la rivière du delta ; les seins luisants, les cuisses saillantes dans le pantalon noir, trempé et tombant de la femme, les mains de l'homme dans les plis d'eau, c'était le secret de son enfance, sept ans avant les premiers bombardements de Haiphong. Une si lointaine odeur d'algues et de roseaux, un étrange râle après que les amoureux se furent réfugiés dans l'embarcation ; déjà le temps harcelait, bousculait la mémoire, et des mains fortes ouvraient les cuisses de Kate, tels les flancs d'une barque dans la nuit du sông Han. Non, il ne lui conta pas son souvenir vieux de quarante-quatre années, et cependant elle se crut emportée par le fleuve, la baie, la mer de Chine. La houle accompagnait leurs enivrantes trémulations sur les caprices de la natte, et, sur la presqu'île de Son Tra, la montagne des Singes dansait dans un électrisant naufrage. Elle lui donna une nuit qui valait bien trois lunes.

Vers trois heures elle se leva, s'attarda sous la douche fraîche, vint s'asseoir sur le coffre avant de se rhabiller. Ce qu'elle n'avait jamais fait. Ly se redressa brusquement, lui tendit une chaise.

— Tenez, c'est plus confortable.

Elle rassembla ses vêtements, et lui répondit :

— Mais ce coffre me plaît bien…

Il rapprocha la chaise, en insistant :

— Je vous en prie, Kate.

Elle ne comprit pas. Elle s'habilla debout, près du coffre soudain obsédant, demanda :

— Et qu'y a-t-il dans ce beau coffre?...

Il reprit ses habits, sans répondre. Elle s'amusa :

— Un trésor de guerre? De la soie chinoise vieille de mille ans? Non, pas un cadavre... mais que puis-je offenser par ma simple nudité? Ly, vous m'inquiétez...

Il s'approcha de Kate, l'embrassa. Une larme glissa sur la joue de Ly, dont elle s'émut. Enfin il lui dit :

— Vous pouvez l'ouvrir.

Elle tourna la petite clé laissée dans la serrure, souleva le couvercle. Un coffre rempli d'habits, soigneusement repassés et pliés. Des vêtements féminins. Elle comprit avant même d'en sortir le premier : *un ao* dai de soie blanche et café.

— La garde-robe de Nguyêt...

Il n'eut qu'un léger mouvement de tête. Elle alluma le néon, éleva la tunique dans la lumière.

— Votre travail, bien sûr...

— Oui, pour la plupart.

— Cet *ao dai* est une pure merveille.

— Elle ne l'a porté que deux fois, avant d'entrer à l'hôpital.

Kathleen n'ajouta rien. Elle déplia quelques vêtements, puis d'autres encore qu'elle posa sur le lit. Des *ao dai* aux couleurs divinement mariées, des pantalons et chemisiers de belle coupe, une jupe droite, des vestes et tricots, un *xung xam* semblable au sien, mais où le lis remplaçait le bambou. Elle le fit glisser sur son bras, dans le silence attendri de Ly. Elle admira le classicisme d'un tailleur bleu marine, et là les mots furent des flammèches :

— Elle le portait à Hué... pour la photo.

Une robe de coton fleuri, une autre plus sobre et des pantalons noirs, des tuniques assorties. À peine la moitié du trésor. Kathleen n'éprouva aucune honte, aucune gêne à contempler ces tenues. Loin de toute perversité, elle eut l'impression d'aller à la rencontre de la sœur qu'elle n'avait pas. Il lui sembla aussi que Ly la comprenait. Avec son aide, elle replia doucement les habits, les replaça telles les saisons d'une vie. Elle referma le coffre, en caressa le bois vernis. Elle s'arrêta devant la commode, fixa Nguyêt dans la douceur d'un dimanche du sông Huong. Elle songea aux menuisiers de la petite route de Làng Minh Mang, et la vit parmi eux, dans la senteur chaude des copeaux de cajeputier et de jaquier. Elle prit la branche de citronnier, en respira brièvement la faible odeur, la remit dans le vase.

— Deux semaines déjà. Deux semaines Ly, et elle est toujours aussi fraîche. Vous verrez, elle vivra toute l'année. C'est Nguyêt qui le veut.

— Nguyêt ou vous...

— Nous tous.

Kathleen regarda sa montre, descendit à l'atelier, où elle n'alluma que le plus court des deux tubes. Elle longea les étagères, passant la main sur les tissus, puis s'inclina devant l'humble bouddha de bronze. À deux pas, Ly peinait à retrouver le sourire, et elle le réconforta :

— Ce bouddha ébréché ne doit plus être la douleur de Haiphong. Plutôt la paix, l'harmonie au Viêt Nam. Cette nuit, il me redit que l'année de la Chèvre, pour vous, sera bonne. Mais il faut dormir, monsieur le sentimental. Tout à l'heure, les clients ne voudront pas d'un maître tailleur aux yeux vitreux... même s'il est le meilleur de Da Nang.

Contre la table de travail il la retint, l'enlaça fébrilement. S'était-il convaincu qu'elle ne reviendrait plus ? Elle s'en persuada dans les yeux las, et ne bougea pas lorsqu'il rouvrit le haut de la blouse. Elle allongea un bras, saisit le ruban à mesurer qu'elle lui pendit au cou, et le *phân**, le marqueur blanc avec lequel elle traça, difficilement, des volutes sur son front. Et les mains de Ly sillonnèrent les reins de Kate, descendirent tanguer encore dans les douces vagues du coton. Leurs lèvres s'embrasèrent. Un sein fruité émergea de la dentelle, et la passion fit le reste, plus bas dans la moiteur. Il demeura là, dans la sèche émanation des étoffes et l'acide montée de la sueur, ses mains ancrées sur un corps qu'elles ne pouvaient perdre. Et elle, avec sa bouche amoureuse, effaçait les faibles marques sur le front chaud. Il ajusta la jupe sur des hanches d'apsara, rattacha quatre boutons au cœur de la tendresse, murmura :

— Tout miracle a une fin.

— Pessimiste *tho may**, répondit-elle en lui barrant les lèvres avec l'index.

Dans la porte il la surprit une dernière fois :

— Kate. Câm Lê. *Nàng gio cua tôi* : madame Courant d'air.

— Eh bien ! me voilà avec trois noms maintenant.

— Trois noms et un amant, lui souffla-t-il avant un ultime baiser.

Elle pressa le pas vers la rue Phan Dinh Phung, sans se retourner. Au Tân Minh, elle avala un verre d'eau glacée, et s'endormit avec le ronronnement du climatiseur. Toute habillée.

Une douche très chaude. Un bref regard sur le fleuve, d'un balcon soudain bien petit, et qui avait été l'antichambre de Da Nang. Un taxi neuf, dans le pare-brise duquel veillaient Bouddha et Quan Am, et où se balançait une minuscule Barbie. L'animation matinale de l'aéroport, ces familles vietnamiennes voyageant avec tant de grosses valises. Ce n'étaient plus des étrangers, mais un peu des cousins, dont Kathleen Murphy imaginait, lisait le passé sous les rides fines, les yeux vifs, les empressements empreints de courtoisie. Quelques objets d'artisanat, cadeaux de dernière minute à la pauvre boutique de la salle de départ, et dans deux heures ce serait la folle richesse de l'aéroport de Bangkok.

Elle dormit longtemps, longtemps dans les avions, avec des rêves éclatés.

C'est avec un frisson intérieur que Kathleen Murphy a retrouvé sa classe à la Heron Pond School de Milford. Un lundi 17 février qui lui a paru étrangement reculé dans le temps. En six semaines, le pays natal s'était voilé d'une grisaille sensorielle, la neige du New Hampshire n'avait pas la blancheur des enfances, et l'hiver était dans les cœurs plus encore que dans les fenêtres. La tragédie de la navette *Columbia* hantait les esprits, tandis que les joutes diplomatiques ne cachaient plus l'imminence de la guerre américaine en Irak. Heron Pond School – l'École de l'étang du héron –, ce nom s'accordait toujours aux charmes de la Nouvelle-Angleterre, et il ressemblait à bien des noms de villages du Viêt Nam. Et pourtant, il perdait beaucoup de son aura aux yeux et à l'oreille de Kathleen. La belle école neuve, ses salles claires, ses équipements exemplaires, à l'instar de la forêt alentour, tout lui apparaissait banal et sans chaleur. Dès le premier jour, Cindy la comprit et l'invita à dîner chez elle. Deux sœurs plutôt que deux collègues ce soir-là. Cindy laissa Kate se libérer de l'amertume qui l'avait si vite saisie à son retour. Elles se devinaient à demi-mot, les regards aussi éloquents que les paroles. Cindy n'était plus la cadette, mais celle qui écoute et réconforte. Celle dont les sourires et les silences tempéraient les angoisses. Bien avant la fin du repas, elle voyait qu'un homme, bien plus qu'un pays, était dans la pensée de Kate.

— L'Orient, le Viêt Nam, une guerre dont les traces tardent à s'effacer... N'est-ce pas d'abord un homme qui là-bas t'a marquée ?

Le mutisme fut un bel aveu, et Cindy reprit :

— Un homme qui partout se ressemble. Un regard, des mots sans frontières. Un professeur peut-être...

Kathleen étira le silence, but un jus de pomme, clarifia enfin :

— Un tailleur.

— Et pourquoi pas ! Ah, Kate ! les mains d'un tailleur asiatique... Me permets-tu de rêver ?...

— Rêve, rêve. Mais aussi, laisse un peu de place à un homme qui a connu les bombes, les ruines avant la douceur des étoffes.

— Le « café moulu » te poursuit. Durant ton absence, vois-tu, j'ai lu Oriana Fallaci. J'ai souvent pensé à Richard. À vous deux. Et j'ai relu Fallaci. Je savais, mais j'ai mesuré un peu mieux le mépris des musulmans pour les femmes. Pour les leurs comme pour les étrangères. Et une chose m'a rassurée, et ce n'est pas l'Italienne qui me l'a apprise : les Vietnamiens, eux, ne sont pas misogynes.

Kathleen n'a rien rétorqué à son amie. Elle a terminé le dîner avec quelques banalités. Cindy a bien réalisé qu'elle avait trop à dire, et que les doutes demeuraient trop forts pour une franchise sororale. Elle a songé au iule, à Kate qui se refermerait dans un demi-sourire ou le silence, si elle la piquait par quelque question plus profonde ou intime. Alors Kate a décrit la fascination de Da Nang, de l'Annam. La beauté simple des femmes, l'ingéniosité des hommes. La richesse d'un pays, d'un peuple, faite de dix, vingt siècles d'efforts pour apprivoiser la nature, le climat. Et obtenir la clémence des dieux. Pour défendre la terre natale. Très tard dans le salon, l'angoisse s'est dissipée, et Cindy a proposé :

— À cette heure, plutôt que du jus de fruit, je te prépare du thé. Attention, le mien ne vaudra pas celui que tu buvais là-bas.

— Le thé a le goût de celui qui l'offre. Le tien sera toujours bon.

— As-tu appris cela à Da Nang?

— Un peu partout. Dans la simplicité de l'accueil. Tout comme ce ne sont pas les belles manières qui font les grands cœurs, ni les belles assiettes les bons plats.

Cindy a servi le thé, puis demandé :

— Et cet homme, là-bas, a aux doigts plus de talent que d'or...

— Oui, il a, comme le pays, plus de cœur que de panache.

— Et tu le reverras quand?

— Au prochain congé, fin avril.

— Un très long voyage, pour seulement une semaine.

Kathleen a souri. Sa décision avait été prise dans l'avion de Boston. Elle aimait Ly. Elle le rejoindrait dans deux mois, ne serait-ce que pour quelques jours, selon les horaires des compagnies aériennes. L'angoisse qui s'était emparée d'elle aux premières heures du retour au pays n'était nullement imputable à un doute sur leurs sentiments. Elle était née à la lecture des quotidiens, à l'aéroport de Roissy et entre les périodes de sommeil durant le dernier vol. Français, Anglais et Américains paraphrasaient leurs grossiers intérêts et leur indécent mépris des peuples. Bush, Hussein, Arafat, Ben Laden et quelques autres, les monstres rageaient d'orgueil ou d'impuissance. Avec, autour d'eux, la surenchère dans le cynisme et la voracité, la barbarie et le fanatisme. Des milliers de suppliciés disparaissaient dans les calculs de quelques criminels hautement encensés. Kathleen Murphy avait eu la nausée en repliant les journaux, et les commentaires entendus à Boston l'avaient stupéfiée. L'Amérique partait quasiment en croisade... pour du pétrole. À Cindy elle a avoué :

— Je suis peut-être folle, en un sens. Mais cette folie m'est douce, à l'heure où l'Amérique perd la raison.

Et Cindy lui a répondu :

— Une femme amoureuse peut faire tourner la Terre à l'envers.

Elles n'ont pu veiller très tard, car le lendemain matin les élèves n'avaient que faire des états d'âme de deux femmes seules. Mais presque chaque soir elles se sont retrouvées chez l'une ou l'autre, quand ce n'était pas chez Lorraine et Russell, où le Viêt Nam est devenu moins abstrait. Par contre, avec des collègues et des voisines, Kathleen Murphy n'a rien su dire qui ne fût anodin. Le tourisme, la politique et les médias avaient tant galvaudé l'or des peuples, des cultures plus faciles à ignorer qu'à comprendre.

Au second week-end, elle est montée dans sa Toyota jusqu'à Claremont. Sur l'autoroute du nord le trafic semait mille destins mécaniques dans un hiver illusoire. Qu'étaient donc toutes ces vies accélérées, aveuglées dans une grande course au gaspillage, cette nation qui, avec moins de cinq pour cent de la population mondiale, consommait plus du quart de l'énergie, des ressources de la planète ? Kathleen Murphy songea aux autocars bondés des routes de l'Annam, aux camions dangereusement surchargés, entre lesquels les voitures particulières étaient rares, insolites, et elles aussi bien remplies. Puis elle revit Dick, dont une main, voilà plus de trois ans, quittait le volant pour s'aventurer sous sa jupe, alors qu'ils montaient à Montréal. Elle le vit à nouveau après avoir quitté l'autoroute au lac Sunapee, sur la tortueuse route de Newport et Claremont où il l'avait si tendrement embrassée. La forêt enneigée du comté de Sullivan, et bientôt les versants de la Green Mountain, les courbes givrées de la Sugar River, elle voulut aimer cette contrée du New Hampshire à l'approche du Vermont, ces terres et rivières du cerf et du héron bleu, où l'Amérique avait encore le goût de la nature.

Kevin et Laura l'ont, comme toujours, chaleureusement accueillie. L'hiver, chez eux, n'existait pas ; ils avaient le don de faire vivre leur maison toute l'année dans l'unique saison du cœur. Laura, bien sûr, fit une tarte aux pommes, et Kevin n'osa hâter ses questions à Kate. Elles vinrent avec l'odeur du four, et le café noir que le couple mouillait bien moins que la plupart des gens. L'ouvrier s'émut lorsque sa belle-fille lui décrivit Quang Tri, Vinh Moc, Vinh, la guerre là-bas effacée dans les rizières et les villes. Effacée dans la pierre et le ciment, mais si peu dans les mémoires. Kevin constata que le Viêt Nam avait également marqué Kathleen. Pourtant, elle ne lui a pas dit qu'elle avait laissé là-bas un homme de onze ans plus jeune que lui, chez lequel une jeunesse massacrée avait précocement levé quelques traits de la soixantaine. Elle a simplement parlé d'un pays débordant de vitalité, d'une cité à la fois pauvre et moderne, aux contrastes quotidiens dans les plus élémentaires besoins des hommes. Elle a dit que Da Nang était une ville qu'elle aimait, pour cent raisons étrangères aux gens de Boston. Et que Vinh, bien moins belle, avait aussi ses secrets pour cultiver la joie de vivre. Elle a évoqué une petite baie de la mer de Chine, avec des pêcheurs, des enfants pour lesquels les tunnels de Vinh Moc attiraient les touristes au bout d'un village paisible. Des tunnels qui, dans la terre brune et humide, étaient une leçon d'histoire et d'héroïsme bien plus éloquente que tous les livres officiels. Et là, elle a vu que son beau-père était à deux doigts de pleurer. Alors elle lui a rappelé :

— Il y a presque quarante ans, Kevin.

Il s'est tu, et c'est Laura qui a glissé à Kate :

— Pour lui, c'est toujours hier.

Puis Laura a sorti la tarte du four, et son odeur a adouci le regard de l'époux. Dans la soirée, elle a conté sa visite à Ground Zero, avec Kevin. Elle a confié à Kate que là, dans la stupeur du cratère, il avait pleuré. Comme une première fois, trente-quatre ans auparavant dans sa carlingue, au retour d'un raid sur Vinh Moc, lui avait-il avoué. Et Kate a expliqué à Laura que New York et Vinh Moc, c'était un peu comme la Terre et un caillou, comme l'éléphant et la fourmi, et que pourtant, dans l'invisible fourmilière de Vinh Moc, il y avait eu plus d'humanité que dans toute la riche métropole. Et les deux femmes se sont tues, tandis que Kevin s'est levé, est allé à la fenêtre, qu'il a ouverte pour quelques secondes. Avait-il besoin de cette bouffée d'air froid pour chasser la nausée ? Il s'est rassis près de sa bru, l'a enlacée sous le regard attendri de Laura, lui a déclaré, d'une voix lente et sûre :

— Voilà dix ans, dix ans déjà, trois jours avant votre visite, Dick nous avait téléphoné en concluant qu'avec vous il découvrait la vraie vie. « The real life, with her », avait-il répété.

Il a monté, soudé sa main à l'épaule de Kate, et observé Laura avant de poursuivre :

— Aujourd'hui je crois, vous découvrez le vrai visage de l'Amérique, et vous n'osez pas l'avouer. Cela vous fait mal, et vous devez aussi le cacher à vos élèves. Oui Kate, il y a quelque chose de monstrueux dans ce pays, et il m'a fallu trop de temps pour le comprendre. J'étais parti au Viêt Nam pour défendre la liberté, et vous savez maintenant ce que nous y avons fait. Nos gouvernements disposent de cent fois plus de force que de sagesse. Notre seule morale est le dollar, et Dieu sait où elle va encore nous conduire...

Kathleen s'est redressée, elle a passé la main dans les cheveux de son beau-père.

— Allons, Kevin ! Ne soyez pas trop pessimiste, il y a encore de la bonne graine en Amérique.

Et lui l'a regardée, ses yeux pers sous les épais sourcils, le regard franc qu'il avait aimé dès la première seconde. La tête à peine frisée, une belle boule d'institutrice qui ne pouvait qu'être honnête. Et Laura tout près, dont il réentendait les lointaines paroles à l'adresse de leur fils : « Tu vas marier une bonne fille, un bouquet de printemps qui ne fanera jamais... » Ah ! ça non, elle n'avait pas blanchi d'un cheveu, la Kathleen, malgré la mort de Danny, puis celle de Dick. Et après tout ce qu'elle avait appris au Viêt Nam.

Le dimanche, ils ont tous trois fait une marche dans la ville engourdie. La Sugar River traînait une plainte lancinante au bas des manufactures abandonnées, et les rues de Clarernont étaient presque désertes. Pleasant Street portait bien mal son nom, avec ses boutiques condamnées, ses vitrines poussiéreuses, au bout desquelles le Moody Building susurrait la gloire envolée de l'hôtel Claremont. Ils sont entrés au Dusty's Cafe, où rien n'était meilleur que dans la cuisine de Laura, mais c'était quasiment le seul lieu animé de la ville, et il était bon de croire que Claremont y retrouverait bientôt sa légende. Paulette la brune, aux longs cheveux en queue de cheval, et Samantha la blonde au court chignon, servaient quelques tablées de bonne humeur, où la moleskine rouge égayait le bois vernis. Là, sous une affiche de 1900, entre les icônes païennes des belles années, Kevin Murphy se prit à sourire. Kathleen s'en réjouit, observant tour à tour les vieilles affiches du thé Lipton et du chocolat Hershey, puis le visage en santé d'un ouvrier du Paper Mill. L'homme crut lire la pensée de sa bru, tourna, leva la tête vers les beaux cadres publicitaires, revint à elle.

— Ah! Kate! Peut-être notre petite ville s'était-elle trop vite enrichie?

— Tant d'usines sur la rivière, un opéra et un aéroport, voulait-elle égaler Concord?

Paulette a apporté trois cafés brûlants. Kevin a généreusement sucré le sien, sous un doux sarcasme de Laura. Deux fillettes turbulentes dans l'allée l'ont distrait, avant qu'il ne répondît:

— Maybe Claremont's good days were just a flash in the pan?

— Maybe, a murmuré Kate, en voyant Samantha traverser le café telle une diva de la Belle Époque, une cantatrice venue de Paris ou Berlin pour une soirée de prestige à l'Opéra de Claremont.

Les deux femmes ont soufflé sur leur tasse, pris de petites gorgées de feu, et Kathleen a annoncé qu'elle désirait rentrer à Milford avant la nuit. Non qu'elle redoutât le trafic du dimanche soir à l'approche de Manchester, mais parce que la lumière hivernale du New Hampshire lui était reposante après les éclats tropicaux.

Sur la route, Richard et Ly se relayaient en d'oniriques échappées au-delà des lacs, des vallées, et des montagnes mollement affaissées dans le froid. L'un et l'autre étaient bien vivants. Leurs yeux surpris, leurs paroles décousues, leurs gestes imprévisibles, leurs beaux silences se croisaient également dans un bonheur étrangement fraternel. Un rêve, une vie à cinq, dont deux enfants, Daniel et Thuy qui s'aimaient plus que tous les autres frère et sœur. Et Nguyêt qui elle aussi revenait, dans un *ao dai* neige et ciel, avec à la main un rameau de citronnier. Divine, et déjà divinité, elle apparaissait, disparaissait au loin dans l'éther du Sunapee, du Kearsarge.

Kathleen Murphy ouvrit sa vitre dès la vallée de la Merrimack. La fin du week-end sifflait sur l'Everett Turnpike, et l'air frais chassa les illusions. Entre les roulements pneumatiques, il ne resta bientôt plus qu'un nom, court et musical, un son qui remplaçait les cris des oiseaux, absents, terrés loin en forêt : Ly, Ly, Ly. Elle referma la glace dans la traversée de Manchester.

○

À Milford, au bourg comme à l'école, mars n'apporta pas le printemps. Ni avril. Ce printemps 2003, il ne pouvait être qu'à Da Nang, sur les rives du sông Han. Dans le café jardin de madame Ky. Dans la fenêtre et le regard du tailleur Pham Van Ly. Oh ! la Souhegan était toujours belle dans la courbe du parc Emerson. Sous le pont de pierre et le Swing Bridge, elle coulait dans l'hiver sa nostalgique romance. Quinze à vingt centimètres de neige à Milford aussi bien qu'à Claremont, la Nouvelle-Angleterre conservait sa séduction malgré les saccages des hommes. Aux yeux de Kathleen, la grisaille du retour s'estompait aux lieux et havres des souvenirs.

Mais chaque jour les médias se gonflaient des préparatifs et des rumeurs de la guerre. La voix officielle de l'Amérique devenait le mentor d'un nouvel ordre mondial, la volonté d'une superpuissance farouchement hostile à toute remise en cause de sa primauté. La guerre oratoire de quelques ténors ne trompait plus personne sur la proximité de l'offensive en Irak. Et c'est justement le dernier jour de l'hiver qu'elle fut lancée. Le printemps ne fut pas le réveil des ruisseaux à la fonte des neiges, mais le choc de deux hystéries : celle de la Maison Blanche et celle de Bagdad. Les images imprimées, télévisées des nouveaux héros du désert, puis les embrasements nocturnes de la cité des Abbassides précédèrent la montée des lupins et l'éveil des forsythias. Ce printemps fut un glacis dans les pensées des Nadeau et des Murphy. L'amitié de Cindy l'adoucit dans le cœur de Kathleen, avec aussi à l'horizon, plus précise qu'un pin, un érable ou un bouleau, la silhouette de Ly. Les deux institutrices étaient cependant déchirées entre leurs convictions et leur devoir auprès des écoliers. La bienveillante Lorraine le savait, le voyait trop bien. Si elle ignorait encore tout de la flamme que sa fille avait allumée en Annam, elle connaissait les cent écueils de l'amour du métier en temps de guerre. Son père, Phil Cloutier, ne lui avait-il pas dit, lors d'un Noël à Nashua :

— Une maîtresse d'école a trois caboches : celle qui plaît à sa famille, celle que souhaite le directeur et celle qu'attendent chaque matin ses élèves.

Et Jeanne avait taquiné mari et fille :

— Et celle qui plaît au Bon Dieu ?

Quand, une fin d'après-midi, Kate retrouva Lorraine à son petit bureau de la Milford Historical Society, elle se souvint de la boutade du grand-père, sans demander à sa mère comment concilier les penchants des trois têtes, sinon quatre. Les deux femmes se comprirent avec bien peu de mots. *The Granite Town* n'était qu'un gros bourg, ni plus ni moins glorieux que tant d'autres en Nouvelle-Angleterre, mais, à leurs yeux bien sûr, il était un microcosme où l'Amérique cultivait ses paradoxes et ses bassesses, autant que son génie.

Sans parler de Ly, Kate passa une belle soirée en compagnie de sa mère, entre les images et les objets d'une ville qui n'était plus tout à fait la sienne. Ah ! les carrières de granit, leurs hautes parois blanches et grises, fugitives cathédrales chaque jour éventrées, transformées par la dynamite et les machines des hommes durs et tenaces. La Lovejoy, la Barretto, la Pease, la Smalley-Souhegan, la Young and Sons, la Crown Hill et tant d'autres, elles avaient troué la région telle une monstrueuse meule d'emmenthal. Elles s'endormaient seulement au plus dur de l'hiver, alors que neige et glace pansaient, estompaient leurs vives béances. Et la grande scierie des Merrill Brothers, ses wagonnets de planches crachés des hangars aux lames hurlantes, là où la sciure encrassait les poumons, et où il fallait avoir des yeux tout autour de la tête pour éviter les accidents, y compris durant les années de la Prohibition. Le bois avait ici la plainte vaine de la pierre sous la voracité mécanique des hommes. Ah ! les nostalgiques photographies de la Mc Lane Manufacturing Company, qui voilà un siècle fabriquait les meubles des douze mille bureaux de poste du pays, de l'Atlantique au Pacifique. Puis cette haute bâtisse de bois de la W.L.Lovejoy and Company, d'où sortaient de pimpantes voitures à chevaux, avec leurs grandes roues à rayons qui seraient les soleils endiablés des routes du comté de Hillsborough. Légères, élégantes, les calèches de la Lovejoy passaient pour des ballerines, par comparaison avec les lourds chariots du Far West. Et la silhouette de l'hôtel Ponemah, qui n'eût pas déplu à Hitchcock, à l'instar de la petite gare du Fitchburg Railroad ayant perdu ses trains et conservé son clocher, à cent pas de la maison des Nadeau. Mais, parmi tout le patrimoine de Milford répertorié par l'historienne de la ville, Winifred A. Wright[35], et ses amis des diverses administrations locales, un bâtiment touchait plus particulièrement Kathleen Murphy : la grande maison de bois du 123 South Street, autrefois appelée l'Ezra Gay House. Avec ses deux clochetons et sa longue galerie, ses fenêtres à guillotine et sa blancheur, elle gardait un peu de la splendeur passée de Milford, du « temps où les calèches à crottin empestaient moins que les chars à gazoline », selon l'expression de Lorraine, qui elle-même la tenait de sa mère, Jeanne Thériault. Au bord du Railroad Pond, l'Ezra Gay House avait presque été un château dans les yeux d'enfant de Kate. Un château avec quelques légendes mijotées par les parents, et dans lesquelles se croisaient Indiens, personnages mythiques, animaux et plantes aux pouvoirs magiques, et de mystérieux occupants de cette imposante maison. Ces derniers arrivaient par les rares trains de voyageurs, sortaient la nuit sur la voie au-dessus de l'étang et se cachaient le jour au grenier. Russell avait eu trop d'imagination, en essayant de faire croire à sa fille que ces hommes-fantômes mangeaient tout crus, en les avalant par la queue, les poissons de l'étang, et qu'ils pouvaient mordre par l'oreille les enfants qui traînaient la nuit. À six ans, elle lui avait répondu :

— Si les hommes-fantômes mangent les poissons vivants, ils vont s'étouffer.

Durant plusieurs soirs cependant, elle s'était collée à la fenêtre de sa chambre, afin de surprendre leurs silhouettes sur le pont du chemin de fer. Pour finalement déclarer, à la fin d'un souper :

— Les hommes-fantômes, ça n'existe pas.

Russell avait embrassé sa fillette, avec ces mots :

— Et une fille plus savante que ma Kathleen, est-ce que ça existe, dans toute l'Amérique ?

35. Auteure de *The Granite Town* notamment.

Trente et un ans plus tard, la plupart des vieilles résidences de Milford survivaient. Elles avaient perdu ou refait une tourelle, une galerie, des lucarnes, ou ajouté un garage, une dépendance, plus ou moins accordé à l'architecture initiale, et les haies, les jardinets, les fleurs atténuaient les contrastes. Dans le modeste musée de l'Historical Society, Kathleen referma les albums et quitta les souvenirs d'une époque. Lorraine pourtant lui rappela :

— Voilà quatre-vingts ans, en 1923, George Polley, surnommé *The Human Fly,* escalada l'hôtel de ville de Milford, après avoir vaincu les soixante étages du Woolworth Building à New York. Il répétait ses prouesses pour promouvoir la vente des bons du Trésor américains, les *Liberty Bonds* de l'effort de guerre.

— Quelle idée !

— Pas plus sotte qu'une autre, mais à coup sûr originale.

— Et s'il s'était écrasé sur l'asphalte, quelle publicité négative ! Aurait-on remis la *Bronze Star Medal* à sa famille ?

— Qui sait ? Mais soixante ans après lui, un Français appelé l'Homme Araignée escaladait les gratte-ciel, et à l'arrivée il était cueilli par la police, l'exploit étant rigoureusement interdit.

Kate resta songeuse. L'Amérique partait en guerre contre un Islam dévoyé, après qu'il eut détruit ses deux plus prestigieux gratte-ciel en faisant trois mille morts. L'Histoire s'emballait, et Dick avait été emporté par cette démence fanatique, qu'avaient patiemment cultivée les ayatollahs, encouragés par le laxisme des démocraties. L'Histoire, les dates, les exploits sportifs ou criminels, le bien, le mal, le cœur et l'argent, la vie, la mort, tout et rien se réduisait à une poignée de « café moulu ». Sans questionner Lorraine, Kate l'accompagna chez elle, dans la chaleureuse maison de Lincoln Street, où elles prirent le thé avec Russell. La télévision déversa son clafoutis médiatique, et on la coupa vite. La campagne éclair dans le désert irakien était un beau halo sur la puissance militaire. Et sur la folie des hommes. Kate retrouva sa chambre d'enfant, ouvrit la fenêtre. Le froid vif, la lumière blafarde et déclinante tiraient la queue de mars. Elle se souvint d'une ligne de Nguyên Thi Thu Hue, dans *Le Paradis... et après*: « La lueur glacée d'une lune d'hiver baigne la cour[36]. »

Il n'y aurait pas de lune, mais au loin, derrière les arbres, la longue silhouette de l'Ezra Gay House n'avait pas changé, ni plus près le pont du Boston and Maine Railroad, sur lequel les vieux fantômes demeuraient invisibles. Lorraine s'approcha, lui demanda à mi-voix :

— Les hommes-fantômes d'aujourd'hui ne sont-ils pas mille fois plus à craindre que ceux d'hier ?

Kate se retourna.

— Je ne sais pas, *mom,* et devrais-je le savoir ?

— Peut-être pas. À Nashua, ton grand-père disait qu'à connaître les pensées du curé, on risquerait de perdre sa foi.

— Phil n'a jamais été très croyant, et je l'aime ainsi. Les Cloutier, les Nadeau, les Murphy, vous valez mieux que du bois d'église.

— Cette nuit, veux-tu coucher ici ?

Kate ne répondit pas. À nouveau elle regarda l'eau dormante sous les rails, l'étang sombre au-delà duquel Milford découpait le panorama de son enfance, à la tombée de la nuit. Et lentement la petite ville s'effaça, puis le pont et jusqu'au Railroad Pond. Du vide étrange s'élevèrent des pierres noires, des ruines dantesques, des poutrelles tordues dans la brunante. Quelques arbres déchiquetés, calcinés. Quang Tri, ville martyre.

Elle frissonna, referma la fenêtre, embrassa ses parents et regagna sa maison d'Oak Street. Quelle coïncidence ! Une enveloppe l'attendait, postée à Hué. Lâm Thi Thanh, la jeune femme bilingue et enthousiaste qui l'avait guidée à Quang Tri, lui adressait une carte postale de la pagode Thien Mu, au dos de laquelle elle précisait qu'elle aussi

36. Traduction de Minh Yên et Jeanine Gillon.

préférait ce lieu de paix au-dessus du sông Huong à tous les trésors de la Cité impériale. Une brève lettre était jointe, dont l'anglais et la délicate écriture rappelaient la brillante diplômée de l'hôtel Thành Cô. Regrettant l'absence de cartes postales à Quang Tri, Thanh confirmait qu'après une seconde visite à Hué, elle demeurait attachée à sa ville natale, bien que l'empreinte de la guerre y fût encore présente, et que la campagne environnante évoquât un cimetière sans fin plutôt que l'ode à la nature. Elle invitait l'Américaine à repasser la voir à Quang Tri lors d'un éventuel retour au Viêt Nam, après s'être demandé pourquoi il fallait tant de soldats, de tanks et d'avions pour tuer un monstre. Dans son émouvante simplicité, elle terminait ainsi, dans les deux langues : « Phu nu không muôn chiên tranh : Women do not want war. »[37]

Kathleen relut l'amicale missive, en songeant à la pagode de la Dame Céleste dans la courbe douce de la rivière des Parfums, et au temple de la Littérature, à un envol de bulbul sur la petite route de Làng Minh Mang. Elle entendit la voix claire de Thanh, qui avait dû être celle de Nguyêt, et entre elles un mot de Ly :

— Câm Lê.

Dans la nuit de Milford, Kathleen Murphy épela cette phrase admirable de l'amie lointaine :

— *Women do not want war.*

Cette lettre, plus chaleureuse que brève, elle la montrerait à Lorraine, à Cindy, peut-être même l'épinglerait-elle au mur de sa chambre, entre deux dessins de Danny. Elle se retourna, s'agita sous la couverture, éteignit, ralluma la veilleuse. Elle n'était ni religieuse ni superstitieuse, et cependant le fait la troublait encore qu'elle eût vu Quang Tri anéantie dans sa fenêtre d'enfance, sans savoir qu'une lettre de Thanh l'attendait.

Très tard, elle s'endormit sur cette pensée : plus qu'un mois...

37. Les femmes ne veulent pas la guerre

Cette semaine de congé scolaire à la charnière d'avril et mai, Kathleen Murphy pressentait qu'elle serait la plus courte de l'année. Les avions, les fuseaux horaires, le thermomètre ayant encore grimpé de quelques degrés, et l'éclatement de la fatigue dans la chambre de l'hôtel Tân Minh, oui le temps dévorait l'attente d'une implacable manière. La voyageuse, pourtant, sauta sous la douche, passa une robe légère et fila vers la rue Trân Phù, puis l'impasse de Phan Dinh Phung. La montre, le climat et l'animation l'indifféraient.

Hélas ! la porte du tailleur Pham Van Ly était bouclée et les rideaux tirés, avec un écriteau annonçant : *Bon hieu mo cua lai vao ngày 29*. Bien qu'elle en soupçonnât la signification, les mots vietnamiens apparurent à Kathleen tel un déconcertant charabia. Elle s'essuya le front avec un mouchoir, et mesura la fatuité des envolées sentimentales. De l'atelier des Truong Hoang, à vingt pas, sortit Trinh, qui vint lui expliquer, en cherchant ses mots :

— The tailor, not here. Bro...ther, brother dead in Hanoi. Come... come back... twenty nine. One day, come back.

L'information était aussi claire que la voix hésitante, et la visiteuse en remercia la voisine, qui alla reprendre son travail. Alors seulement la touffeur s'abattit sur l'Américaine, l'enveloppa, la paralysa un moment au fond de l'impasse. Sa trop courte semaine venait d'être amputée d'une journée. Sans porter attention aux artisans et commerçants qui lui étaient familiers, elle regagna l'hôtel, puis son balcon. La

38. La boutique rouvrira le 29

chaleur intense ne ralentissait pas les activités du quai, où les mâchoires de deux grues pivotantes mangeaient le charbon luisant des cales. À trente pas, les plumeuses et marchandes de poulets poursuivaient leur immuable corvée, et plus loin les poissonnières, toujours accroupies derrière leurs alignements de paniers et de plateaux, perpétuaient les balancements indolents de leurs *non la*. Rien n'avait changé, hormis la chaleur accrue, et peut-être la démarche de quelques vieillards, face au fleuve lent, englué dans ses vibrations.

Kathleen mit le climatiseur en marche, s'étendit pour la sieste, se souvint que Ly avait à Hanoi, non pas un frère, mais un beau-frère plus âgé que lui, et qui devait être l'un de ses derniers proches parents au Tonkin. Elle remit en question l'inconscience qui l'avait ramenée ici, sans même un coup de téléphone à Ly. Survoler la moitié de la Terre pour tomber sur une porte close, était-ce aussi cela, aimer un homme ?

Le soir, elle retrouva la quiétude du café de madame Nguyên Thi Kim Ky, où on lui servit le thé sans qu'elle le demandât. Les enfants déjà devenaient des cousins. Étaient-ils bien différents de ses élèves de la Heron Pond School ? Quy Trân était une petite demoiselle, et Quy Trâm prenait des allures de collégien précoce, avec ses lunettes et ses questions inattendues. L'institutrice eût aimé converser avec la vieille Luu, si douce sous ses cheveux d'argent, mais la barrière de la langue ne s'effaçait toujours pas sous les cages des oiseaux endormis. Ky vint pratiquer son anglais, et demanda quelques éclaircissements à propos de la guerre éclair en Irak, à laquelle elle n'avait quasiment rien compris. Et Kathleen la déçut en lui répondant qu'il n'y avait rien à comprendre. Presque rien, sinon que l'Amérique avait mis le pied, là-bas, dans un nid de guêpes.

Ayant appris l'absence de Ngoc, partie pour quelques jours à Saigon, elle dîna seule sur le trottoir de la rue Ly Thuong Kiêt, qu'elle aimait pour son atmosphère villageoise. Quand elle redescendit vers l'hôtel, les jeunes amoureux sur les bancs des rives lui semblèrent hypnotisés par les reflets brisés des lumières de Son Tra. Le nouveau pont avait perdu son panache, et elle eut le cœur serré en repassant là où deux garçonnets s'étaient noyés en janvier. Là où Da Nang lui avait révélé le visage d'une profonde injustice. Thuy était également absente de la rue Bach Dang, et sans elle le fleuve et la nuit retenaient les bateaux de bois tels de gros corps inertes, naufragés.

Pour la première nuit de son retour, Kathleen Murphy monta deux bouteilles d'eau et voulut rêver, rêver à l'homme que quinze heures de train n'engourdiraient pas trop avant une folle surprise…

○

Ce mardi ne débuta qu'à midi. Kathleen avait somnolé, divagué, rêvé, dormi, erré sous le souffle à peine frais du climatiseur. La douche tiède enfin remit sa tête en ordre. Les bruits de la rue, du quai se précisèrent, et la robe courte se boutonna sur un corps neuf. À l'ouverture du balcon, la ville et le fleuve jaillirent tel un bouquet d'odeurs et de cris, un été étranger à tous les calendriers. Quelle chance d'avoir obtenu, sans réservation, cette chambre 303 qui était déjà l'un des doux secrets d'une vie, l'antichambre d'un bonheur au creux d'une impasse !

La revenante, cependant, craignit de retrouver une porte fermée au cœur de Da Nang. Par quel train Pham Van Ly rentrait-il de Hanoi ? Face au soleil plombé de Son Tra, elle eut un frisson à l'idée qu'elle pût l'attendre de longues heures dans le hall de la gare. Et le 29 avril, sur l'écriteau, ne commençait peut-être, lui aussi, que fort tard, après que le tailleur se fût remis des fatigues du voyage. Passé treize heures, elle déjeuna près de la cathédrale, un *pho* brûlant qui la fit patienter, tandis qu'à la télévision un faux prince coulait sa fleurette sous une haie de bambous. Elle étira encore le repas avec le thé, alors que dans un coin une vieille femme mâchait son *trâù**, l'incurable bétel qui enflammait sa bouche. Cette scène était en voie de disparition dans les villes, et l'institutrice questionna la possible opposition du yin et du yang entre ce vieillard et le roucouleur du petit écran.

Ah ! le yin-yang, Kathleen Murphy saurait-elle un jour s'il n'était pas qu'une érudite fantaisie de lettrés, dans cet Orient doublement aux antipodes de l'Amérique ? Deux principes fondamentaux d'une philosophie allergique aux simplifications occidentales. Au Viêt Nam, parlant de *dât* (terre, montagne), on pense aussitôt à *nuoc* (eau), et les deux mots réunis, *dât nuoc*, signifient le pays, la nation. Parlant du père, on pense à la mère, car père et montagne sont yang, tandis que mère et eau sont yin. Un parallèle qui convient parfaitement au caractère vietnamien. Nord et sud, terre et eau, tout concourt à la complexe identité vietnamienne. Selon les croyances ancestrales, monsieur Soie et madame Lune sont deux divinités consacrant les unions matrimoniales, et elles sont dédoublées d'un seul personnage originel dans la mythologie chinoise : monsieur Soie Rouge, dieu des mariages.

Dans le bouddhisme également, les Vietnamiens ont modifié les choses avec la philosophie du yin-yang. De l'unique Bouddha (homme) originaire de l'Inde, ils vénèrent deux incarnations : homme et femme ; et l'adoption du yin et du yang leur donne une grande faculté d'adaptation à toutes les situations, sans qu'ils se découragent devant les difficultés. Ce que retenait surtout Kathleen Murphy de cette subtile philosophie, c'était que, contrairement à l'homme occidental qui vit généralement au présent, avec un mode de vie pratique, voire purement matérialiste, le Vietnamien vit plutôt avec l'avenir, dans un esprit d'optimisme. S'il est malheureux, il pense que le bonheur viendra plus tard, ou que ses enfants au moins seront heureux. Ainsi durant la guerre, le comportement des *bô dôi* était-il bien différent de celui de leurs ennemis américains. Tout ne s'expliquait pas aussi simplement, bien sûr, mais, au fond des esprits, des attitudes et des pensées, il y avait toujours cette nette différence.

Voilà ce à quoi songeait l'étrangère, entre ses dernières tasses de thé. Dès qu'elle quittait son petit hôtel, ne replongeait-elle pas dans l'univers dual du yin et du yang ? Toute la vie autour d'elle, du quai des poissonnières aux vitrines des riches magasins de Hung Vuong, des vendeuses du marché Han aux séduisantes collégiennes en *ao dai,* des légumes frais aux bijoux d'or et de pierreries, des vieilles et lourdes bicyclettes aux rutilants scooters japonais, des tireurs de fardier aux lettrés des bureaux climatisés, maints sentiments d'insaisissable perception la confrontaient à la mouvante réalité du yin et du yang. Terre et ciel, ombre et lumière, nord et sud, noir et rouge, instinct et raison, la complémentarité yin-yang embrassait la complexité des êtres et des choses.

Un véritable syndrome de la porte close oppressa Kathleen Murphy à la sortie du restaurant. Elle fit demi-tour dans la rue Trân Phù, flana jusqu'au musée d'art cham, dont s'achevait la restauration. Elle s'attarda dans le jardin avant de retrouver à l'intérieur ses sculptures favorites. L'*Apsara* de Trà Kiêu était plus éblouissante que jamais, ses mouvements, sa grâce emportaient toute la beauté que l'on pût attendre sur la Terre. Kathleen lui accorda un sourire, en se remémorant le rêve qu'elle avait eu en février dans la chambre de Ly. Ah ! le beau Richard à la poursuite de la danseuse cham, et ses mains ouvrières dans le faste doux de la soie, avant qu'un bruit ne rompît le songe. Là dans l'agréable courant d'air, elle souhaita qu'un doigt, qu'une main dans la pierre, qu'une paupière, qu'une lèvre du visage immortel s'animât, ne fût-ce qu'une fraction de seconde, tel le oui qui étanche la soif amoureuse. Immobile, elle défia la sagesse, attendit l'illusion d'un infime mouvement dans le glissement des ombres. L'heure se figea à l'écart des visiteurs, de leurs murmures et découvertes. Puis le bref reflet renvoyé par une montre, un miroir ou un bijou anima la main élevée du piédestal, aussitôt suivi par le babil d'un merle. Cet appel instantané du *chich chòe,* si cher aux Annamites, ne pouvait être qu'un signal clair sur une main divinement recourbée. L'*Apsara* de Trà Kiêu ne pouvait lui mentir, et Kathleen quitta le musée en pressant le pas.

Le rideau était toujours tiré à la boutique du tailleur, mais sans l'écriteau. L'Américaine frappa nerveusement, et l'homme ouvrit sans la faire attendre. Sans doute la voisine l'avait-elle avisé de la présence de l'étrangère. Kathleen l'enlaça, et il s'excusa d'une voix affaiblie :

— Je suis rentré voilà vingt minutes. Ah ! ce train qui ne court guère plus vite qu'un éléphant...

Elle le retint un instant contre elle, réalisa qu'il n'avait pas eu le temps d'une douche.

— Je suis folle, Ly. Je ne vous ai pas même prévenu. Et votre famille qui là-bas, à Hanoi...

Elle relâcha son étreinte, eut pitié d'un homme fatigué, qu'elle venait peut-être de heurter par son empressement. Il saisit l'écriteau sur la table de travail, changea le 29 pour un 30 et le replaça dans la porte. Reprenant un peu de voix, il lui dit :

— Voyez-vous, Câm Lê, ma famille dans le delta a presque disparu. Quelques cousins et deux neveux, jamais vus. Pour bien des gens de ma génération, être Tonkinois, c'est compter ceux qui restent.

Elle caressa une joue, planta quelques baisers dans la barbe dure. Il lui dit :

— Donnez-moi un quart d'heure. Vous pouvez monter, bien sûr, il y a du jus de fruit au frigo.

Elle entendit bientôt le grognement du tuyau, puis le jet de la douche. Enfin elle retrouva le petit salon, s'étonna de la fraîcheur du rameau de citronnier. Était-ce un miracle de Nguyêt ? Elle alla à la cuisine, prit un pichet d'eau afin de remplir le vase. Elle s'émut du même geste qu'avait dû avoir Ly avant de partir précipitamment pour Hanoi. Non, rien n'avait bougé ici depuis son départ à elle, en février. Pas même *Chi pheo*, le recueil de nouvelles de Nam Cao, entre les livres jaunis des étagères. Kathleen le sortit, l'ouvrit, relut quelques lignes du *Vieux Hac*:

« Le vieux Hac souffla sur le brandon de paille et alluma un éclat de bambou[39]... »

Cette nouvelle, accompagnée de trois dessins, elle ne l'avait pas oubliée. Le vieillard pauvre, ayant perdu son chien et espérant le retour de son fils, et que tentait de réconforter l'instituteur du village. Un chien destiné au repas de noces de ce fils... parti travailler dans les plantations d'hévéas à la suite d'un dépit amoureux. Elle l'avait contée à Cindy, qui lui avait répondu :

— Même aux jours les plus sombres de la Crise[40], nos écrivains n'ont pas dû avoir un tel langage. Plutôt la colère que la compassion.

Elle rangea le livre, s'assit, le regard happé par la photographie de Nguyêt. Ly apparut, chemise ouverte et frais rasé, avec un soupçon d'eau de Cologne. Elle se leva, ne sachant si elle pouvait le moindrement ironiser, s'il n'incombait pas à Ly de donner le ton des retrouvailles, et il déclara :

— Bienvenue à Da Nang.

Il reprit sa montre sur la table basse, ajouta :

— Un quart d'heure de trente minutes... me pardonnez-vous ?

Elle ouvrit son sac à main, et tendit un minuscule paquet griffé. Des boutons de manchettes plaqués or et marqués d'un L à l'envol d'arabesque. Il l'embrassa, lui demanda enfin quand elle était arrivée. Elle ne lui retourna que des gestes amoureux, des mains lentes et plus encore sous la chemise neuve. Combien d'heures avait-il pu dormir dans

---

39. Traduction de Lê Van Lap et Georges Boudarel.
40. Grande crise économique de 1929 à 1932.

le train de Hanoi, avant que la surprise et la douche ne rajeunissent cet homme-là ?

— Câm Lê, Kate, Kathleen, répéta-t-il, de la voix claire qu'elle aimait.

— Laquelle préférez-vous ? Il vous faut choisir, monsieur Ly.

— Je les veux toutes les trois, fit-il en l'entraînant vers le lit natté.

Déjà il s'exprimait mieux avec ses doigts, détachant les boutons sur le devant d'une robe dont le coton imprimé avait la magie de la soie. Rêva-t-elle, allongée dans la tiédeur de la chambre, ou était-ce vrai que l'amant était emporté par le train du Sud dans un tout autre esprit que la veille ? Elle l'entendit, à chaque boutonnière, souligner la fuite d'une gare.

— Nam Dinh, Ninh Bình, Thanh Hoa...

Et là les doigts avaient déraillé dans la vallée du sông Ma, s'étonnant de la douceur d'une dentelle bien étrangère aux origines néolithiques de la ville.

— Vinh...

Ô la main chaude sur la plaine, la touffeur des rizières sur le ventre moite.

— Dông Hoi, Dông Ha, Hué...

La halte fut longue à cette dernière. Cité impériale ou interdite, les doigts pèlerins en firent le tour avec la prudence d'un seigneur évincé.

— Da Nang ! Da Nang ! crut-elle réentendre, alors qu'une main faisait glisser le pan de la robe sur la cuisse gauche. Puis : Son Tra ! Son Tra ! quand elle dénudait la droite.

Kathleen demeura immobile, fixant Ly, qui à cinquante-deux ans courait après sa jeunesse. La disparition du dernier parent proche l'avait-elle libéré du poids d'un passé dans lequel le delta avait eu les mille bras du Styx ? Il était là, assis près d'elle, silhouette silencieuse dans la lueur du *bàn tho*. En une heure, il avait vieilli, puis rajeuni. Un mystère. Elle ne lui demanderait pas si Hanoi enfiévrée, la famille éclatée, ou les passagers d'un train de nuit, si ces journées télescopées n'avaient pas brusquement changé sa vision du pays natal. Il se leva pour mettre en marche le ventilateur. Lorsqu'il reprit sa place sur le châlit et lui tendit une main, à peine hésita-t-elle pour la conduire au terminus, l'imprimer et la retenir sur l'intime polyamide, avec cette boutade :

— Et si j'avais porté une robe longue, seriez-vous maintenant à Nha Trang ?

Sans un mot, il se dévêtit à demi, s'étendit contre elle, qui le taquina encore :

— Ainsi les trains vous inspirent... Peut-être aspiriez-vous à devenir cheminot, avant d'apprendre la coupe et la couture ?

Il ne bougea pas. Pas même un doigt, sous la pression des siens. Elle sourit, replia une jambe, puis l'autre en basculant légèrement, poursuivit :

— Habiller les femmes, n'est-ce pas aussi un beau voyage ? Un patient travail de géographe, à la conquête d'un pays multiple et secret.

La main libre buissonna dans la dentelle, honora un, deux seins tendus dans l'ombre, se moula, s'endormit sur la bulle douillette du moins jaloux. Kathleen étira à nouveau les jambes, et l'autre main glissa entre elles. Elle aussi se tut, dans la chaleur montante à peine tempérée par la brise du ventilateur. Le sommeil eut raison de Ly, de la belle tête tendrement dépeignée par l'amante. Les bruits de la ville devinrent très lointains, indistincts. Étaient-ils encore tous deux dans le nid protégé de l'impasse, ou voguant à la sortie de la baie, sur un sampan ou un *thuyên may,* insouciants, fuyant l'œkoumène pour quelque illusoire paradis ? Avec en guise de sampanier la danseuse de Trà Kiêu, et dans la cale un lit d'orchidées. Câm Lê n'avait plus que ce nom, échappé des soupirs d'un compagnon, entre les battements de la houle. L'alizé était plus melliflue qu'iodé. En l'absence des mouettes, le casse-tête mouvant des nuages blancs sur l'azur, avec les effluves des fleurs et du vent, eût pu réjouir un naufragé. Ainsi erra-t-elle dans le songe marin que Ly rythmait de sa respiration, avec dans le ciel bleu les rouges éclairs du *bàn tho*. Puis des mots confus, inachevés, émaillèrent le songe éveillé de l'Américaine. Des sons, des noms que Ly jetait à la mer, tels d'ultimes et inutiles bagages :

— Hanh... Lai... Ha... Ngu... Vo... Kate... Lai...

Non, elle ne rêvait plus. Les yeux ouverts dans le demi-jour, elle entendait toujours ces mots brefs, ces sursauts de Ly profondément endormi :

— Nguyêt... Lai... Lai...

Elle se souvint. Lai, la cadette morte avec les parents sous les bombes de Haiphong. Hanh, Ha, Lai, la famille les avait-elle si chèrement évoqués aux obsèques de Chuong ? Elle caressa la tête collée à son épaule, les cheveux qui n'avaient plus odeur d'algue ou d'écume, mais de fougères dans les bois de Milford.

Il avait bien dormi trois heures, lorsque sa main s'ancra dans sa cuisse et que ses yeux éclatèrent sous un vibrant « Câm Lê! » Il se redressa, parut surpris par tant de beauté dans l'ocre pénombre. Le jour était tombé, et il alluma le néon. Kate l'ensorcela sans un geste, nûment onirique sur la robe déployée tel un drap. Il regarda sa montre, s'excusa pour l'avoir accueillie avec un si long sommeil, et pleura. Cela lui fit mal, et elle se redressa, essuya les larmes avec la robe, qu'elle enfila aussitôt après. Jamais il n'avait pleuré devant elle, et, pour chasser la tristesse, elle boutonna sa robe en faisant claquer les noms des villes :

— ...Thanh Hoa ! Vinh ! Dông Hoi ! Dông Ha !...

Il sourit enfin. Elle lui referma sa chemise.

— ...Ninh Bình ! Nam Dinh ! Hanoi !

Il happa un baiser. Elle coupa le ventilateur et le tube, lui lança dans l'escalier :

— Allons dîner, je vous invite.

Ils choisirent le plus proche restaurant, dans Phan Dinh Phung, et commandèrent deux *pho*.

— *Two big bowls,* répéta Kathleen.

Et quelle surprise, avant même que ne vînt la soupe : Thuy descendait vers le quai pour sa tournée du soir, avec cacahuètes, chips et biscuits. Et un grand ruban rouge dans les cheveux. L'étrangère l'appela, lui tira une chaise et demanda à la serveuse :

— Un autre *pho* pour mademoiselle Thuy.

La fillette posa son petit présentoir et ses guirlandes de sachets. Kathleen lui en prit trois, des arachides rôties à saveur de café, qu'elle annonça ainsi :

— Les délices de Thuy, pour nous ouvrir l'appétit.

Le *pho* était brûlant, ce qui permit à Ly de bavarder avec l'enfant, dont lui avait parlé Kate en début d'année. Il la jugea assez sincère et méritoire pour lui acheter cinq paquets de biscuits. Intimidée ou pressée, la gamine souffla sur son bol avec l'ardeur d'une poissonnière. L'amie ouvrit son sac à main, en sortit une chaînette d'argent retenant une petite étoile bleue, émaillée, œuvre d'un artisan du New Hampshire. Promu interprète, Ly transmit à la jeune vendeuse la recommandation de Kate :

— Garde cette étoile à ton cou, elle te portera bonheur.

Et l'astre faillit tremper dans la soupe, sous les yeux graves de Thuy. En repartant, elle le fit passer sous le collet de sa robe, probablement pour éviter qu'il ne s'accrochât dans les sachets d'aluminium. Ly décela de la mélancolie sur le visage de Kathleen, alors qu'elle observait la silhouette de Thuy se dirigeant vers le fleuve. L'approche de la quarantaine lui interdisait-elle un certain rêve ?

Lorsqu'ils regagnèrent l'atelier, l'escalier, l'humble salon aux odeurs de tissu, de bois vernis, de vieux papier qui lui étaient aussi déjà familières, la branche de citronnier défiant l'année de la Chèvre sous le regard de Nguyêt, Ly n'eut qu'un mot qui en résumait beaucoup :

— Kate.

Cette fois, il n'attendit pas qu'elle s'étendît sur le nattage. Dans l'entrée de la chambre il ouvrit la robe en silence. Oh ! que le train fila vite vers le Sud, et qu'était grisant le pays neuf dans la lumière blanche. Il libéra les seins dans cet éclat sans ombre ni pudeur, et plus bas dans la coulée d'un frisson, le sexe noir et chaud qu'elle voulut plus accueillant que l'*hoa lan**, l'orchidée aux mille secrets. Mais quand il déposa les minces vêtements sur le coffre, elle les retira aussitôt pour les placer sur une chaise. Cette attention émut le tailleur, et prolongea un instant de gêne et d'intense admiration. Elle rompit l'attente en se précipitant sous la douche. L'image de cette femme nue, spontanée, si jeune encore dans sa ligne et ses mouvements, et traversant ainsi le lieu triste des souvenirs, l'ébranla intérieurement. La réalité n'était-elle pas trop belle, trop exaltante pour un garçon de Haiphong ayant mûri sur des lambeaux d'enfance ? Avant que ne cessât le mat chuintement de la salle d'eau, il se dévêtit et s'allongea sur le lit solitaire depuis quatre années.

Quand elle revint et l'emporta dans une extase, une ivresse inconnues, le Viêt Nam et l'Amérique, la guerre et la paix n'étaient plus que des mots engloutis par la mer. Leurs corps avaient la fraîcheur et l'énergie de la mousson, leur mémoire pas plus de trois mois. Leur passion serait sans fin, le monde à nouveau aurait le visage de l'espoir. Les yeux de Thuy.

○

Kathleen Murphy était rentrée vers trois heures à l'hôtel. Pham Van Ly avait ouvert sa boutique dès neuf heures, afin de ne pas trop décevoir des clients impatients. Il avait dû répéter laconiquement le motif de son absence, sans froisser quelques personnes avides de détails familiaux. Ce jour-là, Da Nang était redevenu une petite ville, où les sentiments, les rites et les convenances n'étaient pas dénués d'archaïsme.

Ly terminait le relevé des mesures pour le deux-pièces d'une riche commerçante de Son Tra, lorsque l'amie réapparut à l'atelier, dans une mini-robe marine fort décolletée. Les deux femmes se saluèrent, non sans un discret embarras, l'une avait bien trente kilos de plus que l'autre. De lourds bijoux pendaient aux oreilles et au cou de la dame, et ses doigts gigotaient sous de grosses bagues, comme s'ils étaient encore à la recherche de quelque nourriture. Quand elle s'éloigna dans l'impasse, Ly embrassa Kate et la complimenta pour la coupe de sa robe, ajoutant aussitôt :

— Hélas ! ce n'est guère le style de mes clientes...

L'Américaine eut un rictus facétieux, et l'artisan prolongea la plaisanterie :

— Eh oui, Câm Lê! Il est plus facile de multiplier les bijoux que de soustraire les bourrelets. Et plus ça brille, moins c'est beau, et plus ces dames sont exigeantes.

— Pauvre Ly ! Faites-vous bijoutier, vous aurez moins de scrupules...

— Ah ! La Lune qui se moque du Soleil. Vous qui ne portez jamais d'autre bijou qu'une montre.

Elle sourit, tandis qu'il lui caressa l'épaule en la provoquant :

— Et si peu de tissu.

— Il fait si chaud pour un *xung xam*.

— L'avez-vous apporté ?

— Bien sûr que non, maître Ly. Pour une semaine, je n'ai pris qu'un sac de voyage, un bagage cabine dans lequel je pourrais tout juste ajouter un ou deux livres.

Il n'osa pas lui dire qu'elle était folle, de venir d'aussi loin pour cinq jours. Il crut se souvenir d'un dicton appris dans un vieux livre français, à Haiphong :

— L'amour a ses raisons que la...

Kathleen l'arrêta, avec la main puis un baiser. La nuit tombait sur l'impasse déserte, seulement trouée par la lumière de l'atelier Truong Hoang. Un vieillard entra, apportant une veste de toile plus qu'usée.

— Je voudrais la même, dans un tissu plus foncé.

Ly la prit, l'ouvrit sur la grande table, reconnut son travail.

— Elle a souffert...

— Je n'ai que celle-là... et dans un mois je dois aller au mariage d'un petit-fils.

— Habitez-vous près d'ici ?

— Tout près, sur Yên Bai.

— Pouvez-vous revenir samedi ? Je dois sortir.

— Pourquoi pas demain ?

— Le 1er mai, nous fermons tous, l'avez-vous oublié ?

— Et vendredi ?

— Je ne serai pas là. Venez samedi, je reprendrai vos mesures, et vous ferai un bon prix.

Le vieil homme s'inclina devant l'étrangère, salua le tailleur sans reprendre son veston. De la bonté émanait de son regard, et sa chemise était encore blanche. Une casquette cachait sa calvitie, sa démarche était digne et lente, un Anglais eût dit « aristocratique ». Ly demeura dans la porte, observant la fière silhouette. Puis il s'adressa à Kathleen :

— Je l'avais à peine reconnu. J'ai dû couper cette veste voilà vingt ans, cinq ans avant la mort du patron dont j'ai repris l'atelier.

— Le 1er mai, c'est la fête des Travailleurs, partout dans le monde, sauf en Amérique du Nord, ça, je le sais, mais vendredi, pourquoi fermez-vous ?

— Parce qu'il me reste encore un peu de galanterie, et qu'une Américaine ne passe pas quatre jours dans les aérogares et les avions afin de voir travailler un artisan vietnamien.

Elle n'eut pour toute réplique qu'un sourire malicieux. Et lui reprit simplement l'écriteau, sur lequel il inscrivit : *Se mo cua lai ngày 3*[41]. Sans connaître la langue, Kathleen comprit le message, et la tentation fut trop forte pour qu'elle n'ajoutât pas un zéro après le trois. Ly s'exclama :

— Un mois de vacances ! En Amérique peut-être ! Vais-je me prendre pour Bao Dai[42] ?

— Alors je vous accueillerai en *xung xam*...

Ah ! qu'elle était irrésistible, avec un brin d'humour, et ce soir-là elle ne lui donnait pas le goût de cuisiner, plutôt celui de sortir, de flâner le long du fleuve. Il effaça le joyeux zéro et ferma l'atelier. Malgré la mort du beau-frère, Kate l'avait en deux jours rajeuni de dix ans. Et il est vrai que chez elle aussi l'amour et les tropiques opéraient à merveille : à trente-sept ans on ne lui accordait pas la trentaine.

Ils remontèrent lentement Bach Dang, s'amusant de l'éloquent silence des amoureux, de la patience chichement gratifiée des pêcheurs à la ligne, s'attardant à identifier quelques cargos, en regrettant l'absence de Thuy. À la suggestion de Kate, ils dînèrent dans la rue Ly Thuong Kiêt, à la table basse d'un restaurant familial où elle n'était plus une inconnue. Mais avec Ly, des noms, des origines, des histoires se décalquaient sur les visages, et le village dans la ville devenait l'almanach populaire du Viêt Nam. Des gens les regardaient avec étonnement, et il leur était facile de comprendre pourquoi. À Da Nang comme ailleurs au pays, il était courant de surprendre un étranger entre deux âges au bras d'une jeune Vietnamienne, généralement en jeans serré, et maquillée, parfumée, coiffée telle une apprentie amazone. Une étrangère en mini-robe accompagnant un Annamite d'âge mûr, cette image était moins banale. Ils descendirent la longue rue Lê Loi, à l'heure où ont hélas disparu les lycéennes en *ao dai*. À l'heure aussi

41. Réouverture le 3 mai

42. Dernier empereur du Viêt Nam.

où des ivrognes ne faisaient plus la différence entre le diamètre d'une marchande de pains vapeur et celui d'un badamier, d'un flamboyant. À l'approche de la rue Pasteur, les cafés chic étaient remplis, et il leur fallut zigzaguer dans un bruyant labyrinthe avant d'obtenir deux sièges, et des glaces au chocolat dont le prix était plus impérial encore que la présentation. Ly détestait cette faune des nouveaux cafés mode, et il s'excusa bien naïvement :

— Vous devez avoir beaucoup mieux à Boston...

— Le snobisme n'a pas de frontières. Disons qu'ici, il jure un peu trop.

Et cette robe bleu marine, si généreuse du haut comme du bas, faisant dévier quelques regards entre les tables. Fut-ce une raison pour quitter l'antre d'une jeunesse dorée, au cœur d'une ville besogneuse ? Les quinze ans le séparant de Kate doublèrent soudain aux yeux de Ly. En eut-elle l'intuition, en s'éloignant du luxueux tapage ? Elle l'enlaça tout en marchant, lui confia :

— Toute ville a ses misères, ses parasites et ses pantins.

Il se tut jusqu'à l'arrivée. La nuit chaude enveloppait l'impasse tel un fruit doux, une odeur composite, avec des pointes de caramel et de sel. La mer n'était pas très loin, ni les jardins de Son Tra, encore moins les mille brûleurs à gaz sur lesquels chauffaient le *pho,* la soupe au vermicelle, au liseron d'eau ou au gingembre. Elle n'attendit pas le haut de l'escalier pour se retourner brusquement, et lui intimer :

— Prends-moi ! Ly, prends-moi !

Ce tutoiement la surprit, la choqua, et elle se reprit aussitôt :

— Prenez-moi, Ly !

Il gravit deux autres marches, fit monter ses doigts sur les jambes blanches, les cuisses fermes, bientôt agitées. La robe était si courte, dérisoire sur les poignets, les mains adroites qui déjà encerclaient le slip noir et serré, ici moite et là tendu sur la chaude impatience. Il prit plaisir à l'investir sans le déplacer, le glisser d'un centimètre. Elle trépignait, rageait en silence, incitant l'amant à accélérer sa conquête. Et lui redoubla de lenteur sous la robe, sans la dégrafer, sans baisser une fermeture éclair qui eût pu filer sur un dos cambré, tel le premier TGV vietnamien. Oh ! cette robe couleur de nuit océane, sans boutons madame, et pourquoi donc ?

— Prenez-moi, Ly, prenez-moi ! refit-elle en lui griffant la nuque.

Alors il rusa, le démon. D'une main il contint les reins, puis l'aimable rondeur, et de l'autre effleura chaque centimètre carré de l'intime triangle, en pointant :

— Nam Dinh ! Ninh Bình ! Thanh Hoa ! Vinh !

Allait-elle s'en réjouir ? Il sauta les étapes, et clama « Da Nang ! » en faisant glisser le drapeau noir. Et la nuit, la passion éclatèrent aux dernières marches, avant de s'assouvir sous le souffle du ventilateur. Ce fut leur première nuit complète, et Kate ne rentra pas à l'hôtel Tân Minh au lever du jour. Sous la petite fenêtre, Ly lui déclara :

— Oui, Kathleen, Kateline, Kate, Câm Lê, je vous retiens toutes pour ce 1er mai, et même jusqu'à samedi matin.

— Mais c'est un rapt, monsieur...

— Un rapt, quel affreux mot pour un congé si agréable.

— Le maître tailleur serait-il un mons... Elle ne put finir sa phrase. Déjà la folle nuit mangeait le jour, et leurs corps étaient en fête. Dans la lumière oblique, le ventilateur fut encore une brise océanique sous laquelle tanguaient de beaux esquifs. L'ardeur et le sommeil eurent de longues houles et de brèves marées. Dans une brûlante éclaircie, il perçut un râle lancinant, une plainte :

— Nua... nua...[43]

C'était l'un des mots vietnamiens qu'elle avait retenus. Et ce *nua* était voluptueux dans la chaleur montante de

43. Encore... Encore...

mai. Le bel épuisement, cependant, eut raison des songes et des tempêtes. Ly vit sa montre, et claironna :

— Avez-vous faim ? Il est midi, madame.

— Midi !

— Oui, *trua rôi,* déjà midi.

La divine naufragée esquissa une petite moue, et murmura à l'oreille du capitaine :

— *Nua, nua.*

Il embrassa les seins levés et fruités, les lèvres sucre et sel de la soif, se leva et partit sous la douche où elle le rejoignit en mâchant une orange.

— Y a-t-il de la place pour deux ? marmonna-t-elle.

— Je crois que oui, madame Nua.

Elle s'esclaffa en rejetant quelques pépins. Il sortit, se rasa à la hâte, s'habilla, prépara une soupe, du riz gluant et une papaye, dressa la table pour un tardif déjeuner. Invoquant la chaleur, Kate vint s'asseoir sans robe, mais avec cette fois le bas et le haut d'un vif incarnat. Il ne s'en plaignit pas, bien que Nguyêt ne se permît jamais une telle impudeur, même aux heures les plus étouffantes. Et c'est lui qui pensa devoir s'excuser :

— Ce soir, ce sera nettement meilleur.

— Et où dinerons-nous ?

— Surprise...

Elle n'insista pas. Elle fit la vaisselle, et il crut bien rêver devant le piquant du tableau. Lorsqu'elle voulut passer sa robe, il l'arrêta, ouvrit le coffre et lui tendit l'*ao dai* que Nguyêt n'avait revêtu que deux soirs. Elle réagit gravement :

— Ly, que vous arrive-t-il ? Jamais je ne porterai cet habit.

— Bien sûr. J'aimerais seulement le voir sur vous pour une minute, je sais que vos mensurations sont à peu près les siennes.

— Non, je ne peux pas.

— Une minute, Kate, ce ne peut pas être une folie.

— Une heure ou une seconde, c'est impossible, Ly. Et ne me demandez pas pourquoi.

Le tailleur fit silence, dans cette petite chambre où il avait tant appris la tendresse. Il replia le délicat vêtement avec un soin presque liturgique, le replaça dans le coffre, dans l'odeur brûlée, ambiguë des souvenirs, et posa une main sur l'épaule osseuse de Kate.

— Je vous comprends. Je vous attends en bas dans quelques minutes.

— Où irons-nous ?

— À peine une surprise...

— Que de mystère en ce 1er mai !

Se rhabillant, elle le vit s'arrêter devant la commode, prendre le cadre de bambou et le rapprocher du rameau de citronnier. Puis il descendit, et elle sut qu'il sortait son vélomoteur. Elle l'entendit déplacer quelques cartons, une chaise, et refermer le rideau du salon d'essayage. Et la voix de Ly monta de l'atelier :

— Kate, je vous attends.

— Allons-nous à Hoi An[44] ?

— Non, il est bien trop tard pour cela. Mais venez.

Il n'osa pas s'enquérir si elle éprouvait quelque problème avec sa robe : une couture ajourée, un zip bloqué. Ou peut-être se recoiffait-elle ? Enfin elle répondit :

— Je descends.

Et quelle arrivée ! Madame en *ao dai*. Pantalon de soie blanche et tunique café, le col enchâssant sagement le cou d'ivoire et les boutons fuyant discrètement vers l'aisselle. Elle s'immobilisa sur la dernière marche, lui dit, alors qu'il s'approchait :

— Moi aussi, je vous comprends.

Il lui prit la main, l'entraîna au milieu de l'atelier, lui fit faire un tour sur elle-même.

44. Petite ville historique et touristique située à 30 kilomètres au sud de Da Nang, et à 5 kilomètres de la côte, sur la rivière Thu Bon.

— Il vous irait sans retouche.

— Sauf que je n'ai pas une tête annamite...

Il rouvrit et alluma le salon d'essayage, moins étroit en l'absence du Honda. Le haut miroir remplaça trente mots. Elle amorça quelques mouvements et reconnut qu'il y avait là plus de raffinement que dans les jeans et t-shirts américains. Il lui fit cependant remarquer qu'elles étaient rares, les étrangères, à avoir des hanches aussi étroites, ajoutant aussitôt que les Vietnamiennes n'avaient pas toutes cette élégance.

— Les bourrelets et les bijoux, lui rappela-t-elle.

— Oui, Kate. Et avec un tel *ao dai*, nul besoin d'or ou d'argent. Regardez encore : droit, effilé comme l'Annam, ce costume national est un joyau, un bel hommage à la femme, dont il souligne la grâce naturelle. Et vos sandales lui conviennent.

— Mon slip rouge beaucoup moins, sous la soie blanche...

— Bien sûr. Et encore, il n'a rien d'offensant.

— Ah ! les hommes, même les tailleurs...

Il coula sa main sur l'étoffe, sur la tunique ajustée à la chute de l'épaule, au galbe du buste. Sur le pantalon si léger entre les pans descendant aux chevilles, les hanches ici douces telle une chevelure. Elle éteignit la lampe au-dessus de la glace, traversa la boutique dans le subtil balancement de la soie, tourna la tête en annonçant la fin du rêve. Lorsqu'elle revint dans la robe marine, elle le taquina gentiment :

— Après la soie de l'Annam, le coton du Mississippi. Vous aimez encore ?...

— *Thank you*, Kathleen.

○

Passé le nouveau pont, Ly ne prit pas la route du sud vers la montagne de Marbre, mais fila tout droit vers la mer. Sa mini-robe avait obligé Kathleen à s'asseoir en amazone, et, sur l'avenue toute neuve et très large de Son Tra, la douce image de l'*ao dai* était chassée par celle d'une estivante sur la côte du New Hampshire. Da Nang ouvrait ici des rues dans le sable et y plantait de hautes villas de béton, d'architecture prétentieuse et bien peu annamite au goût de Ly. Puis la ville s'effaça, et l'océan de plomb s'imposa, caressant la presqu'île en forme d'arbre qui protège la baie de Da Nang. Sous la tête, appelée la montagne des Singes, serpente la plage de Nam Tho, et le long du tronc se succèdent les sables dorés de My Khe, de Bac My An, à la racine enfin le seuil marin des éperons de Thuy Son et Môc Son, et plus au sud la plage de Non Nuoc. Le paradis des baigneurs, et pas toujours celui des pêcheurs. Ly stoppa le Honda près d'un buisson, sur le sentier bordant la côte. Des adolescents jouaient à la lisière des vagues, les uns en jeans, d'autres en bermudas flottant ridiculement sur des jambes maigres, en shorts ou maillots de bain. Quelques jeunes filles en robes longues, leurs sandales à la main, et des gamins sans complexes, nus dans l'écume, avec leurs têtes noires et luisantes de petits diables.

Kathleen resta sur le talus, fixant cette magnifique plage de My Khe, si différente dans les souvenirs, les récits de Kevin. Bien qu'il fût peu loquace sur le sujet, le seul nom de cette côte, My Khe, durcissait le regard de l'ouvrier de Claremont. Car ces quelques kilomètres de sable fin avaient été transformés en zone exclusive de repos pour les soldats américains. Une oasis tropicale dans le bourbier vietnamien. Avec bien sûr aux entrées les joyeux commerces réservés aux riches guerriers. Mais c'était aussi, pour les pilotes des hélicoptères stationnés à Nuoc Man, et pour les équipages des chasseurs Phantom décollant de la grande base de Sân Bay, un ulcérant mirage avant de replonger dans l'enfer du Nord. Oui, au départ comme au retour des missions de tous les dangers, le survol de la baie de Da Nang ou de My Khe troublait un instant les solides gars de l'Arkansas ou du New Hampshire. Sous leur *Con ma,* leur F-105, leur Thunder, n'y avait-il pas une Floride qu'ils eussent pu aimer sans y semer la mort ? Kate en glissa quelques mots à Ly, et il voulut la réconforter :

— Ne vous sentez pas coupable.

— C'est toujours ce que l'on dit, d'une génération à l'autre.

— Regardez ces jeunes, devant vous, comme hier ceux des cafés de la rue Lê Loi. Croyez-moi, beaucoup d'entre eux sont aussi perdus qu'ont pu l'être des *linh mi.*

— Vous le pensez vraiment ?

— Kate, nous avons, dans le Sud surtout, un arbre qui s'appelle le *cây mam**. En bord de mer ou dans la mangrove, il a des racines rampantes et d'autres verticales. Quand la terre s'accumule autour de lui, il meurt et fait place au *duoc,* le rhizophora qui meurt à son tour dès que le sol s'affermit, pour laisser place au cajeputier, que nous appelons le *cây tràm**. Voyez-vous, bien des jeunes gens sont ainsi. Ils ne savent ce qu'ils veulent, essaient tout et ne réussissent pas grand-chose. Ils sont un peu à l'image de l'arbre *mam,* qui pousse en tous sens, se transforme plusieurs fois en changeant de nom. C'est comme si la nature ne savait par quel bout les nourrir.

— Et moi, quel arbre suis-je ?

— Probablement un petit sapin du New Hampshire. Droit et résistant, et qui m'accorde sa fraîcheur.

— Ah ! cher Ly, tailleur, philosophe et poète, dit-elle en descendant sur la plage.

Ils marchèrent vers le sud, sans ôter leurs sandales. Aux ébats des enfants succéda la silencieuse parade des *thuyên thung** aux silhouettes de marmites. Ces petites embarcations des côtes de l'Annam, rondes ou oblongues, sont faites de lattes de bambou tressées, et goudronnées à l'intérieur comme à l'extérieur. Mais avant d'étendre le goudron, on calfeutre le nattage avec des déchets de chair de buffle, car on n'a rien trouvé de plus efficace pour assurer leur étanchéité. Tandis que le soleil dur amorçait son déclin, une vingtaine de *thung* dormaient sur le sable. Assis contre l'un d'eux, chargé de filets de nylon, trois pêcheurs grillaient leurs cigarettes face à l'océan. Des corps d'athlètes, hâlés, nerveux sous les t-shirts. Ly les aborda, puis trois mots de vietnamien dans la bouche de l'étrangère cassèrent la réserve des hommes. Hélas ! sa connaissance de la langue n'allait guère plus loin, et Ly dut se faire l'interprète d'une femme qui ne put s'asseoir sans planter une tulipe rouge sur la grève. Dans leur dos, sur l'escarpement, se découpaient les maisons des moissonneurs de la mer, entre lesquelles s'esquivaient des silhouettes de femmes, d'enfants occupés, et d'où la brise emportait des exhalaisons de poisson. Bien plus qu'à Rye North Beach, Kathleen Murphy songea d'abord aux petites criques du Maine qu'habitaient de vieilles familles de marins, et avec l'aide de Ly elle s'enquit des conditions de vie des pêcheurs de My Khe. La confiance s'établit lentement, avec des questions simples, essentielles, de timides réponses, puis des détails, quelques précisions chiffrées, et des mots de toutes les mers, à l'instar des vagues de la marée montante. On n'était plus dans l'exiguïté d'un atelier de tailleur, avec les odeurs sèches des étoffes. Loin aussi de la touffeur des rizières. L'institutrice de Milford réapprenait le millénaire défi des hommes sur l'immensité marine.

Ici les pêcheurs partaient vers seize heures sur les *thung* motorisés, pour ne rentrer que le lendemain matin à sept heures. Ils passaient la nuit à cinq *ly**, soit à environ cinq kilomètres de la côte, en hiver alors que l'océan était agité, et deux fois plus loin d'avril à août, meilleure saison de pêche. Sur les petits thung ronds et sans moteur, ils ramaient de quatre heures jusqu'à dix heures, ne s'éloignant pas à plus d'un *ly* et demi du rivage. Les filets d'un gros *thung* pouvaient en une nuit ramasser cinquante, voire soixante-dix ou quatre-vingts kilos de poisson avec de la chance. Un petit *thung,* véritable panier flottant, n'en rapportait que de trois à cinq kilos, parfois le double s'il avait eu le bonheur de piéger un jeune thon. Celui-ci était assez bien payé : jusqu'à cinquante mille dôngs le kilo, tandis que les autres poissons étaient achetés à la douzaine, de trente à cinquante mille dôngs selon leur qualité. Mieux encore que le thon et le mérou, le maquereau était le plus recherché. Mais lorsque le propriétaire d'un gros *thung* avait payé le carburant (du diesel), la glace, l'entretien des filets, et les intérêts sur le prêt obtenu pour l'achat de l'embarcation, il ne lui restait pas grand-chose pour nourrir et vêtir sa famille, envoyer les enfants à l'école, qui n'était pas gratuite.

Ah ! que la robe était impudique, malgré l'effort des jambes repliées sur le sable chaud. Si leurs paroles étaient brèves, les regards des marins n'étaient pas innocents, et Ly le voyait bien. Passait-il pour un riche tailleur de la rue Hung Vuong, avec cette belle Américaine à ses côtés ? Ils se levèrent, examinèrent plusieurs *thung,* leur savant assemblage de bambous aux odeurs de goudron et de sel, leurs cordages, filets et flotteurs, le moteur chinois moins visible dans la trappe, la petite hélice au flanc de la marmite. Ils saluèrent le trio, s'attardèrent plus loin avec un vieux pêcheur solitaire, accoudé à sa modeste embarcation sans moteur. Le soleil bas jouait dans sa barbe, et il y avait du sable dans sa voix. Durant toute une vie, combien de milliers de coups de rame ? Combien de muges, de scombres, de *ca chai* à tête plate, de soles, de raies, de maquereaux, de thons et de mérous avait-il dû capturer pour élever trois enfants, dans une maisonnette face à l'océan ? Après avoir relevé sa casquette de toile, il avait avoué :

— Mon épouse est morte à une époque où j'aurais encore pu m'endetter pour un *thung* à moteur.

Kathleen avait fait le tour de la grosse marmite noire, tâté le cintrage de bambou, avant de lui confier :

— Chez moi sur la côte atlantique, j'ai souvent vu le retour des pêcheurs. Mais un petit bateau tout rond comme le vôtre, pour moi c'est une toupie de mer. Comment pouvez-vous le diriger au large ?

— Avec ça, madame, lui répondit le vieil homme en levant le bras, puis en saisissant la rame sous le filet, sans que Ly n'eût à traduire.

Alors Kathleen la lui prit, la tourna dans sa main et lui répondit :

— Avoir pu nourrir, élever une famille avec seulement ça et une grosse cuvette de bambou, vous êtes un héros, monsieur.

Ly fut bon interprète, et le pêcheur sourit, avant de rétorquer :

— Les héros, madame, ils étaient sous les bombes et le napalm.

L'étrangère n'insista pas. Il y avait bien plus qu'un code de l'honneur dans les yeux de cet homme-là. Lui aussi parla du prix du poisson, injuste pour les pêcheurs sur toute la côte de l'Annam, et bien peu de ces *thuyên thung,* curieux, insolites, folkloriques aux yeux des touristes. Il expliqua qu'il n'y avait pour lui ni lunes ni saisons, mais plus simplement des jours de *biên gia,* où la mer était capricieuse, instable, imprévisible, et des jours de *biên thât,* où elle était fidèle et généreuse. Ils finirent par s'asseoir dans la lumière rasante, et le vieux rentra chez lui. Au loin les jeunes avaient disparu, et la marée avait arrêté sa course bien avant la faible pente où reposaient les embarcations. Ly aimait cette heure où l'océan et la terre semblaient se partager l'indécision et les fatigues des hommes. Le moment où Bà Tròi, la dame du Ciel, Bà Dât, la dame de la Terre, et Bà Thuy, la dame des Eaux, s'accordaient pour apaiser leurs soucis. Il avait acquis ce sentiment de Nguyêt, qui appréciait « l'heure où hommes et femmes éteignent leurs querelles pour la nuit ». Souvent il était venu avec elle pour la fin du jour à My Khe. Au début, il ne comprenait pas qu'elle pût préférer la tombée de la nuit au lever du jour, selon lui l'instant de toutes les promesses. Et après quelques marches sur la plage, elle lui avait confié le fond de sa pensée :

— Vois-tu, Ly, si le lever du jour est une promesse, il est aussi un cruel mensonge. Car jamais il ne nous annonce les drames, les misères, les horreurs qui terniront, saliront la journée. Tandis que la nuit nous apporte non pas l'oubli, mais un silence qui fait taire les haines et les armes.

— Pas toujours, lui avait-il objecté.

— Non, pas toujours. Mais il est si bon d'y croire en s'endormant.

Il n'oublierait jamais ces paroles de Nguyêt. Cependant, il attendrait pour les révéler à Kathleen. Plus tard, peut-être dans quelques mois si elle revenait à Da Nang lors des longs congés scolaires d'été dans son pays... Il ressentit une gêne à songer ainsi à Nguyêt, près de Kate si court vêtue dans la brise du soir. Et elle, elle regardait la mer, sans songer à Dick, à Danny. La mer de Chine était encore un beau mystère, un horizon obsédant malgré les souvenirs de Kevin, les cauchemars des boat people, les menaces de la Chine.

Avant la nuit, Ly lui conta l'histoire de Hanh, qu'il avait apprise en compagnie de Nguyêt. Une histoire qui ne devait être qu'une légende, mais elle était si belle.

Un pêcheur donc, du nom de Hanh, qui chaque matin ne rapportait guère plus de cinq ou six kilos de poisson, accosta enfin sur la grève avec plus de quinze kilos de marée. Kim, son épouse, en fut si surprise qu'elle crut au miracle, à une chose impensable pour l'un des plus pauvres pêcheurs de My Khe, dont le petit *thung* rond réclamait une nouvelle couche d'enduit. Ah non ! pas un vulgaire et invendable necton, mais de belles soles, quelques muges dodus, deux raies, un jeune mérou et un maquereau à l'œil céruléen, le meilleur *ca thu** rêvé dans une assiette. Kim voulut offrir une grande bouteille de bière à son mari pour célébrer l'événement, mais Hanh la retint et l'attrista aussitôt, en lui apprenant que ces prises n'étaient pas les siennes, mais celles d'un camarade dont le *thung,* plus gros que le sien, s'était retourné au large. L'homme s'était noyé, et lui n'avait pu que récupérer une partie de sa pêche qu'il allait remettre à sa veuve, à cent pas de chez eux. Veuve avec déjà deux enfants. Il annonça également que chaque jour il prélèverait un ou deux poissons sur ses prises pour les remettre à cette femme. Hanh portait bien son prénom, puisque les parents le choisissent avec l'espoir que leur fils devienne un honnête homme. Et les voisins sur le haut du talus l'appelaient désormais *Ca co qua tim lon*, c'est-à-dire « Poisson grand cœur ».

Que ce fut une histoire ou une légende, sa noblesse émut Kathleen tandis qu'ils reprenaient leur promenade sur la plage. La nuit maintenant estompait les silhouettes des *thuyên thung,* et seules les vagues mourantes habitaient le silence de My Khe. Bientôt se détachèrent les piliers et les plates-formes des restaurants dominant la grève. Une odeur de poisson frit, d'épices et de fruits mûrs se mêla au souffle chaud et iodé. Deux jeunes couples passèrent, à peine distincts dans leurs jeans sombres. Des corbeaux rôdaient encore dans la chiche lumière aux pieds des plates-formes, et de temps à autre un rat fuyait dans l'ombre. Sur la plage au ras de l'écume, là où le sable était bien tassé, un tardif vendeur de *banh bao** poussa lentement sa bicyclette portant à l'arrière, d'un côté quelques pains vapeur dans une boîte vitrée, de l'autre le petit réchaud à pétrole. Aurait-il encore des clients à cette heure ? Il remonta sur la selle, pédala avec difficulté, disparut dans l'image floue d'un vieux film. Ly et Kathleen regagnèrent le chemin sur le haut de la rive, et retinrent une table à la terrasse surélevée du restaurant Lôc Châu. Puis Ly partit reprendre son vélomoteur.

Dans l'attente, Kathleen dédaigna les moustiques et fixa la nuit océane où perçaient les premières étoiles. Et la lune apparut, tel le *bàn tho* de toute la Terre. Kate ne sut plus si elle avait devant elle l'invisible horizon de la mer de Chine ou le plafond de la chambre. Un portrait de femme, un rameau de citronnier volaient parmi les étoiles. Un grand coffre flottait sur la mer, tel un *thung* sans marin. Et près d'elle, sur ce balcon de My Khe, le *bô dôi* des forêts, des pistes enfiévrées, le tailleur veuf de Da Nang allait-il rajeunir sans le poids de la guerre ? À coup sûr il n'aurait plus à se rappeler l'austère morale des années de lutte, alors que chaque soldat, au lendemain même de ses noces, se faisait dire « qu'un couple, dans son nouveau bonheur, n'a pas le droit d'oublier ses devoirs[45] ». Oh ! Pourquoi se remémorait-elle cette phrase de Nguyên Khac Truòng, là dans la nuit étoilée de My Khe ? N'attendrait-elle pas de Ly qu'il conservât un seul devoir, celui de rester simple ? Modeste et excellent tailleur, et tendre amant sans préjugés. Le plus difficile ne lui incomberait-il pas, à elle, fille de la prude Amérique, que ses lointaines racines québécoises ne protégeraient guère des rumeurs et des chuchotements entre les murs de Milford ?

Les faibles lumières d'un cargo brouillèrent au loin le rêve éveillé. Mer de Chine ou Atlantique, côte de l'Annam ou du New Hampshire, les souvenirs de la Souhegan n'étaient pas moins précis que ceux de Quang Tri, de Vinh Moc. Et la vive Lâm Thi Thanh sortit de son hôtel pour accueillir et guider Lorraine Nadeau. Celle qui n'avait jamais été trop sévère. Juste assez pour pointer sans dire l'horloge de la cuisine, tandis que Jeffrey, l'aîné de deux ans, rentrait sa malice. Que penserait donc Lorraine, à soixante-huit ans maintenant ? La douce retraitée aux boucles d'argent, roulant un vieux français mâtiné des tournures de la Nouvelle-Angleterre. Kate la vit dans l'insolite dédale des trottoirs, parmi la foule du grand marché Han et entre les boutiques de Hung Vuong, disant à sa fille :

---

45. Nguyên Khac Truòng, *Des hommes et autant de fantômes et de sorciers*. Traduction de Jeanine Gillon et Minh Yên.

— Ça grouille de tous les bords. Ça sent plus la fabrique que la rue, et les dames pédalent comme des danseuses à roulettes...

Fut-ce du caboteur qu'elle jaillit? Une lueur s'éleva dans le faible clair de lune, jaune et blanche, légère tel un voile bercé par la brise. La forme lumineuse se rapprocha, se précisa : Nguyêt flottait dans l'*ao dai,* avec de longs bras d'oiseau. Kate sursauta. La main de Ly glissa sur son épaule.

Le dîner était servi. Des calamars frits coupés en lamelles, et un stromatée somptueusement épicé, préparés par madame Ngô Thi Lôc, dont le restaurant portait le nom et celui de sa fille. Un ventilateur chassait les moustiques, et des gorgées de thé vert rehaussaient la saveur du poisson. Un silence presque monacal s'imposa aux amants durant leur dégustation, et, lorsque la cuisinière, servant ananas et mangoustan pour dessert, demanda à l'étrangère d'où elle venait, le tailleur lui traduisit spontanément la réponse :

— D'un pays auquel vous devriez apprendre à cuisiner le poisson.

Madame Ngô eut un sourire embarrassé, sous l'œil de Châu, qu'elle pria de rapporter du thé. Elle se rapprocha du Vietnamien.

— Votre amie exagère, probablement. Mais dites-moi, elle n'est pas française, à son accent?

— Non, américaine.

Alors, avec un clin d'œil à son voisin, elle fit :

— Mais là-bas, madame, vous avez tout...

— Et même beaucoup trop, c'est notre problème.

— Je ne comprends pas.

— Oui, nous avons de grands restaurants, avec de beaux fourneaux, de belles tables, de belles assiettes. Mais si peu de goût.

Ly s'était bien amusé comme interprète, et madame Ngô lui confia, avant qu'il ne démarrât le Honda :

— C'est la première Américaine qui me dit une telle chose.

Et il lui souffla :

— Croyez-la, elle est institutrice.

Au démarrage, Kathleen Murphy lança aux deux femmes :

— We will come back tomorrow.

Le clair de lune s'affirmait, et la passagère souhaita s'attarder sous les arbres, face à l'océan. Un vent très doux coulait sur la côte, où réapparaissaient les formes simples des *thuyên thung*. Le couple descendit bientôt sur la plage déserte, se déchaussa. Elle s'allongea sur le sable humide, les pieds léchés par les vaguelettes, et il s'assit près d'elle. Le murmure de la mer et le mystère de l'infini envoûtèrent Kate, qui remonta le bord de sa robe, offrant la tulipe rouge à la magie lunaire. Ly posa sa main sur la cuisse de Kate, et elle la fit glisser au bas du ventre, là où elle ne voulut plus la quitter. Confierait-elle à Ly son secret ? Il était si palpitant de ne rien dire. Trois jours auparavant à l'escale de Bangkok, elle avait jeté ses pilules. Cette intime réalité éclatait maintenant dans une vibrante interrogation, celle de tant de femmes approchant la quarantaine. N'était-il pas trop tard pour réinventer les matins, aspirer aux balbutiements, à la voix chaque jour nouvelle d'un enfant ? Un frisson courut sur la tiédeur de la peau, et l'eau eut aux chevilles de fraîches caresses, tandis qu'une chaleur irradiait de la main immobile de l'homme. Était-ce la nuit sereine, apaisante de Nguyêt, qui revenait sur la Terre ? Oui, cette nuit encore elle garderait son secret, son espoir pour elle seule. La féerie du ciel, la brise douce, la discrète musique de l'eau l'y invitaient.

Ils demeurèrent ainsi un long moment, fascinés par la lune haute et les étoiles, écoutant le silence habité de l'océan, que salissaient hélas de lointaines voix de la télévision au-delà du talus. Mais la nature n'avait-elle pas déjà tendu entre eux le pont des âmes ? Quand le vent tourna vers l'ouest, étouffant les nasillements là-haut derrière le rideau d'arbres, Ly s'adressa à Kate :

— Je connais un merveilleux poème de Cù Huy Cân, un Annamite de la province de Hà Tinh, qui a si bien sondé la mer et les hommes.

— Alors, je veux l'entendre.

— Je le connais dans les deux langues. Écoutez-le d'abord dans la nôtre :

Môi cuôc dòi mang thâm bao nhiên chuyên
cham nôi cham chìm trong thit trong xuong

Ly attendit quelques secondes pour combler le désir de Kate :

Chaque vie porte en secret…
tant d'histoires incrustées
en bas-reliefs, en filigrane
dans la chair et dans les os[46].

Kate se tut, laissant le poème envahir, envelopper son propre secret. Ly retira sa main, la passa sur les mollets, les pieds mouillés. Kate se redressa, l'embrassa, l'entendit magnifier la nuit de My Khe.

Ta se tat theo gio.
ta se khuyêt theo trang.

Je m'éteindrai avec le vent,
je m'éteindrai avec la lune.

— Oh ! redites-moi…
Et Ly répéta, d'une voix qu'elle souhaita éternelle :

Je m'éteindrai avec le vent,
je m'éteindrai avec la lune.

Kate reprit les deux vers sans se lasser. Elle redemanda le nom de l'auteur. Oui, Cù Huy Cân, ces mots aussi avaient la musique de la mer. Ly caressa les cheveux, la nuque humides.

46. Cù Huy Cân, *Marées de la mer orientale*. Traduction de Paul Schneider.

— L'apprendrez-vous à vos élèves ?
— *I will disappear… I will fade with… No, not like that…*
Elle se leva, marcha dans l'eau mourante, revint.
— Écoutez, Ly.

I will wane with the wind,
I will wane with the moon.

— Qu'en pensez-vous ?
— Mon anglais est si pauvre. Mais la rythmique des mots me semble belle. Vos écoliers devraient l'aimer.
— Je n'en suis pas certaine. La poésie, chez nous, n'est plus appréciée. Whitman, Frost sont bien morts, dans l'Amérique des McDonald's et des autos aussi obèses que les hommes.
— Oh ! le Viêt Nam aussi perd beaucoup de sa poésie.
— Ne dites pas cela, fit-elle en lui barrant les lèvres, et sur le chemin du retour elle fredonna :

I will wane with the wind,
I will wane with the moon.

○

Malgré l'heure tardive, Kate demanda à Ly de passer à l'hôtel, où elle surprit la réceptionniste en libérant sa chambre en dix minutes. Remontant sur le Honda, elle glissa au conducteur :
— Ah ! Ly ! si vous aviez un balcon sur le sông Han…
Sur Bach Dang, une main lâcha le guidon pour lui caresser le genou. Alors elle se reprit :
— Mais il est vrai qu'avec une moto, vous avez un balcon sur la mer.
Ly posa le sac de voyage sur le coffre, et Kate ne s'en offusqua pas. En ce 1er mai, les deux femmes ne s'étaient-

elles pas rejointes, à l'instar des deux hommes ? Nguyêt et Dick seraient toujours présents dans les soleils de Da Nang et de Milford, dans les éclats de la mer à My Khe et sous les saules de la Souhegan. Les années, les distances se fondaient dans une nouvelle harmonie des êtres et des choses. Ils étaient tous deux d'un âge où les douces naïvetés ont fait place à la raison, mais il n'y a pas d'âge pour la beauté profonde de la vie. C'était aussi ce qu'enseignaient les apsaras dans la pierre ébréchée du musée, et le regard de monsieur Quang après avoir évoqué les journées incendiées de Vinh. Et cette nuit serait sans fin, jusqu'à *Trua rôi* !, jusqu'à « Déjà midi ! ». Ly le pressentait, et Kate le savait, avant même qu'il éteignît le *bàn tho*.

Aux petites heures, le bruit de la douche brisa le rêve de Kate. Elle étendit le bras sur le bambou natté, et l'absence de Ly n'eut pas la tiédeur du sable à My Khe, mais l'indéfinissable odeur du « café moulu » de Ground Zero. Les deux tours du World Trade Center jaillirent et retombèrent dans un fracas océanique. Avec tout autour des centaines, des milliers de petits *thung* noirs d'où s'élevaient des bras agités. Ly revint s'étendre près d'elle, et le cauchemar s'envola. Dans la brise du ventilateur, leurs corps à nouveau se nouèrent, se retrouvèrent en de sensuels entrelacs. Ce vendredi serait un tendre dimanche. Dans la modeste fenêtre de la chambre et dans celle du salon, la lumière s'amplifia et vint enflammer les corps. Elle découpa deux seins éburnéens, dont Ly honora la douceur.

— Des pommes de Chine avec un brin de longane…

Kate en rit, en rit encore, avant qu'il ne rouvrît le beau fruit, au seuil tendre du jour. Elle attendit qu'il proclamât la bénédiction du mangoustan, mais il se tut, et leur passion emporta toutes les saveurs de l'Annam.

Oui, elle le savait, ce jour, cette nuit plutôt ne finirait pas. Pas avant que le lendemain matin Ly la conduisît à l'aéroport. Dans quelques heures, ils retourneraient à My Khe, où danseraient en silence les silhouettes des *thung*.

Où des pêcheurs taciturnes, leurs femmes effacées, des enfants débordants d'énergie, des couples amoureux peut-être réécriraient l'espoir sur le sable. Où madame Ngô Thi Lôc et sa fille Châu leur serviraient un plat de noces, une assiette de *ca chim** propre à faire surgir Bà Thuy des profondeurs. Où la lune, dans les yeux de l'amant, humaniserait la mer de Chine.

Kate se colla à la poitrine de Ly, et revit le corps de Dick endormi. Dick, Ly, Danny, non les années ne comptaient plus. Cinquante-deux ans, cet homme des tropiques, d'un Orient si malmené dans sa philosophie et ses légendes. Il avait bien subi un siècle d'épreuves durant sa jeunesse. Se pouvait-il que du corps des hommes, assoupis tels de grands enfants, naquît la guerre ? Elle ressentit toute la fragilité de l'enseignement. Devait-on apprendre aux élèves les dangers guettant les hommes, pouvant les transformer en monstres ? Oh oui ! que la vie soudain redevenait simple et terriblement compliquée. La religion, là-bas en Nouvelle-Angleterre, l'avait si sèchement codifiée, en niant presque la nature. Dans la respiration de Ly, Kate réentendit les paroles du professeur Quang dans Vinh rebâtie, et celles qu'elle avait lues sur la carte postale de Lâm Thi Thanh. L'érudit retraité et la jeune diplômée avaient la même voix, qui avait dû être également celle de Nguyêt. En vietnamien, en anglais, en français, les mots de Thanh, dans la petite chambre de l'impasse du 15 A Phan Dinh Phung, redirent le message de Quang Tri à toute la Terre : Women do not want war.[47]

Dans les yeux à demi ouverts de Ly, Kate lut sa propre angoisse. Au Tibet, en Birmanie, au Pakistan, en Iran, au Nigeria, au Liberia… Elle embrassa les paupières, le front encore humides. Mais pourquoi ces images dures, près de l'amant qui bientôt la reconduirait dans la splendeur de la côte ? Elle ressentit la fatigue accumulée, pensa qu'elle était folle. Ou bien, tout naturellement, qu'elle était devenue

47. Les femmes ne veulent pas la guerre.

l'Américaine de Da Nang, tout autant que l'institutrice de Milford. Et qu'aux prochaines vacances scolaires, elle puiserait à nouveau dans ses économies, afin de rejoindre un homme triste et beau, ni grand, ni obèse, ni vantard, ni riche, ni ambitieux. Un artisan cultivé et sans manières, qui lui taillerait le plus bel habit dont une femme pût rêver : un amour simple et immense comme la mer à My Khe. Tout le reste avait peu d'importance. Sauf peut-être, dans quelques jours à Milford, l'annonce d'un beau désordre en son corps.

○

Le samedi matin, Ly plaça le sac de voyage devant lui sur le vélomoteur, et conduisit Kathleen à l'avion. Avec le goût du riz gluant et du thé, elle avait celui d'une ville qui s'éveillait en mille gestes maintenant familiers. Au dernier moment, tout ce qu'elle avait à dire à Ly, elle le résuma en silence sur leurs lèvres, sans se soucier de la foule. Et lorsqu'ils durent se séparer, il lui souffla :

— Vê di, vê mau lên[48].

Ces chaudes paroles, Kathleen Murphy en connaissait la signification, qu'elle accentua avec un ultime baiser. Le fait que Ly ne les reprît pas en français était, lui aussi, une belle marque d'affection, une façon de lui dire qu'elle était de la maison. Qu'elle était Kate et Câm Lê. Qu'elle ne partait pas vraiment.

Pham Van Ly rentra le Honda dans la salle d'essayage, monta prendre de l'eau dans la cuisine et remplit le vase sur la commode, où le rameau de citronnier tenait sa promesse. Avec une serviette, il essuya délicatement le cadre et la vitre de la photographie. Il demeura figé quelques secondes, avant de s'adresser à Nguyêt :

48. Reviens, reviens vite.

— Oui, elle reviendra avec le vent, elle reviendra avec la lune…

Puis il redescendit pousser les rideaux et ouvrir l'atelier.

Da Nang, Vinh,
Hué, Montréal

# Glossaire

**Am tho :** généralement placé sur un poteau ou sur le mur, à l'avant de la maison, avec fleurs et bâtons d'encens dans de petites céramiques, il est dédié aux morts. Dans l'entrée de la maison, il peut être surplombé de bouddhas.

**Ao dai :** (prononcé *ao zai* en Annam) séduisant habit féminin, comprenant un pantalon blanc et léger, moulé aux hanches mais ample sur les jambes et frôlant le sol, et une longue tunique galbant la poitrine et s'ouvrant sous la taille en deux pans flottants.

**Bai vi :** plaquette sur laquelle sont inscrits les noms des ancêtres.

**Banh bao :** petit pain vapeur.

**Banh tét :** petits gâteaux de riz, carrés, préparés pour le Têt.

**Bàn tho :** placé dans un coin du salon, de la cuisine ou d'une chambre, dans la pièce unique chez les plus pauvres, le petit habitacle rouge reçoit fleurs et présents offerts aux ancêtres. Parfois, quelques divinités s'y ajoutent, sous la lueur d'une faible ampoule.

**Bô dôi :** combattant viêtcong.

**Ca chim :** stromatée.

**Ca dao :** refrain populaire, reflétant le quotidien de la vie paysanne.

**Cam on :** merci.

**Ca thu :** maquereau.

**Cây mam :** arbre de la mangrove, à racines rampantes et tombantes.

**Cây su :** palétuvier.

**Cây tràm :** cajeput, ou cajeputier.

**Chào mào :** nom vietnamien du bulbul orphée ou passereau à huppe noire. Très répandu, avec sa tête à huppe noire, ses plumes rouges sous l'œil et roses sous la queue, il chante bien. Un dicton vietnamien dit d'une personne volubile qu'elle est « bavarde comme un chào mào ».

**Chich chòe :** merle de Mindanao. Une expression populaire dit : *Chim chich vào rùng*, « Perdu comme le merle dans la forêt ».

**Chim chich :** fauvette couturière.

**Cho :** marché principal.

**Con lai :** garçon ou fille, né d'un parent vietnamien et d'un étranger. En langage populaire, on appelle *my lai* l'enfant d'une Vietnamienne et d'un soldat américain.

**Công datrang tràng :** (ou *da tràng*) dotyla, petit crabe des plages, roulant le sable en boulettes.

**Cu do :** petits gâteaux ronds, à feuilles de pâte de riz retenant des arachides noyées dans du sucre de canne mou.

**Dinh :** temple sanctuaire consacré à la mémoire d'un héros national ou local. Généralement aménagé dans une maison ancienne, on y brûle de l'encens et du bois de santal, et des offrandes sont adressées au défunt, dont l'âme habite ce lieu sacré.

**Du du :** papaye.

**Galanga :** variété de gingembre.

**Gié cùi :** variété de corbeau, à bec et pattes rouges, plumage à taches blanches et longue queue.

**Gô tràm :** bois du cajeput, utilisé en menuiserie.

**Hac :** aigrette blanche.

**Hoa lan :** orchidée.

**Hoa mi :** rossignol.

**Kéo :** ciseaux.

**Linh mi :** soldat américain, durant la guerre du Viêt Nam.

**Ly :** mesure de distance. Un ly = 1,08 kilomètre.

**Ma ga :** paludisme, malaria

**My lai :** garçon ou fille, né de mère vietnamienne et d'un militaire américain (langage populaire).

**Non la :** chapeau conique traditionnel, en feuilles de latanier tressées.

**Nua :** encore.

**Nu can bô:** combattante viêtcong.

**Nuoc-mâm :** condiment obtenu par macération de poisson dans de la saumure.

**Phân :** marqueur blanc du tailleur.

**Pho :** soupe d'origine tonkinoise, généralement préparée avec du vermicelle, du bœuf en fines lamelles ou en petites boulettes, et des plantes aromatiques telles que le basilic, le dolique, la coriandre, la ciboulette, et plus rarement de la menthe.

**Quan Am :** déesse de la Compassion, toujours en tunique blanche. Sa statue, parfois géante, trône généralement dans le jardin des pagodes. Une statuette de Quan Am côtoie souvent celle du Bouddha dans les maisons. Elle s'appelle aussi Avalokitesvara en Inde et à Java, Guanyin en Chine, et Kannon au Japon.

**Ruou gao :** alcool de riz, plus fort mais moins cher que la bière.

**Sông :** fleuve, rivière.

**Tât Niên :** derniers jours de l'année lunaire, précédant le Têt.

**Tho may :** tailleur d'habits.

**Thuyên :** bateau (sans précision).

**Thuyên may :** petits bateaux de bois, lourds, arqués et ventrus, généralement peints en bleu, avec des bandes rouges, conçus pour la pêche côtière.

**Thuyên thung :** petite embarcation de bambou tressé et goudronné, ronde ou oblongue, mue à la rame ou au moteur (on dit aussi *thung*).

**Trâu :** buffle.

**Trâù :** bétel.

**Xung xam :** fourreau classique chinois, légèrement raccourci.

**Yang :** *Voir* yin-yang.

**Yêm :** ancien cache-seins des Vietnamiennes. Carré, à col rond, en cœur ou fendu, il symbolisait la pudeur et la discrétion.

**Yin-yang :** principes philosophiques chinois. Plus que subtile et souvent mystérieuse, cette philosophie cerne deux forces complémentaires. Yin étant le principe femelle, attaché par exemple à la terre, la nuit, le froid, la passivité ; et Yang, le principe mâle, s'accordant au ciel, à la lumière, à la chaleur, à l'activité. Mais rien n'est totalement yin ou yang. À l'intérieur du yin, il y a du yang, et vice versa. Par exemple, au cœur de la Terre (yin), il y a la chaleur (yang), et les volcans projettent cette chaleur à l'extérieur, belle conjonction de yin et de yang. Ainsi, le beau temps est caché dans la pluie, et l'homme (yang), plus vigoureux que la femme (yin), vit moins longtemps qu'elle.

Plus encore que mes séjours antérieurs, mes dernières recherches au Viêt Nam m'ont permis de sonder le cœur d'un peuple durement éprouvé par le XX^e siècle, et dont la culture est d'une richesse sans limites. Que soient ici remerciés celles et ceux qui m'ont amicalement accompagné dans mon travail : Hoang Kim Hoa, chaleureuse et infatigable interprète de l'âme annamite, et avec elle Nadia Bacal-Mainville, Doàn Thi Ngoc Lan, Lê Quang Viêt, Nguyên Bao Quôc, Nguyên Tiên Quang, Nguyên Thi Thanh Thu, Pham Ngoc Cù et Phan Hiêp. Ainsi qu'au New Hampshire et à Montréal : Brigitte Fontaine, John P. Foss, Lê Dai Quang, Lê Thu Ha, Bill Parker, David Robertson, Colin Sanborn et l'enthousiaste Vo Hô Diêp.

M. R.

JACQUES LAMARCHE
*Ils auront trente ans*

ANDRÉ LANGEVIN
*Une chaîne dans le parc*
*Évadé de la nuit*
*L'Élan d'Amérique*
*Poussière sur la ville*
*Le temps des hommes*

JACQUES LANGUIRAND
*Klondyke*

STEPHEN LEACOCK
*Un grain de sel*

FRANÇOISE LEPAGE
*Paule Daveluy ou La passion des mots*

LAURA LESSARD
*Je suis Laura... pour le meilleur et pour le pire.*

FRANÇOISE LORANGER
*Une maison... un jour*
*Encore cinq minutes,* suivi de *Un cri qui vient de loin*

LOUISE MAHEUX-FORCIER
*Amadou*
*Appassionata*
*Arioso*
*En toutes lettres*
*Neige et palmiers*
*Le cœur étoilé*
*Le piano rouge*
*Le sablier*
*L'île joyeuse*
*Paroles et musiques*
*Un jardin défendu*
*Un parc en automne*
*Une forêt pour Zoé*

CLAIRE MARTIN
*Dans un gant de fer*
*Doux amer*
*Moi, je n'étais qu'espoir*
*Quand j'aurai payé ton visage*

MARIO MASSON
*L'autoroute de l'information*

W.O. MITCHELL
*Qui a vu le vent?*

PIERRE-YVES MOCQUAIS
*Hubert Aquin ou la quête interrompue*

ROGER MODOLONI
*L'aube du temps qui vient*

JEAN PALARDY
*Les meubles anciens du Canada français*

ALICE PARIZEAU
*Côte-des-Neiges*
*La charge des sangliers*
*L'amour de Jeanne*
*Les lilas fleurissent à Varsovie*
*Les militants*
*Ils se sont connus à Lwow*

ROGER POUPART
*La grossesse de Roger*

GINETTE QUIRION
*Quarante ans et toujours en troisième année*

MICHEL RÉGNIER
*L'oreille gauche, ou Gare d'Ofuna*
*Le vol bas du héron*

*Le fossile*
*L'Américaine de Da Nang*

MORDECAI RICHLER
*Duddy Kravitz*

GEORGES ROBERT
*Marcel Aymé est revenu*

JEAN-JACQUES ROUSSEAU
*Voyage de Pehr Kalm*

DANIEL SERNINE
*Manuscrit trouvé dans un secrétaire*

JEAN-FRANÇOIS SOMAIN
*Dernier départ*
*Karine*
*La nuit du chien-loup*
*Le soleil de Gauguin*
*Les visiteurs du pôle Nord*
*Vingt minutes d'amour*
*Sortir du piège*

HENRY STEINBERG
*Les dessous du Palais*
*Le rendez-vous des saints*

LOUIS TARDIF
*Les Assoiffés*

GILBERT TARRAB
*Théâtre en ut mineur*

PIERRE TISSEYRE
*L'art d'écrire*
*55 heures de guerre*
*Lorsque notre littérature était jeune* (entretiens avec Jean-Pierre Guay)

PAUL TOUPIN
*Le deuil d'une princesse*

BERTRAND VAC
*La favorite et le conquérant*
*Le carrefour des géants*
*Mes pensées profondes*

JEAN VAILLANCOURT
*Les Canadiens errants*

PATRICK WATSON
*En ondes dans cinq minutes*

RUDY WIEBE
*Les tentations de Gros-Ours*
*Louis Riel, la fin d'un rêve*

MEL B. YOKEN
*Entretiens québécois* (trois volumes)